ソーシャルビジネスとしての

医療経営学

Health Policy
and
Management

西田 在賢 著

Zaiken Nishida

はじめに

本書前編の制度経営論の中で説くわが国医療皆保険制度の持続可能性、そして後編で説く病院等の経営持続性は、ともに、医療や高齢者介護というサービス事業がわが国社会の課題であり、これに向き合って経営の視点で問題解決を図ろうというもので、いわば、医療・介護をソーシャルビジネスと見た経営論である。

著者が1996年頃から着手する「病院経営持続性」の考えは、もともとわが国病院の大半を占める中小病院を念頭に置いたものであった。というのも、この研究は「国民皆保険制度の持続可能性を高める」研究の一環と位置づけて着手したものであり、皆保険制度を持続するためには加入者であるわが国国民が満足する重要な要素としての医療サービスへのアクセスの良さがあり、この点からわが国病院の大多数を占める中小病院が何らかの形で存続することが欠かせないと考えていたからであった。

しかし、中小病院は資金的余裕が余りないという点で経営人材の確保は容易ではなく、この課題を解決するためにも、著者は機会あるごとに病院経営の人材養成の必要性を説いていた。そうしたところ、2005年春に予想もしなかった方向から「医療経営人材育成プロジェクト」が提起された。経済産業省が厚生労働省の協力を得て病院経営のための人材育成に取り組むとして有識者研究会を設置し、病院経営者の人材育成プログラム作りに乗り出したのである。当時の説明では、経産省商務情報政策局サービス産業課が、すでに2004年度から「医療経営人材育成事業」の開発政策を手がけるために病院・診療所を対象に「医療機関経営の現状と課題」についての調査を実施し、2005年度になって有識者を集めた「事業運営委員会」を設置して同事業の基本方針策定に着手したとのことであった。

経産省の考えは、あくまでも医療サービス業の産業振興のためという捉え方であり、サービス経済化がますます進展する中、医療を成長分野と位置づけ、医療サービスの質を高め、技術革新を生み出していく担い手となるべき経営人材の育成が急務であるとして、医療実務とともに組織・人材管理、マーケティング、情報管理、財務などの経営スキルに通じた複合的な専門性を持った人材を養成する教育プログラムの開発に乗り出したと説明していた。

これは、社会のインフラとしての医療業の存続基盤を固めるために必要となる医療経営人材を養成するという著者の考え方とは微妙なズレがある。しかし、ゴールはともかくとして、プロセスとして医療経営人材の養成が急務だと考える点では一致していた。

経産省のプロジェクト案では、育成対象として院長・理事長などのトップマネジメントレベルや、事務長・経営企画部門責任者などの実務者レベル、そして金融界の融資担当者などにおける医療経営に通じた人材の育成を想定していた。プロジェクトを推進する中で、2005年9月には、実際に自立的な医療経営教育体制を構築するためとして、カリキュラムとケース教材を公募した。ここでは今後の教育体制作りに備えて、大学や研究者単独、あるいは病院や企業といった事業組織単独ではなく、それらが合同したコンソーシアムでのみ申請が受け付けられた。その結果、東京大学、京都大学、大阪大学、九州大学、慶應大学などの大学を中核に据えたコンソーシアムが採択された。これらのコンソーシアムの成果は、翌2006年3月末に東京六本木にある日本学術会議の建物の中で発表会が催され、その後、それぞれのコンソーシアムの核となった大学で様々な形で医療経営人材育成講座が開講されることになった。

ちなみに、経産省の「平成17年度医療経営人材育成事業における個別教育プログラム開発」の公募結果を知らせるニュースリリースには、「医療サービスが事業として高度化していくうえでは、やはり、医療実務と経営技術の双方に通じた『医療経営人材』の育成が必要」との趣旨説明が載っていた。

じつのところ、著者は2001年に上梓した『医療・福祉の経営学』（薬事日報社）の中で、医療経営人材像を象徴的に「π（パイ）型人間」と

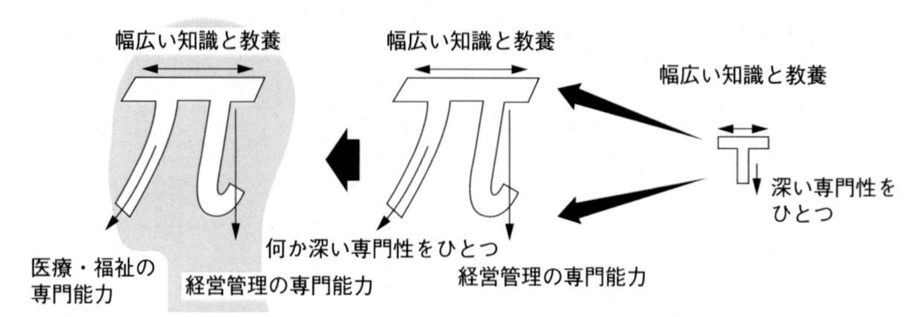

図　医療・福祉経営の理想的人材、π型人間モデル

表現していた。かつては、一つの専門を持っていて、かつ、幅広い教養を持っている人をアルファベットのＴに象徴させて「Ｔ型人間」が優秀な人材だといわれたが、科学の発展が著しく、どんどんと複雑化する近年の社会では、専門性を複数備えた人材が求められるようになると予想し、二つの専門性を有機的に組み合わせて理解し応用する「π（パイ）型人間」を社会が求めるであろうと考えた（図参照）。そして、病医院の経営に就く人材にも、この考えが当てはまると説明していた。ちなみに、この発想は経営研究の専門誌である『DIAMONDハーバード・ビジネス1983年３月号』に載った著者の論文「コンピュータを駆使した経営戦略策定法」の中で、新時代の人材像の概念説明に用いたものである。

そのような経緯から、経産省による医療経営人材育成プロジェクトにおいて同様の考え方が披瀝されていたことに驚いた次第であった。ただし、先にも述べたように、医療経営人材育成のゴールが微妙に異なることを注記しておきたい。なにぶんにも医療経営人材育成は、著者の医療経営論に密接につながるものだからである。

結局のところ、著者は経産省の公募に当選した東京大学のコンソーシアムが手掛ける次世代病院経営層人材育成コンソーシアムの運営委員会の一員として加わり、カリキュラムについての意見を述べるとともに、ケース教材については「経営戦略論」に関わるものを手掛けた。その内容の一部を、本書最終の第９章で説明する。

今後のわが国の医療経営人材養成がどのような展開になっていくかについては、著者にもまだ予想がつかない。しかし、2007年に人口のピークが過ぎ、人類未踏の規模で超高齢社会が進行し続けるわが国では、医療に限らず社会の多くのシステムが変革期、つまりイノベーションを強く求める時代に直面している。そのような中で、単に経済性を重視するのではなく、社会インフラの持続性重視の立場からも医療経営の専門家養成は不可欠だと考える。

そのような思いで2001年に『医療・福祉の経営学』を刊行した後も、改訂版に取り組もうとして筆を取っては書き直しを続けるうちに、医療・介護に対する世の中の意識もずいぶんと変遷し、先に話したように医療経営人材を養成する必要性が認識されるようになり、また、国の医療制度も抜本的改革を余儀なくさせられ国民皆保険持続の正念場に入ったように見受ける。

ここに至っては、もはや『医療経営学（Health Policy and Management)』と表題した本にしたほうが良いと考えて、この２年余りにわたって原稿作成に取り組んだ。そして完成したのが本書である。ただ、著者が構想する医療経営学は、先にも触れたように経産省が考える医療経営人材養成とは微妙なズレがある。それは、冒頭に述べたように、著者は医療・介護事業をソーシャルビジネスとして捉えているからであり、医療・介護機関は存在そのものが重要であって、過度な利益追求のために存続が危ぶまれるような冒険的経営が望まれるものではないとの考えに立っている。

この考え方について、一つ、エピソードを紹介したい。『医療・福祉の経営学』を刊行した一昔も前のことだが、ある私大の大学院で社会人院生たちを前にして、医療経済学の泰斗、西村周三先生（当時、京都大学経済学部教授）は「経済学とは一言でいうと、モノやサービスの遣り取り」と説明された。その後で医療経営学を講義しようとした著者に、さっそく一人の社会人院生が「経営学はモノやサービスで儲けることですか？」と質問した。著者は次のように回答した。「違います。経営は一言でいうと遣り繰りです。経営学は遣り繰りを科学します。遣り繰りに成功すると、お金が残ります。つまり、儲かるわけです。しかし、それは一つの結果です。経営学は失敗についても研究しますが、これも『遣り繰りの科学』の研究には欠かせません。つまり、失敗を回避するための知識も経営では欠かせませんから。」

一般的に「経営学」といえば利潤の追求を目的とした企業の経営を説明するものだから、「医療経営学」といえば、医療サービス業における利潤の追求を説明するものと考える人が多いと思う。実際、そのような目的で著された病院経営や介護施設経営の解説書も多々ある。しかし、本書が目的とするのは、病院や診療所、さらには高齢者介護施設といったところが無くなったら社会は困るため、それらの事業が持続できるようにするための知識と心構えについて体系的に解説することにある。つまり、医療・介護事業の経営持続性を高めるための体系的な説明である。

本書は儲けるための経営学を説くわけではないが、どちらの経営学もあって良いと思う。

次ページに、わが国社会で医療経営学の必要性がほとんど認知されていなかった10年前に刊行した『医療・福祉の経営学』の「はしがき」を載せて、本書の継続性をご理解いただければと思う。

2011年5月

西田　在賢

はしがき
（「医療・福祉の経営学」より抜粋）

本書は、わが国健康保険制度と介護保険制度の下で医療、そして介護サービス事業を運営して行くときの意思決定の科学、つまり医療・福祉の経営学をできるだけ分かり易く、また、できるだけてっとり早く説明しようとするひとつの試みである。予備知識としては、大学一般教養程度を心得えている人ならば理解できるよう書いたつもりである。その意味では、病医院や高齢者福祉施設の管理職あるいはその補佐にある人達や今後増えるであろう専門大学院（プロフェッショナルスクール）の医療福祉経営学コースの院生達の教科書として好適であろうとは著者の密かに信ずるところである。

なお、本書で福祉の経営学としているのは、上に云うように介護保険制度下での介護サービス事業についても言及しているためであって、けっして、社会福祉事業全般についての経営学を説明するものではないことをあらかじめおことわりしておきたい。

かつてのように、介護サービス提供者達が行政の代行を行うという措置制度下のわが国社会福祉事業では科学的な経営研究の成果が活かせる余地はほとんどなかった。ところが先年より介護保険制度が始まり、サービス提供者は利用者の選別を受けることとなった。このことは1980年代半ば以降の医療施設経営者達が経験したことに酷似しており、その後に進んだ医療経営の研究は、介護サービス事業を行う社会福祉法人等の経営者達にも参考になるものと思う。

元々、「福祉」という漢字は『福』も『祉』も共に「さいわい、幸福」の意味である。だから、社会福祉といったときには「社会の幸福」ということで、たいへん分かり易い。ところが、福祉（事業）経営というと「幸福（事業）の経営」となってずいぶんとイデオロギーに左右されることになり、経営とは切っても切り離せないはずの経済的合理性の議論が宙に浮いてしまいかねない。すなわち、経営科学や経営技術の放棄に陥りかねない。

同様の議論が「医療福祉」という言葉でも起こる。これを「医療の幸福」と取ってしまっては、まるで医師や看護婦（編注：当時の呼称）といった医療関係者の満足を優先しているように聞こえるし、それゆえ「医療福祉経営」も医療関係者が満足する経営と揶揄するものも現れる。勿論、実態はそうではない。

経営を論ずるときには、何を対象とした経営かを必ず明らかにしなければならない。現在のところ、わが国世間一般が「医療福祉経営」といっているものの対象は、健康保険や介護保険が対象としている医療サービスや介護サービスのことである。そして、そこでは暗に市場競争を認めているため、経済的合理性の研究が必要になり、経営学の必要性も認められることになる。そして、児童福祉や障害者福祉などのように社会の幸福の観点から弱者を保護しようとするサービスについては、無駄があってならないとは考えても、市場競争やそのための経済的合理性についてまで認めているとは考えられない。

そのようなわけで本書では書題に「医療・福祉の経営学」とは名乗ったが、中身は健康保険制度や介護保険制度が対象としている医療サービスや介護サービスの経営についての科学と技術を説明するものであり、しかも、介護保険については開始後まだわずか1年しか経っていないため、本書の内容の多くは医療サービス事業の経営研究を説明するものとなった。そして、私がライフワークとしてこの20年余り考えてきた「医療経営学」の構想の結論は、「制度」と「事業」のそれぞれの経営に分けて取り扱うことであり、本書著述の機会にそのことを提示してみた次第である。

ちなみに、経営研究は事例の比較分析が基本である。そして、今いうように経営を制度と事業の二つに分けて整理する利点は、外国の医療経営の成功事例について、わが国に有用な事例であるか否かの判別が可能となるからでもある。たとえば、マネジドケア保険が現れる前の米国では、病院など医療施設は個別に医療サービスの価格を決めていた。そのような条件下では、アメニティなどの医療そのもの以外に投資を行っても、それが患者にうければ、サービス価格に転嫁して経営収支を改善することができる。ところが、わが国や他の先進国のように社会保険方式で診療報酬を決めているところでは、米国のような病院経営を行うことはできない。つまり、アメニティに投資しても資金の回収見込みが定かではない。また、国の会計制度や税制度が違うと、費用控除の方式が異なるので、同じ経営指標でもって単純に外国の病院と比較することはできない。すなわち、制度の違いのため、根本的に導入が適わない事例を研究しても役に立たないわけである。だからこそ、制度経営と事業経営の二つに分けた整理は、医療経営学の研究では不可欠なものと信じる。

なお、ここで経営学に付けた「医療」という言葉に英語の medical を採るか、health を採るかで、医療経営学の範疇がずいぶんと変わるものと思う。つまり、health を採れば、ここには介護の内容も含まれるからである。そして、本書に取り上げるような医療や介護の経営学は Health Services Management であり、本書のように制度経営と事業経営とに分けて整理した説明は Health Services Management and Policy ということになろう。実際のところ、本書第２章で紹介するように米国のジョージ・ワシントン大学（Washington, D.C.）では、医療経営学を教える大学院のコース名について、40年余りに渡って名称の変遷を重ねた結果、昨今では Health Services Management and Policy とされている。

上記のような理由をもとに、本書の内容は経営原理と経営管理論との前後編に分かれる。

前編の経営原理は制度経営論であり、わが国の医療・福祉経営の原理ともいうべきものである。すなわち、これを理解できて初めてわが国の医療・介護サービスの事業経営が存立する基盤を知るのである。その基盤は必ずしも不変ではなく、政治と経済に左右される。また、わが国の医療や介護システムはわずか百数十年前の明治維新を境に海外、特に欧米のシステムに倣って導入が図られたものがほとんどである。そのため、わが国独自の社会観念に接ぎ木を繰り返したような制度であり、欧米本来のシステムと比べると異形である。しかし、その反面で、絶えまぬ改善と努力によって世界に誇れる国民皆保険制度を持つに至ったことは特筆に値すると考える。

これらわが国制度の特徴について仔細を説明することは、多くのページを必要とするうえに、初学者にはけっして分かり易いものとは思わない。他方、分かり易さは本書の試みのひとつであるから、仔細さとの間で両立を果たせるよう「医療保険制度改革」というテーマの中で制度の特徴を語ることにした。具体的には、現行の制度に至るまでの国内政策論議と今後の改革の動向、そして海外、とくに米国のシステムとの比較を取り上げて語ることにした。

後編の経営管理論は、いわゆる、事業経営論であり、医療・介護サービスの事業者の経営課題に助言するものである。前編で説明したような医療や介護の保険制度の枠組みがある中で、それらサービス施設の組織運営についての様々な項目について取り上げる。ただし、前編と同様、分かり易さの試みが果たせるよう、一般的なテキストのように知識の羅列をすることはしない。むしろ、精密な議論を敢えてせずに、経営学、すなわち「やりくりの科学」の考え方がいかなるものであるかをできるだけ理解してもらうことを目標と考えた。というのも、事業の経営問題は個別の課題であり、事業を取り巻く経済条件はそれぞれに異なるから、実際に事業経営の問題に臨んだときに応用が利く、あるいは心構えができることが重要だと信じるからである。

本書はいま述べたような方針のもとで編んだつもりであるが、はたして著者の意図するところが十分に実現されているか否かは、もとより、大方の批判に待つよりほかない。

なお、参考までに経営学と経済学の違いについての考察もわずかではあるが取り上げておいた。わが国では両者が未分化なまま語られることが多いが、論ずる視点や研究役割には多々違いがある。とくに「年月とともに価値観が変化する」ことを容認する経営学は、「普遍的な原理原則を追求する」姿勢の経済学とでは解（ソリューション）の求め方に根本的な違いがあると思う。だから、時代に即して変化することが求められる制度（システム）や事業管理の在り方というものは、経営学的視点から説明することがたいへん自然であると考えるのは、あるいは著者のひとりよがりであろうか。これについても大方の批判に待つよりほかない。

2001年10月

西田　在賢

目　次

後編　医療・介護の事業経営論

前　編
医療・介護の経営原理

第1章

わが国の医療システム

第1節　医療資金を担う医療保険制度

経済学とは、一言でいうと、モノやサービスの遣り取り、つまり取引を研究することである。その取引は、需要者（支払側）と供給者（提供側）の二者間で行われることが基本である。医療サービスも例に漏れず、患者と医師との二者関係から始まっている（図表1－1）。

しかしながら、私たちは病気にかかることが前もってわかっているわけではない。また、病気が治るまでにどのくらい医療費がかかるのかも事前にはわからない。そこで、考えついたのが保険システムの仲介による三者間取引である。三者間取引とは、簡単にいうと、保険者が加入者から定期的に保険料を徴収して資金を貯めておき、加入者が病気になったときに貯めてある資金から助けてもらう仕組みである（図表1－2）。ただし、医療サービスを求める場合、保険者から一定の支援金を出してもらうこと、すなわち「現金給付」だけでは不十分である。なぜなら、先述のとおり、病気が治るまでの医療費がいくらで足りるかがわからないからである。そのため、医療保険の場合には、病気が治るまで医療サービスが受けられること、すなわち「現物給付」が約束されてこそ、保険となる。しかし、このような医療保険が世界で普及し始めたのはわずか100年ほど前のことで、人類にとってまだ経験が浅く、現物給付方式の医療保険システムの運営は多くの課題を抱えている。

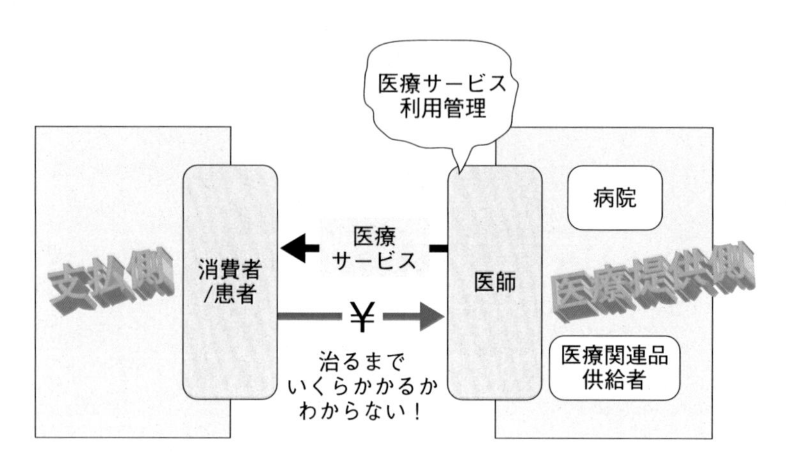

図表１−１　医療提供モデル（二者間取引）

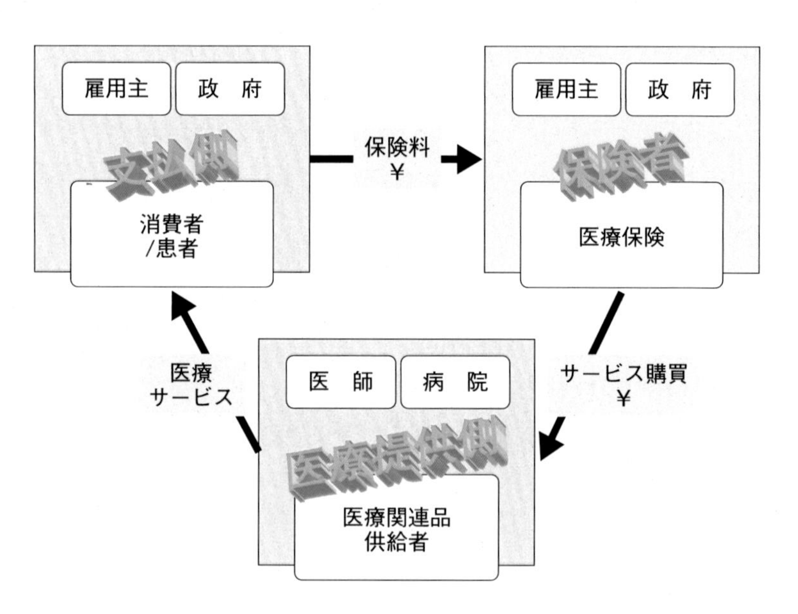

図表１−２　医療提供モデル（三者間取引）

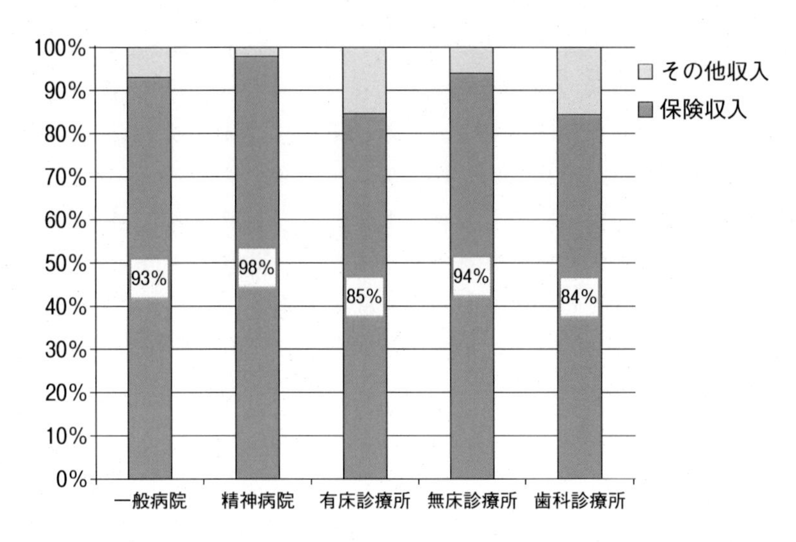

図表１－３　医療施設別保険診療収入割合
資料：医療経済実態調査（2007年６月実施）

そこでわが国の医療経営を論じるとき、まずは保険制度の解説から始めなければならない。なぜなら、わが国の医療保険は、全ての国民が加入する国民皆保険制度を採用しており、この制度のもとで、わが国の医療機関は収入の大半を保険診療に依存しているからである。なお、この制度では、医療機関が患者の自己負担分を窓口で徴収することも義務づけており、当然のことながら、保険診療収入にはこの窓口徴収も含まれる。

2009（平成21）年に実施された医療経済実態調査を見ると、病院や一般診療所の収入は保険診療収入が９割近くを占めていることがわかる。なお、各施設別収入の中で、その他収入としているものは、労災保険や自賠責保険、患者自費分の三つがほとんどを占めている（図表１－３）。

歯科診療所で保険診療の収入割合が少し低くなっている理由は、高価な義歯や入れ歯、そして審美歯科などが自由診療なので患者自費割合が増えるためである。また、有床診療所では、産科や美容整形といった、やはり自由診療の割合が大きい診療科が多くを占めるため、保険診療収入割合はやや低くなっている。

ちなみに、医療経済実態調査は、1967（昭和42）年に健康保険組合（健保組合）などの保険支払側からの強い要望で実施されるようになった。これは戦後の健康保険制度立て直しの一環として保険診療報酬の精緻化を試みた、1952（昭和27）年に実施された全国医療機関の経営実態調査以来のことであった。医療経済実態調査は、診療報酬改定の際の基本資料として改定の前年に実施されるが、第４節で説明するように平成年間に入ってからは診療報酬改定が短い周期で実施されるようになり、これにともなって目安２年に１回の割合で調査されている。また、これまでは標準月１ヶ月の決算で医療機関の経営収支を調査していたが、2009（平成21）年度からは１年分の決算での調査が始まった。

第２節　国民皆保険制度と国民医療費

図表１－４は、国民皆保険制度が実現した1961（昭和36）年から近年に至るまでの国民医療費の動向である。1973（昭和48）年度には４兆円に過ぎなかったわが国の国民医療費は、翌74年度以降25年近くにわたって、毎年ほぼ１兆円ずつ増加した。たしかに、73年には第１次オイルショックが起こり驚異的なインフレを引き起こしたが、間もなく物価の上昇は落ち着き、とくにバブル経済崩壊後の90年代の物価はマイナス成長にさえなった。それにもかかわらず、国民医療費は毎年ほぼ１兆円ずつ増加するという事態が続いたのである。

１兆円という金額は、一般の生活にはあまり馴染みがないが、簡単にいうと、１億円の１万倍である。100万円の札束の厚みがほぼ１センチメートルだから、１億円の札束は約１メートルであり、１兆円では１万メートルとなる。つまり、１兆円の札束を積み上げればジェット機が飛ぶ高空にまで届くのである。このような巨大な金額が毎年増えるという状況が20数年にわたって続いたわけである。

この動向に大きな変化が生じたのが、2000（平成12）年度のことである。この年、初めて国民医療費が前年よりも減少した。しかし、その理由は第２章で説明するように、この年から始まった公的介護保険制度が、前年度まで高齢者医療費分として健康保険制度から支払われていたもの

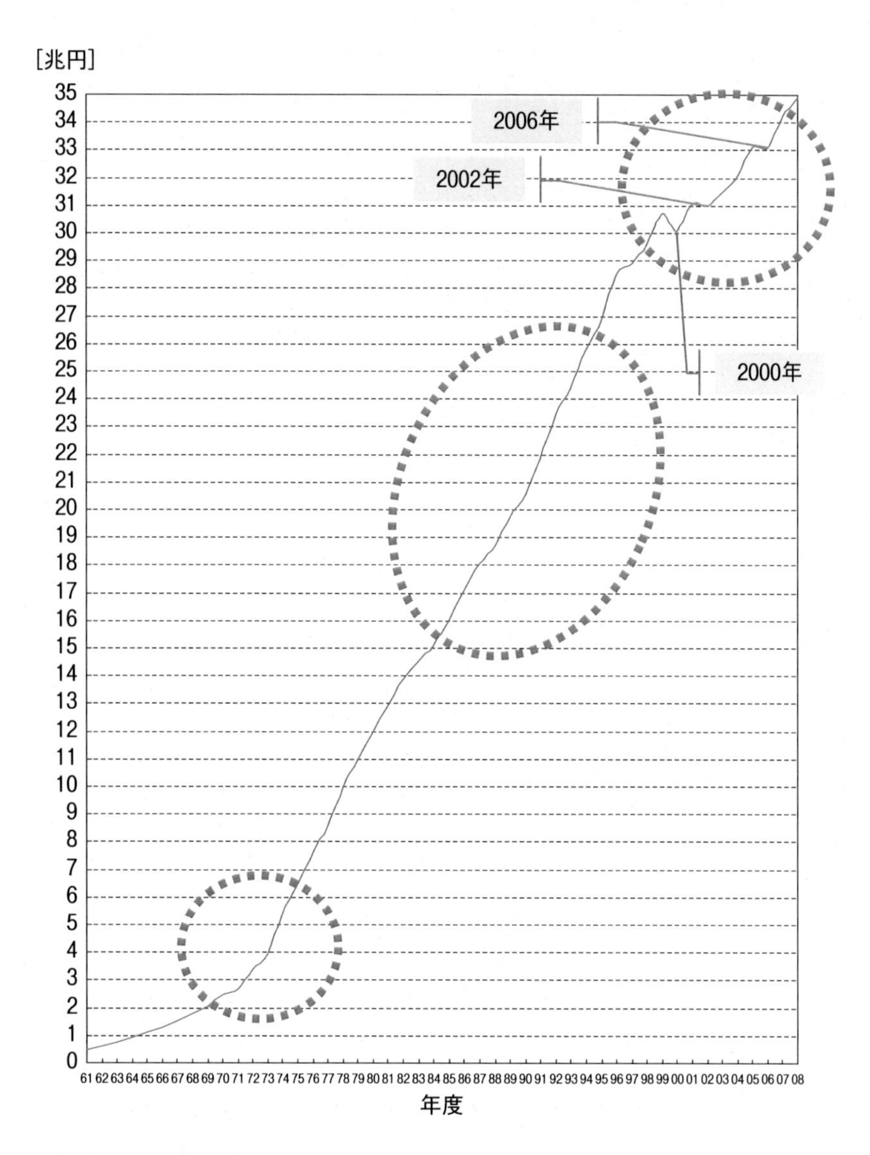

図表１－４　国民医療費の動向

を一部肩代わりしたためである。この肩代わり分を補正すると、国民医療費は相変わらず１兆円規模で増え続けていた。しかし、2002（平成14）年度には、介護保険に転嫁した分を調整しても、前年度より医療費が減少している。

ここで少し考えてみたい。もしも2002年度にわが国の病人数が減った結果、医療需要も減ったというのならば、たいへん結構なことである。しかしながら、そのような事実は存在しない。じつは、この年に国民皆保険制度が成立して以来初めてとなる診療報酬の実質マイナス改定が行われ、その結果として、前年度より医療費が減ったのである。このことからもわかるように、国民医療費として公表されている統計は、わが国国民の実際の医療需要を説明するものではない。

わが国の健康保険制度は、医療保障を国民皆保険による社会保険方式によって医療費の大半をカバーする、いわば国民を強制加入させて、税のように徴収した保険料を公的監督のもとで集め、不確実な傷病の発生、つまり医療需要の支出に備える相互扶助の仕組みである。

そのようなことから、国は国民の医療保障を行う責任があり、その資金管理のために作成される統計が国民医療費であるといっても過言ではない。そのため、わが国の国民医療費には、国の医療保障の管理外となる支出については計上されていない。たとえば、妊婦は病人ではないため、通常の出産となる正常分娩には健康保険は適用されない。また、入れ歯や差し歯のために高級な材料を選ぶことや、歯を美しく見せるための審美治療といった歯科の自由診療の費用も保険適用外であるため、国民医療費には集計されていない。そのほかにも、入院時の差額ベッドなどの療養環境費は健康保険の対象外とされており国民医療費には含まれない。また、8,000億円前後と見込まれる大衆薬への国民の支出も国民医療費には含まれない。すなわち、わが国で国民医療費として発表されている統計額は、国民が実際に医療に支出している金額（＝医療実需）よりも少ないのである。

ここで重要なことは、厚生労働省が毎年公表している国民医療費は、社会保険診療の支出動向を示しているということである（厳密には、労災補償保険などの別の保険財源からの医療保険支出も含まれるが、それらを全て合わせても７％程度で、残りの93％は社会保険医療制度からの支出分である）。前節で説明したように、わが国の医療機関は収入のほとんどを社会保険診療に依存していることから、この支出動向を把握しておくことは、医療事業の経営管理者には欠かせないリテラシーとなろう。

なお、国民医療費の患者負担分は診療報酬支払いのデータからサンプルを採った推計値であるが、それでもデータは膨大なものである。なおかつ、厚生労働省が当該年度のデータを集計して国民医療費を公表できるのは16ヶ月以上後になる。たとえば、2010年度の国民医療費は、2011年３月末で締めて翌2012年の夏頃にようやく公表される。このように、公表年次に時間がかかっていることを理解しておかないと、社会保険診療の支出動向が左右する診療報酬の改定を読み誤りかねない。

さらに紛らわしいことに、国民医療費が公表される時期とほぼ前後して、医療費動向調査として「公表された国民医療費の次年度分」の概算値、いわゆる速報値も発表される。これは国民医療費そのものではなく、医療保険と公費から支払われた医療費概算を合わせたものであり、労災保険の医療費や柔道整復師の治療費などは含まれない。そのため、金額としては翌年に公表される国民医療費の98％前後に相当するものとなる。

これら統計値を区別して使えば有用であるが、マスコミなどで報道されるときには混乱して使われることがあるので注意が必要である。

第３節　国民皆保険達成までの経緯

わが国の医療保険は、法律によって定められた社会保険であり、国民は何らかの医療保険制度に加入することを義務づけられている（図表１－５）。これによって、全ての国民が医療保険でカバーされるという国民皆保険が実現している。保険の加入者数規模といい、医療給付内容（保険で診てもらえる医療内容）といい、他の先進諸国の医療保険制度と比較しても見劣りしない、優れたシステムとなっている。

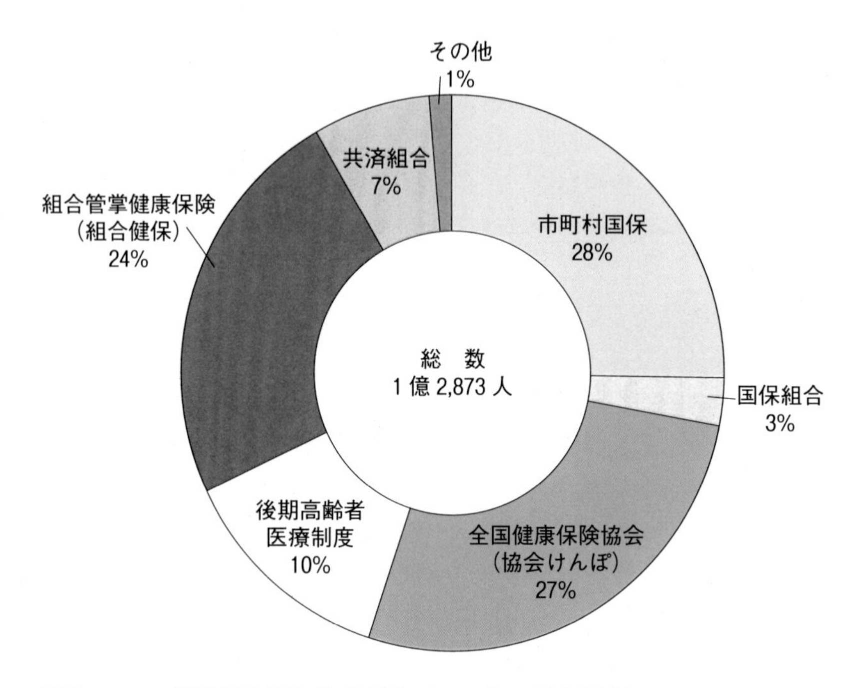

図表1－5　保険制度別加入者割合（2009年3月末現在）
資料：厚生労働省

国民皆保険の達成は、国民に医療保障を約束する一方で、医療機関の経営安定にも大きく寄与した。一般的に、企業が経営に行き詰まって倒産する大きな理由の一つが売掛金の回収不能である。その点、わが国の医療機関の利用者である国民は、国民皆保険制度のもとで、必ず何らかの医療保険に加入しており、医療機関では窓口徴収分の残りとなる医療費の7～8割は公的に管理された保険制度から支払ってもらえるため、未回収のリスクはほとんどない。しかしながら、医療機関の経営安定に寄与する国民皆保険制度もすんなりとできたわけではない。

わが国の医療保険は、1922（大正11）年の健康保険法（健保法）制定に始まる。ただし、翌年に関東大震災が起こったために施行が延期され、1926（大正15＝昭和元）年に部分的に、続く27（昭和2）年に本格施行となった。

その背景には、明治維新から半世紀余りが過ぎて、工場労働者がようやく増えてきたものの、労働条件の劣悪さから健康を害する人々が多く、大きな社会問題になり始めていたことに加えて、第１次世界大戦（1914～1918年）後の経済恐慌やロシア革命勃発（1917年）に続く労働運動の先鋭化という、世界的な規模での社会情勢の悪化があった。この情勢から、ベルサイユ条約によって国際労働機関（ILO）が設立され、社会立法の制定が勧告された。そこで、わが国もこれに対応すべく、社会保険の立法化を検討し、社会保険方式による医療保険制度の確立を急いだのであった。

こうした経緯で発足した健康保険制度は、従業員15名以上の工場または鉱山労働者を原則として強制加入とし、事業所ごとの健保組合が管理する組合管掌健康保険（組合健保）、あるいは健保組合を構成するには非力な小規模事業所の従業員を引き受ける政府管掌健康保険（政管健保）の二つから構成された。

その後、戦時体制が進む中、1938（昭和13）年には市町村の任意設立という形で国民健康保険（国保）制度が始まった。1940年には、事務職員を対象とした職員健康保険が生まれたが、42年には健康保険制度に統合され、いわゆる被用者保険として整備が進んだ。

1945（昭和20）年の敗戦後は、国民は生きるのに精一杯で、病気にかかったときの備えをする余裕はなく、また、混乱する世の中で医療費の支払いが不確かな社会保険を信用する病院や開業医も余りなく、保険によらない自由診療によって患者を診るのがほとんどであった。

そこで、日本に進駐してきた占領軍本部である連合国総司令部（GHQ）の公衆衛生福祉局は、治安回復の意図もあって、1948（昭和23）年に社会保険診療報酬支払基金法や医療法の制定を促して、医療保険機能の回復を図ろうとした。他方、GHQは敗戦以来赤字が続く日本の政府予算を一気に黒字に転換させるために、いわゆるドッジ・ラインによる超金融引き締め政策を49（昭和24）年に実施させた。その結果、日本経済は一転して恐慌状態に陥り、零細な会社は次々と倒れることとなった。そのため、自由診療の患者が減少した病院や開業医は、保険診療の患者を受け入れざるを得なくなり、結果として、医療保険制度を蘇生させることにつながった。

1950（昭和25）年に勃発した朝鮮戦争は、日本に特需景気をもたらした一方で、GHQの役割を変えた。すなわち、52（昭和27）年に日本はサンフランシスコ講和条約に調印して国際社会へ復帰するとともに、GHQは廃止され、世の中は次第にかつての落ち着きを取り戻していった。

そうした状況下で社会保障への議論が活発となり、医療保険についても整備が要望された。ちなみに、1956（昭和31）年当時、国民9,100万人のうち何らかの医療保険制度に加入していたのは７割弱の6,100万人ほどで、残りの3,000万人近くは無保険者であった。その内訳は、単に零細企業に雇用されているというだけで健保から除外されている人々とその家族が約1,000万人、居住する町村が国保を運営していないために加入できない人々が約2,000万人だったといわれる。

多くの議論を経て、1958（昭和33）年末に国民健康保険法の全面改正法案が通り、これによって旧法では国保は市町村の任意実施となっていたものが義務となり、また、５人未満の事業所の従業員も国保でカバーすることになった。保険財源についても全国平均で医療給付費の25％が国庫の負担となり、それまで市町村ごとに異なっていた負担割合が保険者５割、国保加入者５割の折半に統一された。新しい国民健康保険法は1959（昭和34）年１月１日から施行され、61（昭和36）年４月１日までに全市町村で国保強制実施が行われた。これにより国民全員が何らかの医療保険に加入するという国民皆保険が実現するに至ったのである。

エピソード１
診療報酬制度成立の経緯

大正時代末の健保法成立から、国民皆保険による医療保険制度の実現に至るまでの40年間、保険者が腐心したのは加入者の拡大と同時に、医療機関への支払い方法、すなわち、診療報酬支払いのシステム作りであった。

仮に、医療保険からの支払いが不十分であれば、病院や開業医は保険による診察を断るかもしれない。それでなくとも健康保険制度が始まった1927（昭和２）年当時は、医療機関の数は今よりもずっと少なく、全国で病院が3,500ほど、医師は５万人弱ほどしかないという時代であった。

そのような時代に保険診療を引き受けたのは官公立病院でも28ヵ所しかなく、ほとんどの保険診療は開業医に依存することになった。そこで、当時の保険者である政管健保と各組合健保はそれぞれ独自に医師会と契約を結んだ。このとき、保険診療を引き受けた医師は全体の７割程度であったという。

それでも医療機関の言われるままに保険料を支払っていたのでは、すぐに資金が底を尽いてしまう。そのため、小規模事業所の労働者たちを被保険者とする政管健保は、当時ドイツで行われていた仕組みを参考にして、診療報酬を被保険者一人につき一定の年額で定める人頭払い方式（キャピテーション/Capitation）とし、それを月割りで日本医師会（ただし戦前の旧日本医師会、詳細は後述）に支払うようにした。そして、政府から予想算定額を支払われた日本医師会は、都道府県医師会に予算を配布した。

都道府県医師会では、保険医から診療行為の各点数積み上げによって出された請求点数を総計し、配布された予算額をこの総点数で割って一点当たりの単価を割り出して清算した。これが一点単価の始まりといわれる。もっとも、この方式だと保険診療が増えれば単価が安くなり、また、都道府県によって格差が生じるなどの問題があった。

他方、組合健保では様々な支払い方式が試されたという。しかし、やがて戦時体制下となって、1938（昭和13）年には不完全ながら市町村国保の制度が始まった。1943（昭和18）年には国民医療法によって日本医師会は国の監督となり、健保法が改正され、健康保険全体に点数単価方式が拡大されるとともに、点数は厚生大臣が告示することになった。

敗戦後は、社会の混乱の中で、医師は自費診療でなければ患者を診察しようとしなくなり、医療保険制度は有名無実となりかけた。このため厚生省では健康保険制度の立て直しを急いだ。そして、先にも説明したようにGHQは治安回復の一環として、積極的に健康保険制度の立て直しに関与したのである。

一方、保険診療の請負契約者であった日本医師会も、国民医療法がGHQの命令により廃止された翌年1947（昭和22）年に、「任意設立、任意加入」による新生日本医師会となった。そして、戦後の激しいインフレの中で医師会は保険診療の報酬単価に関心を寄せたため、行政側は単価のたび重なる引き上げを実施することでこれに応えて、医療保険を蘇らせることに成功した。参考までに見てみると、1945（昭和20）年10月に標準単価１点35銭であったものが、1948（昭和23）年10月には甲地（６大都市と川崎、尼崎など４市）11円、乙地（その他の市町村）10円にまで引き上げられている。そのため、医師会や歯科医師会は全面的に保険診療に協力するようになったという。

なお、診療報酬は、戦前の1944（昭和19）年に当時の医師会と歯科医師会からの要求によって６大都市とそれ以外の県庁所在地、および人口11万人以上の都市、そして、それ以外の市町村と三つのランクに分けて地域差を是正していた。これは戦後も引き継がれて、二つのランクを設けていたが、三師会（医師会、歯科医師会、薬剤師会）の要求により、1963（昭和38）年から全国一律となって現在に至っている。

また、1955（昭和30）年頃から健康保険財政に好転の兆しが見えたため、この機会に新医療費体系を構築して、診療報酬を見直そうという機運が高まった。このとき日本医師会は診療報酬単価の引き上げを強く主張した。しかし、当時厚生省ではGHQからの忠告以来、懸案事項となっていた物と技術を分けて、注射や投薬の形で受け取っていた技術料を診察料に振り替えようと考えていた。そして、厚生省案を大筋で認める病院側と薬代からの収入が手放せない開業医との間で利害がまとまらず、政府、保険者、日本病院協会（現在の日本病院会）と日本医師会との間でどんどんと政治問題化していった。

その後、幾多の議論を経て、1958（昭和33）年に、厚生省が提案する診察料や入院料に簡単な診療行為を包括化して評価する新しい点数表を

「甲表」、医師会が主張する従来どおりの評価方式を採る点数表を「乙表」として、医科では甲乙二表のどちらを採用してもよいことになった。開業医はほとんどが乙表を採用した。他方で、間もなくして甲表を採用する病院も減っていった。

このような一物二価ともいうべき保険診療報酬の不合理は、本格的な医療改革が進む1994（平成６）年に診療報酬点数表の一本化が行われるまで36年間も続いた。この間、診療報酬は点数単価を変えない代わりに、甲表乙表それぞれで診療点数を改定することが繰り返されることとなった。

第４節　国民皆保険制度下の医療業

冒頭に説明したように、医療保障では現物給付方式の医療保険が有効で、わが国では国民皆保険による健康保険制度を敷いている。そこで関係する三者間の遣り取りの仕組みを整理すると、図表１－６のようになる。

現行の健康保険制度のもとでは、医療保険は契約ではなく、健康保険法と国民健康保険法という二つの法律によって運営されている。異なる歴史的経緯から誕生したこれらの法律は、似た内容について、異なる用語が用いられるので混乱しやすい。

たとえば、医療機関が保険診療を行うためには、組合健保などの被用者保険については、健保法に則って療養の給付を担当するところとして、都道府県知事の指定を受けて「保険医療機関」とならなければならない。そして、保険診療に従事し、療養の給付を行う医師は都道府県知事に「保険医」の登録をしなければならない。いわゆる二重指定である。

もともと保険医は登録制であったが、1956（昭和31）年には、病院や診療所も別途に保険医療機関として登録することになった。その理由として、医師が保険診療上は何ら悪いことをしていなくても、病院の事務長や技師が問題を起こすこともあるため、そのような事態が発生したときには医療機関に責任を取ってもらうためだと説明された。つまり、当時の世相を反映して、医療費の不正請求対策として打ち出されたのであ

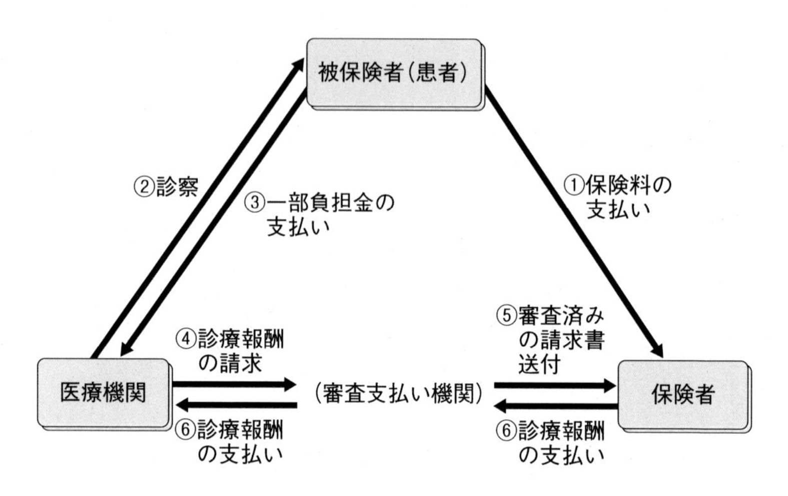

図表１－６　保険診療の仕組み
出典：厚生労働省

る。背景には、世の中への情報伝達が円滑でなかった当時、一部負担を取らないと宣伝して患者を大勢集めて濃厚診療や水増し診療を行う悪徳医療機関の例が後を絶たず、彼らは保険医登録を取り消しても別の医師を連れてくるため、埒があかなかったという事情があった。

一方、医療機関が国保加入者に保険診療を行うためには、国民健康保険法に則って、都道府県知事に国保の取り扱いをする「療養取扱機関」としての届け出を行うだけで済む。そして、保険診療に従事する医師は「国民健康保険医」として都道府県知事に登録される。

以上の事柄は、あくまでも医療機関側が健保法と国民健康保険法のもとで保険診療を行うための手続きについて述べたものであるが、診療そのものに差違があってはならない。また、医療機関側でも両保険制度下で保険診療機関の扱いに違いがあるとは思っていないのが現状である。そこで、以後は健康保険を受け付ける医療機関や医師という意味で、単に保険医療機関、保険医と呼ぶことにする。

保険医療機関や保険医が従うべき責務は、「保険医療機関及び保険医療養担当規則」（略称、療担規則）という省令に記載されている。そこでは、保険医療機関は医療法の規定を満たしている施設としての承認許可を得ていることが確認され、保険診療業務として患者の保険受給資格の確認義務や窓口で一部負担金を受領すべきこと、また療担規則に記す書式の診療録（カルテ）への記載と整備とが義務づけられている。そして、保険医については、厚生労働大臣が定める以外の特殊療法や新療法を禁じている。

このことは、繰り返し議論となっている「混合診療の禁止」の問題につながる。保険診療では、保険で認められていない診療を行う場合には、その行為だけが保険適用外となるのではなく、その患者に対する全ての診療行為について保険からの支払いが認められなくなる。つまり、患者は全ての治療費を自己負担しなければならなくなる。そこで、当面の対処のために設けられているのが「特定療養費制度」である。この制度の対象となるのは、差額ベッドや高度先進医療、特別な前歯材料などで、これらについては一般治療と共通する部分は健康保険でカバーされ、特別な部分のみが患者の自己負担となる。

医療事業の主たる収入である診療に対する支払方法についても、健保法と国民健康保険法によって定められている。すなわち、厚生労働大臣が中央社会保険医療協議会（中医協）に諮問し、その答申に基づいて定めるとし、具体的な計算方法は「健康保険法の規定による療養に要する費用の額の算定方法」によって定められる。医療関係者の間では、この算定方法を収載した分厚い資料のことを診療報酬点数表と呼んでいる。点数表には健康保険を適用できる診療行為とその点数とが具体的に定められており、要は、わが国の医療サービスの公定価格表である。診療報酬点数表は、1958（昭和33）年以来、ほぼ２、３年ごとに改定されていたが、80年代以降は経済成長の鈍化に合わせて財政事情が厳しくなり、２年の目安で、場合によっては１年後に改定されることもある（図表１－７）。改定に際しては、医療費適正化の観点から、診療報酬点数の合理化を進めることが基本方針となっており、第１節でも触れたとおり、改定の前年には医療経済実態調査を実施して合理的な改定を検討する。

わが国の場合、診療報酬の請求は、原則として医療機関が患者に対して行った診療行為の各点数を積み上げた合計点数に１点10円を掛けて計

年次	（和暦）平成	薬価引き下げ率		診療報酬改定率	正味の改定率（診療報酬＋薬価等）
		薬価ベース	医療費ベース		
1989	1	2.7%	0.65%	0.11%	0.76%
1990	2	▲9.2%	▲2.7%	3.7%	1.0%
1992	4	▲8.1%	▲2.5%	5.0%	2.5%
1994	6	▲6.6%	▲2.12%	4.8%	2.7%
1996	8	▲6.8%	▲2.6%	3.4%	0.8%
1997	9	▲4.4%	▲1.32%	1.7%	0.38%
1998	10	▲9.7%	▲2.8%	1.5%	▲1.3%
2000	12	▲7.0%	▲1.7%	1.9%	0.2%
2002	14	▲6.3%	▲1.4%	▲1.3%	▲2.7%
2004	16	▲4.5%	▲1.0%	0.0%	▲1.0%
2006	18	▲6.7%	▲1.8%	▲1.36%	▲3.16%
2008	20	▲5.2%	▲1.2%	0.38%	▲0.82%
2010	22	▲5.75%	▲1.36%	1.55%	0.19%

図表１－７　近年の診療報酬改定の動向
資料：厚生労働省

算される、いわゆる出来高払い方式（FFS、Fee For Service）相当によっている。

医療保険の支払方法については、他に見込み払い方式（PPS、Prospective Payment System）があり、これがいわゆる「包括払い」である。有名なものでは、1980年代半ばに米国の高齢者向け公的医療保険メディケア（Medicare）で導入された診断群分類（Diagnosis Related Group）別先払い制度DRG/PPSがある。

わが国でも、2003（平成15）年４月より全国の特定機能病院など83施設で日本独自の診断群分類DPC（Diagnosis Procedure Combination）に基づく日額定額支払制度が施行され、その後、急性期入院診療を担う全国の病院が手上げ方式で参加することで、この支払制度を受ける対象病院の数は増大し、2009（平成21）年度にDPC対象病院は1,283病院となり、全国の一般病床（約91万床）のおよそ半数に相当する43万床余りがDPC対象病床となった。包括払い制の動向については第3章第5節で再度触れる。

被用者保険については保険者ではない独立した機関である社会保険診療報酬支払基金（略称、支払基金）、国民健康保険については保険者自身が運営する国民健康保険団体連合会（略称、国保連合会）に保険診療請求の審査・支払いを委託することになっていたため、請求に際しては、保険医療機関はこれらへ別々に診療報酬明細書（通称、レセプト）を作成して提出しなければならなかった。しかし、近年の医療改革の中で、保険者側の審査手数料値下げの強い要請や、政府中央での事業仕分けで国保連合会と業務が重複しているとの批判を受けており、新しい時代の新しい審査支払組織を模索する中で、旧来の組織から脱皮する過程にあるといえる。

ちなみに、社会保険診療報酬支払基金法によって設立された特別法人である支払基金は、医療改革が進む中で2003（平成15）年に民間法人へと移行し、06（平成18）年に審査・支払いの自由化が進められて保険者が審査・支払いを委託する義務はなくなったが、その後も支払基金が大半の被用者保険の審査・支払いを受託している状況にある。なお、10（平成22）年暮れ、厚生労働省は支払基金と国保連合会が行う審査支払業務の効率化などについての中間整理案として、市町村国保や被用者保険といった健康保険の種類と関係なく、保険者が支払基金と国保連合会のどちらにもレセプト審査を委託できることを明確化する方針を公表した。

2011年現在のところ、レセプトは月単位で提出することになっているため、保険医療機関は診療の翌月10日までにそれぞれの地区にある審査支払機関の出先機関に提出する。

支払基金の場合、審査点検を行った結果は翌々月10日までに各保険者に送られ、保険者がそれに基づいて了承した診療費はその10日後（診療月から数えて翌々月20日）までに審査支払機関に払い込まれるので、その翌日、つまり翌々月の21日には保険医療機関が保険診察した代金のうち、患者負担分を除いた分の支払いが完了する。なお、審査の結果、保険者の納得が得られなかった診療報酬請求については、請求元の医療機関に返戻される。その場合には、医療機関側は自分たちの判断で修正・訂正のうえ再度提出するか、あるいは請求を破棄することになる。

また、国保の場合は、保険者自身で構成する国保連合会の各支部が、支払基金の場合と同様、診療の翌月10日までに保険医療機関からレセプトを受け取り、審査を行う。そして、翌々月末までに支払いを完了する。

このように保険医療機関では、窓口で受領する患者一部負担金以外の診療報酬を回収するために、原則として請求後50～60日を要する。法律による保険運営の仕組みのため、保険者からの回収が不能となる事態はまずあり得ないことから、わが国の医療事業者たちに経営の安定をもたらすという効果は大きかったことは否めない。しかし、（エピソード２）で紹介するように、このような仕組みが貢献した時期はすでに過ぎた。じつのところ、レセプト電算処理については、1983（昭和58）年に当時の厚生省が全国規模のレセプト電算化計画「レインボーシステム」を発表したが実現には至らなかった。その理由は、技術的な問題ではなく、様々な利害関係者たちが関わった政治的な問題にあった。かなりの年次をおいた2006（平成18）年になって、深刻な医療改革を背景に、厚生労働省は医療機関に対してレセプトのオンライン請求を義務づける省令を公布した。その途中、医療関係者の団体からの要望により、零細あるいは高齢の医師が開く医院のレセプトについては経過処置として紙によるレセプト提出が認められることになったため、義務化期限の2011（平成23）年４月には完全実施には至らないものの、病院のほぼ全てと、一般診療所の７割以上、歯科診療所の４割以上でレセプトのオンライン請求が実現する。そのため、審査支払体制の合理化進展が期待され、また、このことがわが国の医療事業経営にも少なからぬ影響を与えるであろう。

エピソード２
審査支払機関誕生の背景

政管健保、組合健保とも、制度開始当初の診療報酬支払い事務は日本医師会が行っていた。戦時中の一時期のみ、都道府県の保険課が直接保険医に診療報酬を支払っていたが、戦後は再び医師会に任された。ところが、1947（昭和22）年に新生日本医師会になった際、GHQ 公衆衛生福祉局は「日本医師会は、政府や一般大衆との間に生起するような経済的問題に関心を持つべきではない」として、これをやめさせた。そのため、診療報酬支払い事務については、政管健保や船員保険、共済組合は社会保険協会に、健保は健康保険組合連合会（健保連）に、国保は国保連合会にそれぞれ任せることになった。

しかし、敗戦から間もない当時のそれらの団体では審査・支払い事務を行うための十分な体制が整っておらず、診療報酬の支払いは大いに滞ることになった。

厚生省は支払基金設立に敏速に対応し、1948（昭和23）年６月に法案の閣議決定後、国会提出、法案成立、支払基金の定款許可と済ませて、９月には業務を開始した。このとき、国保は支払基金の扱い対象とならなかった。その理由は、当時の国保は保険料をほとんど徴収できず、診療報酬の支払いが遅れがちであったため、支払い事務を引き受けることを敬遠したからだといわれる。当時の世相を考えると、このことはやむを得なかったのだろう。実際のところ、支払基金は発足当初、ヒト・モノ・カネの全ての点で事欠くなかからの船出となったにもかかわらず、月間の保険診療請求が予定の倍以上の121万件余りも寄せられたのである。

支払基金における医科、歯科、調剤など全ての医療機関から寄せられるレセプトの１ヶ月の平均取扱件数は初年1948年度の121万件から、５年後の53（昭和28）年度には640万件と５倍になった。それ以後も、レセプトの取扱件数は急増し、半世紀を過ぎた99（平成11）年度では6,250万件と50倍以上となった。この年は、じつに７億5,000万枚ものレセプトの審査・支払いを行った。

国保については、先述のような経緯から、全ての審査支払業務を、国保事業の実施者である保険者（市町村および国保組合）を会員とする公法人の国保連合会が行っており、高額レセプトについてのみ、全国47都道府県の国保連合会が会員である国民健康保険中央会（国保中央会）に委託している。つまり、国保は戦後の混乱期に体制立て直しを後回しにされたことが、結果として保険者自身が審査・支払いを行うという保険者機能本来の姿を維持して現在に至っている。

第５節　医療事業の枠組みを定める医療法

これまで説明してきたように、医療機関の診療収入の９割近くが社会保険診療に依存しており、国民医療費の９割以上が保険診療への支払いだというわけであるから、国民医療費の動向はほぼそのまま医療機関全体についての収益動向を表わす。そのため、国民医療費の動向をもって運営される健康保険制度、そして保険診療体制といったわが国の医療制度を理解することは、わが国における医療経営の原理原則を理解することでもある。

具体的には、健保法と医療法のもとでの医療提供システムを理解することを意味するが、ここで一つ留意しておくことがある。それは、これら法律の内容が年次を経て変わって行く、つまり、医療制度が変わって行くので、それに合わせて医療事業経営の方針も変えていく必要があるということである。

現在の医療法は、敗戦から間もなくの1948（昭和23）年にGHQの公衆衛生福祉局が、戦災で荒廃したわが国の医療施設を速やかに再整備することを目的として制定させたといわれる。そのため、わが国の医療法は、医療施設の外形基準も指導している。具体的には、病床数20床以上を病院、それ以下の病床（無床も含む）の医療施設を診療所とし、病院には一定数以上の医師や歯科医師、看護師、薬剤師ら医療従事者を置くことや診療室、処置室、エックス線装置などを揃えることなどが盛り込まれている。その結果として、戦後の医療法は医療サービスの供給体制の復興に寄与したといわれる。

そのほかにも、医療法には医療提供施設を所有する事業組織である医療法人についての規定があり、その中で「医療法人は営利を目的としてはならない」ことや「医療法人の理事長は原則として医師、歯科医師である理事の中から選ぶ」ことを定めている。

「営利を目的としない」とは、役職員や寄付者などの関係者に利益を分配したり、財産を還元することを主目的とする事業を行わないことの意味だとされるが、この規定のため、病院では施設や設備に多大な資金を投資する必要があるにもかかわらず、資金調達にあたっては株式会社のように株式市場から出資を募ることができず、一般的には内部に蓄えた資金や金融機関からの借り入れに頼るしかない。最近になって、診療報酬債権の譲渡と交換で資金調達する方法などが提案されているが、そのために支払う手数料は少なくはなく、まだ一般的ではない。病院債権の発行についても一部で認められるようになったが、許可条件が厳しいため、やはり一般的ではない。

一方、非医師が理事長に就任することを退ける指導は、もともと1980（昭和55）年に富士見産婦人科病院で起きた無資格診療と乱診乱療に対する世間の批判を受けて85（昭和60）年の第１次医療法改正のときに盛り込まれた、医療法人に対する監督強化策であった。しかし、このことは理事長の役割が、元来、医療法人の経営責任のトップであることを無視する結果となった。当時でも、国民医療費は16兆円と巨額であったが、その後も毎年１兆円近く増え続けるため、これだけ巨大な経済を管理するのに、経営の専門的な知識や訓練経験のない者が当たっていてよいのかという問題を抱えていた。

そのような背景もあって、厚生労働省医政局は2002（平成14）年に、医療法人の理事長要件の緩和などに関する局長通知を各都道府県知事に送付している。その内容は、特定機能病院や特別医療法人など四法人を除く医療法人の理事長要件については、都道府県が理事長候補者の経歴や理事会構成を審査し、都道府県知事が許可する方式に改める、というものである。これは、原則、医師・歯科医師でなければ医療法人の理事長に就任できないとする現行の制度を維持したまま、運用面の基準を緩和する方向を示したもので、以降は都道府県の裁量によって、医師・歯科医師以外の者でも医療法人の理事長に就任することが可能になっている。

第6節　診療報酬の改定と医業収入

これまでに説明したことを簡単に整理しておく。保険医療機関が提供した医療サービスの対価として、医療保険から支払われるのが診療報酬である。そして、診療報酬請求の計算方法を整理したものが診療報酬体系であり、要するに、保険診療サービスの公定価格表である。診療報酬体系は厚生労働省告示「健康保険法の規定による療養に要する費用額の算定方法」によって定められている。ここでの算定方法は「点数単価方式」と呼ばれ、個々の診療行為について点数を定め、その点数に単価（1点10円）を乗じて算定した額が診療報酬となる。2011年現在、診療報酬は厚生労働大臣が中医協に諮問し、その答申に基づいて告示されており、かつてのように改定率について扱うことはなくなったが、保険診療サービスの公定価格の実質的な討議の場は中医協である（エピソード3参照）。

ただし、以上の事柄は、わが国の医療の国民皆保険制度の運営管理の形式であって、実務としての診療報酬改定の作業ではない。つまり、中医協の委員が細々と計算して決めているわけではなく、また、厚生労働大臣が具体的に診療報酬対価を決めているわけでもない。実際には、厚生労働省保険局の担当者たちが保険財源の予想をもとに試算した細密な改定表を、利害関係者の調整の場である中医協に持ち込んで調整を図っている。いうまでもなく、その作業は膨大なものとなる。第4章であらためて説明するが、1999（平成11）年までに30兆円にまで膨れ上がった国民医療費は、産業規模の点でほかと比べて巨大なものである。そのような巨大な産業のサービス価格を細々と決定する診療報酬改定の作業をわずかな人数で手掛ける厚労省の体制にはたいへんな困難があるはずである。

第1次医療法改正が行われた85（昭和60）年時点でも国民医療費は16

兆円に達しており、経済規模から見ても、おそらくはこの頃から管理体制の限界が見えてきたのではないかと思われる。ちなみに、昨今の深刻な医療保険財源難のもとで、中医協で決着がつかないことが増えており、制度疲労が指摘されている。このことは、医療機関の収入の大半を占める保険診療のサービス対価の定め方について、関係者間で論理的な調整がつかなくなってきていることを意味しており、医療事業の経営責任者にとって極めて収支計画の見通しが悪い状況となっているといえる。

振り返ると、医療事業経営の転換点となる80年代初頭までは、たいへんな伸び率で診療報酬改定の決着がつけられ、しかも、第4節で説明したような出来高払い方式（FFS）相当を原則としてきた。そのおかげで、医業を独占できる医師たちの中でも、開業医や病院を開設する医師たち、つまり医療施設の経営者たちには大きな経済的インセンティブとして働き、豊富な資金や優秀な人材をこの方面に集めることにつながったものと思う。

エピソード3
中医協の誕生と変遷

1943（昭和18）年の健保法改正によって点数単価方式が拡大された。このときの改正はまさに戦時下の統制のためであったが、翌44年に厚生省は社会保険診療報酬算定協議会を設け、学識経験者の意見も参考として決定するように改められた。これは物資が不足して価格が上昇し、関係者の話し合いだけでは診療報酬が決められなくなったためである。なお、この協議会では委員33人のうち診療担当側はちょうど3分の1の11人であった。

戦後の1947（昭和22）年には健康保険診療報酬算定協議会と名称が改められ、法制上の機関となり、診療報酬単価についても、この協議会の意見を聞くことが条件になった。委員構成も全体で40人のうち診療担当側は10人に削減された。翌48年の健保法改正によって、再び社会保険診療報酬算定協議会の名称に戻り、さらに50（昭和25）年には適正な保険診療の指導や監督を任務とする社会保険診療協議会を統合して、中央社会保険医療協議会（中医協）が発足した。

中医協は翌51年から診療報酬の本格的な議論に入ったが、診療報酬単価について、厚生省と医師会、健保連などとの間で意見がまとまらず、日本医師会は「保険医総辞退」の動きに出た。結局、このとき医師会は政府案に妥協する代わりに、保険診療収入の課税所得率を概ね30%、つまり70%は非課税という医師優遇税制を取りつけて決着した。この医師優遇税制は1979（昭和54）年の是正実現まで、じつに24年間も続くことになる。

1951（昭和26）年に厚生省は学識経験者と医師会、歯科医師会、厚生省の担当局長による「医療費原価計算方式打ち合わせ会」を発足したが、医療技術に原価計算は馴染まないとして、間もなく医師会はボイコットした。そして、1954（昭和29）年の不況で厚生省は中医協に薬品点数の引き下げを諮問した。このことが51年以来据え置かれていた診療報酬単価に不満を募らせる医療機関との間で揉め事を起こす原因となった。そのような状況下での新医療費体系は大急ぎで作成されたこともあって、診療報酬体系の合理性が十分に検討できなかったことを批判された。そのうえ、医療財政の赤字が大きく表に現れるようになったため、新医療費体系は「総医療費の枠を増やさない」という考えで貫かれた。

その後、医師会の強い抵抗によって医薬分業法が延期され、新医療費体系作りも休止したが、この間にも健康保険の財政赤字は続き、政管健保の保険料率が上げられ、世論の反発を招いた。そこで、あらためて新医療費体系作りが推進され、また、保険医療機関と保険医の二重指定などを盛り込んだ健保法の改正案も提出されたりしたことから、医師会は再び反発してストライキの決行や保険医総辞退の動きなどで抵抗した。

ところが、健保法の改正案は1957（昭和32）年に国会を通過した。このとき、医師会執行部に対する会員たちの不満が高まったことを背景に、武見太郎氏が日本医師会長に当選した。武見日医会長は、その後1982（昭和57）年までのじつに25年間、政府自民党や厚生省と渡り合って医師の立場を大いに有利にし、長い期間にわたってたいへんな伸び率で診療報酬改定の決着がつけられていった。ただし、それによって、全国の医療施設が労せずに経営してこられることになり、医療事業経営についての研究や努力が御座なりになったことは否めない。

さて、武見氏が日医会長に就任して間もなくの1958（昭和33）年の診療報酬交渉で成果を上げた甲乙二表の点数表は、医療費の総枠で8.5%引き上げられたが、その後2年近くは据え置かれた。また、1959（昭和34）年1月に施行された改正国民健康保険法によって、医療保険を持っていなかった国民も市町村単位で順次国保に組み入れられた。そのような状況下で、開業医たちは国民皆保険達成時にはそれまでのように自由診療を行えるのかなど、自分たちの医院経営の先行きが見えず、不安になっていた。

そのようなときに、武見日医会長率いる日本医師会は診療報酬の大幅な引き上げなどいくつかの要求項目を厚生省に提示し、これらの要求が受け入れられなければ、国民皆保険の実現に協力しない旨を伝えた。この事態は、医療費が低いために待遇が改善されない看護婦（当時の呼称）を始めとする病院職員たちによる1960（昭和35）年11月の病院ストや、翌61年2月の開業医の全国一斉休診の実施へと発展し、政府与党、厚生省、保険者たちと激しく対立した。1960年秋には、日本医師会は中医協をボイコットし、また、皆保険達成直後の1961年夏には保険医総辞退を決議した。しかし結局は、政府与党である自民党が武見日医会長との間で事態の収集に成功して、国民皆保険制度はかろうじて船出することとなった。

一方、その間も日本医師会による中医協ボイコットは続いていた。問題となっていた事柄の一つに、医療保険政策を決め、業界を監督する立場の厚生省が、政管健保の運営責任者でもあることを理由に中医協の保険者代表としても参加していることの矛盾があった。この問題については、1962（昭和37）年に厚生省の現業部門を切り離して社会保険庁を設置することで解決が図られた。

また、従来の中医協が、保険者代表、被保険者・事業主代表、診療側代表、公益代表の四者から構成されていたところを、「支払い側代表」と診療側代表と公益代表の三者構成にし、各代表委員の数もそれぞれ8

人、８人、４人に改正された。これにより、従来は全委員の25％でしかなかった診療側代表委員が、一挙に40％にまで増えることになった。この中医協改組法は1961（昭和36）年の成立以降、長らくにわたって続いたが、2004（平成16）年に中医協汚職事件が起きたことをきっかけに中医協の在り方が見直され、診療側７名、支払側７名、公益側６名に変更された。さらに、診療側である日本医師会の推薦枠が削減され、病院代表の枠が増員された。また、診療報酬改定の基本方針は社会保障審議会の医療部会と医療保険部会の両部会が決めることになり、中医協は具体的な点数付けを行う組織となった。

第７節　医業と医薬分業を顧みる

わが国の医師の生業を歴史的に振り返っておきたい。というのも、医療制度というものは国によって意外なほど違っており、そのことは医療提供というものが多分に地域の文化や価値観に基づいていることを意味すると考えられる。そのため、医療経営の方向性を洞察するときに重要だからである。

さて、江戸時代以前の医師は、治療と投薬をひとまとめにして提供することで生計を立てており、薬師（くすし）とも呼ばれていた。しかし、近代の医療業にあっては、医師は医学を修めた医療の専門家であり、患者の診断と処方せんの提供こそが役務であって、調剤は薬学を修めた薬剤師の仕事とされる。このような職能分離が確立すれば、医師は医学知識や技術が向上すると収入が増えるというインセンティブによって医療の質の向上が図られると目されることから、かつて明治新国家の文部省が1874（明治７）年に医制を定めるに際して、ドイツの制度を参考にした医薬分業規定を打ち出した。

ところが、医師たちは医薬分業に応じようとはしなかった。また、薬局そのものがまだ全国にごくわずかしか存在しなかったこともあり、政府は1889（明治22）年の「薬品営業並びに薬品取扱規則」の中で「薬剤師に非ざれば薬局を開設することを得ず」と謳いながらも、その附則には「医師は自ら診療する患者の処方に限り、自宅に於いて薬剤を調合し販売投与することを得」と現状を追認した。この後、薬剤師たちは、繰り返し医薬分業の実施を迫ったが、その都度、医師会の抵抗で押し戻された。

このような現状追認の法制は、第2次世界大戦敗戦後の1948（昭和23）年の薬事法に至っても変わらなかった。同年に施行された医師の身分法である医師法でも、患者からの要求がなければ処方せんは出さなくてもよく、医師が診療上必要と考えれば、処方せんを出さずに投薬してもよいという現状を追認する規定がなされた。しかし、1950（昭和25）年、GHQの公衆衛生福祉局は医薬分業が進まない日本の医療の不合理に対して、強制的にそれを行わせる方針に出た。

このとき、医師側の自分たちの生計が成り立たなくなるという危機意識は強く、当時の絶対権力であったGHQに対してさえも激しく抵抗した。紆余曲折があって、翌1951（昭和26）年にともかく医薬分業法は成立したが、この法案が成立する最終段階になって、朝鮮戦争での対応を巡り、GHQの最高司令官であるマッカーサー将軍がトルーマン米大統領に解任されたことから、GHQは急速に影響力を失い、公衆衛生福祉局の責任者も辞任した。そのため、医薬分業法案は国会での審議の場で、医師会の陳情を受けた議員たちによる修正が図られ、「患者や看護人が特にその医師から薬剤をもらいたいと申し出た場合には医師が調剤できる」という厚生省令が付加されたために骨抜きとなり、また医薬分業法の施行も1956年（昭和31）年に延期された。その一方で、強制医薬分業案の前提であった「診療報酬は医師や歯科医師の技術料と物の価格に分離できる」との検討結果から、新しい医療費体系の検討と実施が促された。

その後も、医薬分業は遅々として進まなかったが、その最大の理由は「薬価差」にあった。保険診療で投薬した場合、薬の代金は健保法で管理・監督する薬価基準で定められた価格（保険点数で表示）で支払われる。しかし、薬価基準価格を下回る価格で医薬品を仕入れると、そこに差益が生じるため、開業医に限らず、病院の経営もこの薬価差益にずいぶんと依存していたのである。余談だが、1980年代初め頃に、著者は医薬品流通の調査をしていて、地方のとある病院の事務長に面談したところ、その事務長は自分が医薬品卸企業と交渉した薬価差益によって新病棟を建てたことを誇らしげに語っていた。当時、それほどに薬価差益は莫大な利益を生むものであったのである。

そのような背景もあって、厚生省（現厚生労働省）は診療報酬の改定にあたって、繰り返し薬価差の縮小を図り、圧縮した差益分を原資にして、医師などの技術料を上げることを繰り返した。その結果、近年では薬価差はかなり解消され、経営上、薬価差益が重要でなくなった開業医や病院外来では、処方せんの発行へと移行している。

このようなわが国独特の歴史的経緯から、開業医は調剤収益に固執したため、なかなか医薬分業が進まなかったが、長い年月をかけて薬価差を減らし、他方で技術料としての処方せん料を見直すことで調剤を薬剤師に任せるよう指導を続けてきた。その結果、1995（平成７）年でようやく20％に達した処方せん受取率、すなわち医薬分業率が、2000（平成12）年に40％になり、2003（平成15）年には50％を超え、いよいよ医薬分業の本来的な機能が期待される時期に入った。

医薬分業は順調に進展しており、2004（平成16）年の処方せん枚数は約６億2,000万枚、医薬分業率は対前年度比2.2ポイント増の53.8％となっている。ただし、都道府県別では秋田県の72.9％から福井県の18.7％までと、地域格差が大きい。しかし、東京都や神奈川県、千葉県、また北海道といった大型人口の都道府県が医薬分業率トップ10に入っており、大勢は医薬分業が進む方向にある。

なお、調剤薬局の動向については第３章第６節で取り上げる。

エピソード４
薬価基準の見直しと参照価格制度の検討

診療報酬改定に際して、薬価引き下げとそれを原資にした診療報酬の引き上げといった費用の付け替え作業が行われるようになって久しい。薬価引き下げの根拠として、不透明な薬価差の解消が最大の眼目とされてきたが、それもいよいよ尽きることになったのが、1990年代後半のことであった。薬価差が全くなくなったわけではないが、ほぼ妥当な流通経費相当と考えられる辺りにまで至ったのである。それでもわが国の場合、医療費総支出に占める薬剤費割合は他の先進各国と比べて高く、この点で、まだまだ薬剤費償還の管理が必要だと考えられた。そこで、当時の厚生省はドイツやニュージーランドなどで導入され始めた参照価格制度を従来の薬価基準に代わる新薬価管理方式として提案した。

じつのところ、同じ表現ながら参照価格制度の内容は国によって異なっていた。米国での議論では、一つの薬剤に対して諸外国で支払われている価格を参照することを指した。その他の国々では、WHOが定義した代替処方が可能な薬剤のグループを前提に参照すべき価格を決めると考えており、参照価格以上には償還することはないとする、つまり、参照価格を超えた差額については、保険者ではなく、患者や医師・医療機関に責任を持たせると考えた。施策結果の評価については、国によってまちまちであるが、早くから取り組んでいたドイツは参照価格制度の見本とされた。ドイツではそれまで自由価格制だった薬価を規制したところ、医師は処方を変えることで利益を確保しようとしたため、かえって薬剤量が増えてしまい、結局は薬剤費の支出総額が増える結果となり、政府は処方量も規制することでようやく薬剤費の抑制に成功したものの、薬剤処方のうまみを失った一般医たちは、患者をさっさと病院や専門医に送るようになり、これらの側への医療費支出が増えて、薬剤費抑制効果を相殺する、もしくはマイナスにする結果を引き出したといわれている。

わが国では、参照価格制度を上限価格制度などと呼んでいたが、要するに、成分や薬効などによりグループ分けした中から目印となる薬を決め、その薬に付けた価格を超える分については患者の自己負担にするというものである。しかも、参照価格を下回る分については定率で自己負担するわけであるから、これ以前と比べれば参照価格を超えた分の負担可能性だけ保険給付が後退することとなり、患者の負担増となるものであった。医師の診察を受けた患者が負担の大きいものと小さいもののどちらを選ぶかと聞かれても、早く治りたい思いや、一億総中流の国民意識もあって、多少の負担増を我慢するであろうと考えられたことから、薬剤支出割合は減るどころか、増えることが予想された。

結局のところ、厚生省が試みようとした参照価格制度は、その後、日本医師会を先頭に大反対に遭い白紙撤回され、従来どおりの医薬分業の推進が薬剤費管理の主眼とされた。

第８節　国民皆保険と医療経済

全ての国民が必要な医療を公平に受けることができるという、戦後に目標とされてきた国民皆保険制度は1960年代に曲がりなりにも形が整ったが、医療給付体制の整備や保険財源の安定化など、まだ多くの問題が山積していた。これらの試練を越えて、一応の水準までの達成を見たのが1970年代初頭のことであった。しかし、ほとんど間を置かずにオイルショックが起こり、戦後の経済成長は大きな転換点を迎え、1980年代以降は医療改革の時代へと向かうことになる。

あらためて振り返ると、1961（昭和36）年の国民皆保険達成当時に危惧されていた保険財源については、その後の高度経済成長によって個人も企業もかなり高い伸び率で所得を増やすことができたため、所得に応じて徴収する保険料収入と、税からの補てんである公費負担分とを合わせて医療保険支出を遣り繰りすることができ、保険財政は致命的な危機に至らずに済ませてこられた。そして1973（昭和48）年には、70歳以上の老人医療費を無料化にするまでに至った。

ところが、この年秋に起こった第１次オイルショックで経済状況は一変する。オイルショックによる経済成長の急激な鈍化については、わが国に限らず、先進国が一様に被ったが、わが国については５年経った78年頃には、当時、戦後最大といわれたこの不況から脱していた。しかし、かつてのような高度経済成長に戻れる目処はなく、また、先に打ち出した老人医療費無料化政策が年を追って保険者の医療費財源の大きな負担になっていた。とくに、退職老人を多く抱える国保の財政は圧迫された。

そのような中で事態の改善策が議論され、1983（昭和58）年に老人保健制度が発足した。このとき決まった方針により、老人患者が一部負担した残りを公費３割、各保険者からの拠出金７割で賄うことになった。しかし、その後に進む高齢化の波の中で老人保健法は改正を余儀なくされ、患者負担と拠出金算定方法の見直しが進められた。患者負担の引き上げについては、患者の足が遠のくことを懸念する病院や開業医たちが猛烈に反対したが、拠出金については、算定方法によって負担を国保から健保へ移すだけのことであるため、この算定を見直す施策が採られた。その結果、公的補助がほとんどない健保組合にとっては、老人保健拠出金が大きな負担となり、2000年に入ってからは小規模健保組合の解散頻発につながっている。ちなみに、解散した健保組合の加入者たちは政管健保、現在の協会けんぽに移ることになる。これは国庫補助の対象となる保険加入者が増加することを意味しており、医療保険の公費負担が大きくなって、保険料と給付のバランスを取ろうとする社会保険方式の原理からさらに外れることになる。これにより、ますます医療保険の運営が難しくなるため、医療保険制度改革は避けては通れない。

医療保険制度改革の方向性を理解することは、医療事業経営の舵取りをする者にとって必要不可欠なことである。これについては、医療事業と密接に関係する高齢社会と介護保険を次章で説明した後の第３章で説明する。

第2章
高齢化社会と介護保険

第1節　高齢化社会と老人保健制度

ほとんどの場合、平均寿命（正確には平均余命）は男性よりも女性のほうが長い。老人医療費の無料化が開始され、福祉元年と呼ばれた1973（昭和48）年は、日本人男性の平均寿命が遅ればせながら70歳に達した年でもあった（図表2－1）。当時、全人口に占める70歳以上の高齢者の割合は4.7％に過ぎなかったが、2009（平成21）年には16.2％と3倍以上になった。このような人口高齢化は、すでに70年代後半頃から政策関係者や社会保障関係の研究者のみならず、一般産業界の間でも問題提起されていた。

ちなみに、国際比較では、高齢者を65歳以上として、高齢化率とは65歳以上の人口が総人口に占める割合と定義される。そして、高齢化率が7％を超えた社会を「高齢化社会」、14％を超えた社会を「高齢社会」と呼ぶ。さらに、14％を超えて高齢化が進んで行くと「超高齢化社会」と呼ぶ。かつて、わが国で人口高齢化対策の議論が始まった70年代半ば頃からしばらくの期間は「70歳」を目安に検討が進められていたのは、当時の一般的な定年が55歳であったことや平均寿命が70歳であったことが背景にあったものと思う。

しかし、2005（平成17）年に高齢化率が20％を超え、スウェーデンを抜いて世界で最高となったわが国は、2007（平成19）年に21％を超えて

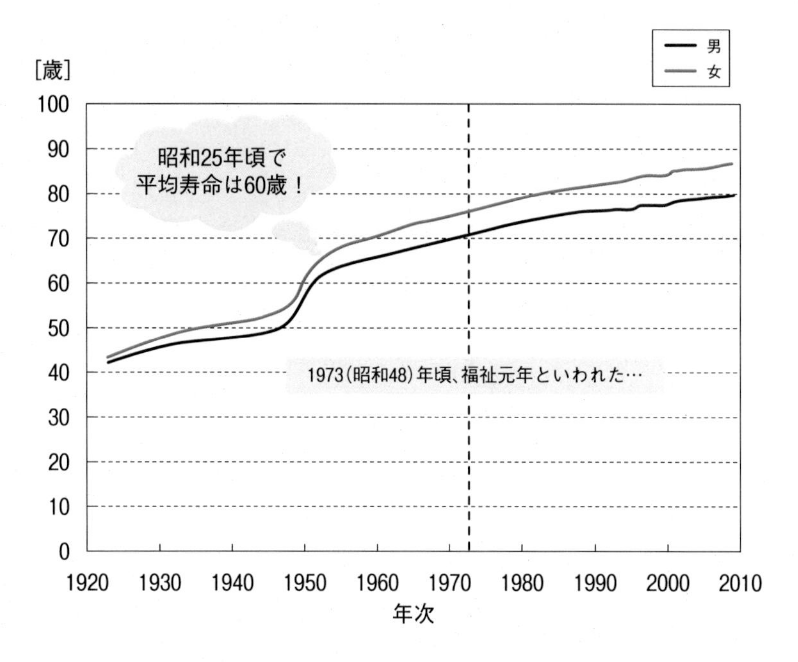

図表２－１　日本人の平均寿命の年次推移
資料：厚生労働省　「平成21年簡易生命表の概況について」

もはや「超高齢社会」であるとともに、たいへんな人口規模で高齢化が進んでいるとの認識が必要である（図表２－２）。つまり、わが国政府が超高齢社会を支えるために行う制度経営は、大袈裟ではなく、人類にとって初めての経験となるため、その舵取りは容易ではなく、同時にその試みは、わが国の医療・介護の事業経営に密接に影響することから、これらの事業者も心してかかる必要があろう。

さて、医療・介護の政策側では1983（昭和58）年に老人保健制度（略称、老健制度）の開始に至るが、このこと自体はその10年前に実施された老人医療費無料化の反省から始まっていた。

1973（昭和48）年１月に70歳以上の高齢者医療費無料化が始まったものの、「病院の待合室が老人のサロンになっている」とか、「老人があちこちの病院をハシゴしている」という不評が高まる一方で、初年度から予算不足に陥った。とくに国保にはサラリーマンが退職後に被用者保険

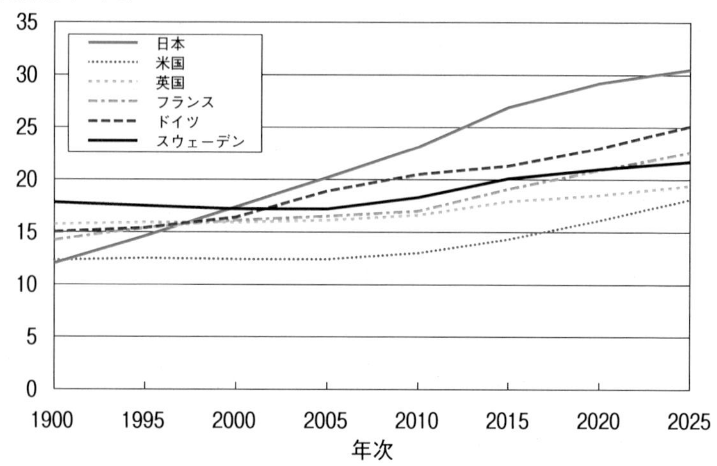

図表２－２　先進各国の高齢化動向

出典：国立社会保障・人口問題研究所「日本の将来推計人口」、U.N. "World Population Prospects : The 2008 Revision"

から移って来るため高齢者の割合が多く、保険財政がまともに影響を受けた。そこで、1975（昭和50）年には厚生省の諮問機関である社会保障長期計画懇談会から「総合的な老人保険医療対策を進めることが望ましい」とする意見書が出された。この頃から高齢者にもある程度の自己負担を求めるべきだとの意見が出されていたが、厚生省の反対や政府の政治的配慮もあって、1983（昭和58）年の老人保健法（老健法）の施行まで延々と先送りされた。

ここで注目すべきは、1975年の国保中央会国保基本問題研究会の提言や1977（昭和52）年の厚生省の老人保健医療問題懇談会での意見書には、すでに「在宅介護の整備」の必要性について言及されていたことである。

1983年に始まった老健法に引き続き、国保の老人医療費負担軽減に関連して、翌84年の国民健康保険法改正では退職者医療制度が創設され、被用者保険からの拠出による国保との間の財政調整が実施された。しかし、退職者医療制度の加入者が厚生省の当初見込みを大きく下回ったため、その後も国保の財政圧迫が続いた。そして、２年後の1985年には再び老人医療費の対前年度増加率が問題となった。

そのため、老健制度の見直しが急がれたが、このとき、患者負担の見直しや加入者按分率の見直しによる被用者保険からの拠出金割合の増大が求められた。また併せて、老健制度創設法案の議論の頃からあった、社会的入院の削減を目的とした病院と在宅療養との間をつなぐ中間施設の必要性について再び取り上げられた。このことは厚生大臣から制度審議会と老人保健審議会に諮問され、1986（昭和61）年の老健法の改正時に「老人保健施設（略称、老健施設）」の創設が盛り込まれた。翌87年には、厚生省は老健施設のモデル施設を作って検討を進め、1988（昭和63）年度からの本格実施に至った。

第２節　老人保健制度から介護保険制度へ

老健制度の開始当初は、保険者によって大きく異なる老人加入者割合による負担不均衡を是正する目的で、老人医療費への各保険者拠出分の50％については加入者調整部分（加入者按分率と呼ぶ）とし、残りの50％は保険者ごとの老人加入割合にした。しかし、ここでも多くの老人加入者を抱える国保は不利であり、財政が圧迫されるため、その後も老健法が改正されるたびに加入者按分率は引き上げられ、1990（平成２）年度には遂に100％になった。これによって健保組合の拠出金の割合は増大し、赤字組合、そして組合の解散が問題となった。

老健制度の見直しについては、老健法の附則で「90年度までに検討を行い、所要の措置を講じる」とされていたが、86年12月の第１次改正で加入者按分率が改定された後は、89年にリクルート疑惑や消費税導入により政局が混乱したため、見直しは大幅に遅れた。結局のところ、第２次改正が91年10月に成立し、翌92年から実施された。

ここで注目されるのは、介護に着目して公費負担を拡充するという考え方が出たことである。これに基づいて、老健施設の療養費や介護力強化病院と痴呆症老人の精神病院専門病棟の入院医療費、そして老人訪問看護制度の創設とそこでの費用の公費負担を５割とすることなどが盛り込まれた。すなわち、この頃から高齢化社会への本格的な対応策が打ち出されてきたといえる。

他方で、1989（平成元）年12月に厚生省は高齢者保健福祉推進10ヶ年計画、いわゆるゴールドプランを制定し、94年にはそれを見直した新ゴールドプランが発表された。このときに公的介護保険システムの創設案が明らかにされた。先に説明した92年施行の第２次老健法改正はこれらの途中に位置しており、医療と介護の両方を見据えた具体的な政策検討が行われたものと思われる。

1994（平成６）年３月には、高齢社会福祉ビジョン懇談会の「21世紀福祉ビジョン」で「誰もが介護を受けることのできる新たなしくみの構築」が提言されたことを受けて、高齢者介護・自立支援システム研究会で具体的な検討が開始され、同年12月に「高齢者の自立支援という基本理念のもと、介護に関する既存制度を再編成し、社会保険方式による新たな仕組み創設」を提言する報告書がまとめられた。翌95年には、この内容が老人保健福祉審議会において議論され、96年に厚生省は「介護保険制度案大綱」を同審議会に諮問して答申を得ている。

このあと、介護保険制度の保険者とされた「市町村」ではたいへんな議論になったが、高齢化が進展する中で介護保険の必要性は衆目の一致するところであったことから、市町村保険者への財政支援などを盛り込むことで、1996（平成８）年11月に介護保険関連三法案（介護保険法案、介護保険施行法案、医療法等一部改正案）が国会に提出された。ところが、政局に押されてなかなか進展せず、１年後の97年暮れにようやくこれらの法案が国会を通過して、2000（平成12）年４月から介護保険制度が実施されることになった。

収入のほとんどを社会保険制度に依存している医療機関では、この年を境に医療保険と介護保険の両制度から収入を確保することになった。介護保険制度の開始から間もない頃は、自らを介護機関とされることに抵抗を感じた医療関係者も少なからずいたが、事業経営者の立場からすれば、どちらの保険制度から支払われようと同じである。その意味で、医療と介護の両保険制度の動向を見ることが、わが国のヘルスケア事業者にとって必要となった。

また、老健施設は1999（平成11）年度までは医療施設として扱われていたが、介護保険制度の開始により介護保険適用施設となったため、以後は介護施設、すなわち介護機関に分類されている。しかし、それまでの経緯から、老健施設は医療機関である病医院に附設して運営することが認められており、制度が介護機関に分類したとはいえ、医療機関に手掛けることが許された重要な業務である。

エピソード5
老人医療制度の見直しと介護法人制度の試案

2000（平成12）年4月から開始された介護保険制度により、いわゆる老人医療費部分である「老人病院や高齢者療養型病床群や老健施設の患者費用償還のほとんど」が介護保険制度の対象に移行した。医療保険の償還先が医療機関だとすれば、介護保険の償還先は「介護機関」となるわけで、指定介護療養型医療施設や介護老人保健施設は、もはや医療機関ではなくなった。それゆえ「老人医療制度の見直し」で、医療機関に向けては、かつてのような社会的入院患者は「顧客」ではなくなるというメッセージが込められており、また、介護保険制度では社会福祉法人や地方自治体などの限られたところにしか開設することが許されていない特別養護老人ホーム（略称、特養）と顧客層が重なることから、医療法人がやがて特養の開設を求めることが予想された。

居宅介護サービス事業についても、医療系サービスの訪問看護や訪問リハビリテーション、通所リハビリテーション、短期入所療養介護、居宅療養管理指導などは、原則として医療機関しか行うことができない。そのため、当初に民間活力の利用を期待された介護サービスも、まずは福祉系居宅介護サービス事業である訪問介護や訪問入浴介護、通所介護、短期入所生活介護などに限られた。

そこで、厚生省は2000（平成12）年秋から介護保険の対象となっている特養や老健施設の運営といった施設介護サービス事業について、民間事業者の参入を事実上解禁する方向で検討に入り、2003（平成15）年にも民間企業が設立しやすい「介護法人（仮称）」制度を作り、参入への道を開く案を軸に調整する考えを表明した。このことは、施設事業に対する企業の関与を厳しく制限してきた介護政策の転換を意味した。

また、民間参入によって介護施設サービスを手掛ける社会福祉法人との競争を促して施設サービスの質を高めることを目論んでいた。しかし、事業競争に非力な社会福祉法人の経営者たちの反対や、民間企業による病院経営に反対する医療関係者たちの警戒などもあり、さらには会社法人と医療法人と社会福祉法人とでは、税制や補助や組織整理などで異なる点が大きいため、介護法人制度は2011（平成23）年現在のところ実現していない。

第３節　介護保険制度発足時の仕組み

1997（平成９）年12月、介護保険に関連する三つの法律が成立した。すなわち、介護保険法と介護保険施行法、そして医療法の一部改正法である。これにより、介護保険から給付される在宅サービスと施設サービスが明示された。このうち、在宅サービスについては民間企業の参入が許され、サービス提供の競争が促されることが期待された。

一方、施設サービスについては、従来は医療側であった療養型病床群などの介護療養型医療施設と老健施設、および福祉側であった特養が介護保険適用施設としてまとめられた。これらは非営利経営が前提とされたため、施設サービスについては、原則として民間企業の参入は許されなかった。

とりあえずのところ、これら三つの介護保険適用施設の開設許可や運営などの事業規制については、特養は老人福祉法、療養型病床群などは医療法、老健施設は介護保険法に基づいて管理されるという複雑な状況のもとで始まり、後を追いかけるようにそれらの法制の検討・整理が進められた。

介護保険制度以前の高齢者介護サービスは、行政が利用者へのサービスの種類や提供機関を決定するという措置制度による「老人福祉制度」と、介護を主目的とする一般病院への長期入院、いわゆる社会的入院に対応する「老人保健制度」という二つの異なる制度のもとで提供されていた。そこで、利用者の立場に立った総合的なサービスの提供が可能となるように、制度の一本化と新制度の創設が急務となって誕生したのが、介護保険制度といえる。

介護保険制度の仕組みは、医療保険制度の仕組みとたいへんよく似ている。しかし、医療における診断と処方、つまり医業は、医師法に記されるとおり、医師の独占業務である。それに対して、介護では、診断に相当する「要介護認定」は保険者である市町村の調査員あるいは市町村から委託を受けた介護支援専門員（通称、ケアマネジャー）が記入した調査票をもとに必要な介護量を測定する一次判定と、その判定結果と主治医の意見書を加味して、専門職が集まる介護認定審査会が行う二次判定により決定されることになった。

要介護度は、当初、６段階に区分し、程度に応じて給付上限額を設定した。利用者には、原則として介護サービス費用の１割を定率負担し、また、原則として6ヶ月ごとに要介護認定を更新することとした。

ちなみに、介護度の診断ともいうべき要介護認定に不服があるときは、介護保険審査会に不服審査を申し立てることができるようにした。これは医療において最初の診断が下された後に、別の医師からも診断を受けることを認めることで患者の納得を得る、セカンド・オピニオンの仕組みに似せていた。

一方、医療において処方を検討することに相当するのがケアマネジャーの業務であり、彼らが作成する介護サービス計画（ケアプラン）は医師の処方せんに相当する。そのため、ケアマネジャーは要介護者が自立した日常生活を営むために必要な援助に関する専門的知識や技術を有することが条件であり、その資格は公的試験によって取得しなければならない。もっとも、医療保険とは異なり、介護保険では、要介護認定を受けた後に、その結果に基づいて本人や家族が自らケアプランを作成し、保険者に提出することで給付を受けることも許されている。2000年４月発足当初の介護保険制度のシステムは図表２−３のように、また、サービス内容は図表２−４のようになっていた。2011年現在と比べて違っていることに気づくはずである。このことからもわかるように、介

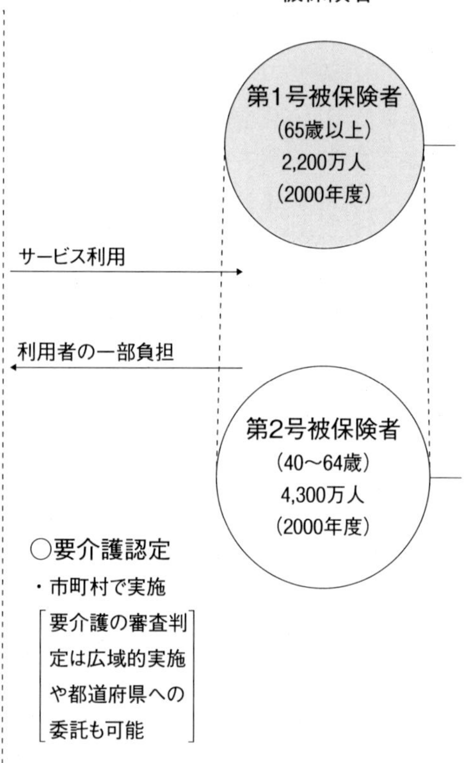

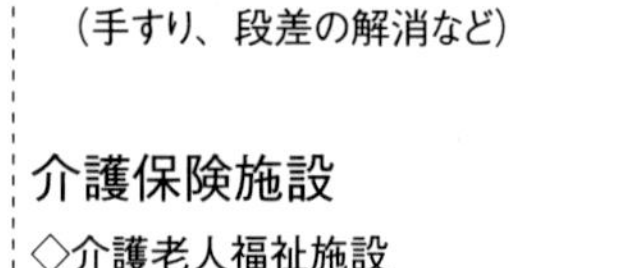

図表2－3　介護保険制度発足時のシステム
出典：厚生労働省

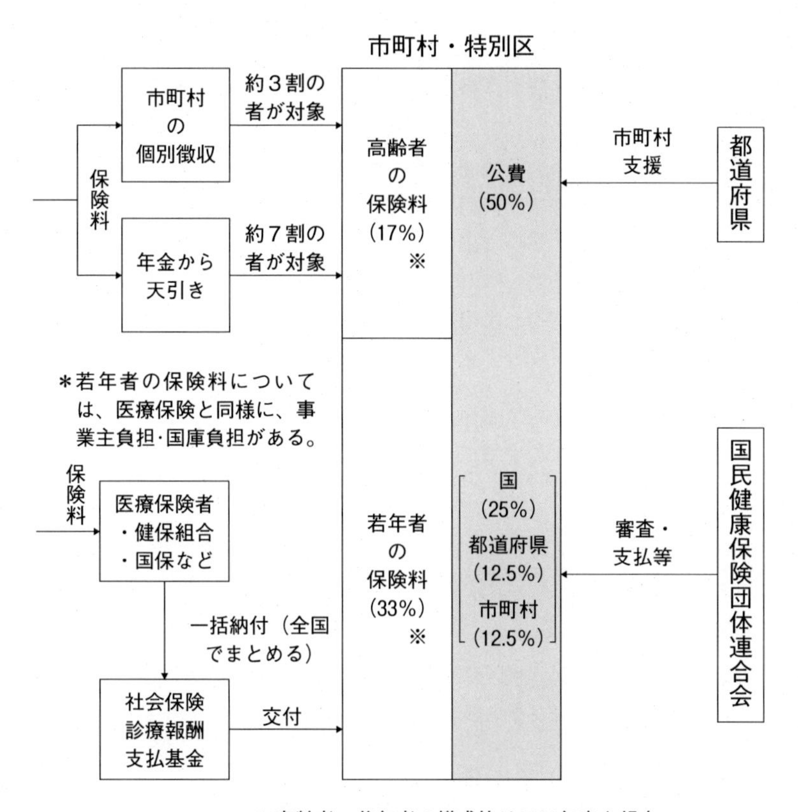

※高齢者：若年者の構成比は2000年度を想定

介護費用総額（95年度価格）
（利用者の一部負担を含む）
2000年度制度施行時　約4.2兆円

[在宅サービス]

■ 訪問介護（ホームヘルプ）
介護福祉士等のホームヘルパーが家庭を訪問して、身体介護や家事援助などを行う。

■ 訪問入浴介護（訪問入浴サービス）
浴槽を積んだ入浴車が家庭を訪問して、入浴の介護を行う。

■ 訪問看護
看護婦等が家庭を訪問して看護等を行う。

■ 訪問リハビリテーション
理学療法士や作業療法士が家庭を訪問して、リハビリテーションを行う。

■ 通所リハビリテーション（デイケア）
老人保健施設や医療機関等の専用施設で機能訓練等を行う。

■ 居宅療養管理指導
医師、歯科医師、薬剤師等が家庭を訪問して、療養上の管理や指導を行う。

■ 通所介護（デイサービス）
日中、デイサービスセンター等で日常生活上の必要な世話を行う。

■ 短期入所生活介護（ショートステイ）
家族等の都合で介護が一時的に困難な場合に、介護施設への短期間入所。

■ 短期入所療養介護（医療型ショートステイ）
医療的ケアが必要な場合に、老人保健施設や医療機関への短期間入所。

■ 痴呆対応型共同生活介護（痴呆型老人グループホーム）
専用の共同住居で痴呆性老人を対象に共同生活の中で介護を行う。

■ 特定施設入所者生活介護（有料老人ホーム、ケアハウス等における介護）
有料老人ホーム等で提供されている介護サービスを保険対象として給付する。

■ 福祉用具貸与
車いす、ベッド等の福祉用具を貸与する。

■ 居宅介護支援
ケアプランを作成する。
注）要支援者はグループホームへの入所はできない。

[施設サービス]

■ 指定介護老人福祉施設（特別養護老人ホーム）
特別養護老人ホームへの入所。

■ 介護老人保健施設（老人保健施設）
老人保健施設への入所。

■ 指定介護療養型医療施設
指定を受けた療養型病床群への入所。老人性痴呆疾患療養病棟のほか、施行後3年間に限り介護力強化病院も対象となる。
注）要支援者は施設入所はできない。

[その他]

■ 福祉用具購入費の支給
入浴・排せつ関連の用具購入費について支給する。

■ 住宅改修費の支給
手すりや段差解消等の小規模な住宅の回収を行い、その費用について支給する。

■ 特例居宅介護サービス費の支給
介護認定される前にやむを得ずサービスを受けた場合のほか、基準該当居宅サービス、離島等での相当サービスを指定基準を満たしていないサービスを受けた場合。

■ 市町村特別給付
市町村（特別区を含む）の独自サービスを受けた場合。

図表2－4　介護保険制度発足時の介護保険サービスの種類

出典：「日経ヘルスケア」（旧・日経ヘルスケア21）2001年4月号 p.101から転載

護保険制度の内容が変われば、当然のこととして、介護事業の経営体制も変わらざるを得ない。

なお、1990年代に先行して開始されていたドイツの介護保険制度は現金給付方式であり、わが国で実施した現物給付方式の介護保険制度は多くの試みを含む未成熟なシステムであった。そのため、介護保険制度は見直すことを前提として、超高齢社会の到来前の発足を急いだものでもあった。その変遷については、第６節で詳述する。

なお、介護保険制度の開始初年度は、自己負担分を含めて約3.6兆円（初年度支出は５月から翌年３月までの11ヶ月分であるため、年間に換算すると約3.9兆円となる。）が、公的介護サービスで費消されたことになった。このうち、前年度まで高齢者医療費とされていた内容に、年換算で約１兆7,000億円が使われたことになる。参考までに、介護保険制度の開始前と後で説明される「国民医療費の範囲」を図表２−５に掲示する。この図を一目見てわかるように、介護保険適用となった老健施設の施設サービスや訪問看護費用は、国民医療費には含まれていない。

介護保険制度発足時に、医療事業責任者が、自分たちは介護機関でないからと介護保険適用サービスから手を引いてしまっていたら、何割もの医療機関で収入が頭打ち、あるいは先細りとなって閉鎖していたものと思う。実際にはそうはならず、多くの医療機関は介護サービスも提供している。もともと医療と介護を区別して扱うことには無理がある。ちなみに、英語のヘルスケア（health care）という言葉は、日本でいう医療と介護の両方の概念を含んでいる。

第４節　福祉サービス事業の公設民営の歴史

これまでに見たとおり、介護保険制度が創設された背景には、わが国の人口高齢化の進展があった。結果、それまで医療機関が引き受け、社会的入院と批判された長期入院者は、介護保険が適用される療養病床や老健施設で受け入れることになったが、それ以外にも、従来は社会福祉法人が引き受けてきた特養も介護保険適用施設となった。そのため、介護保険制度が開始された当初は、一般には福祉が目的であるかのような

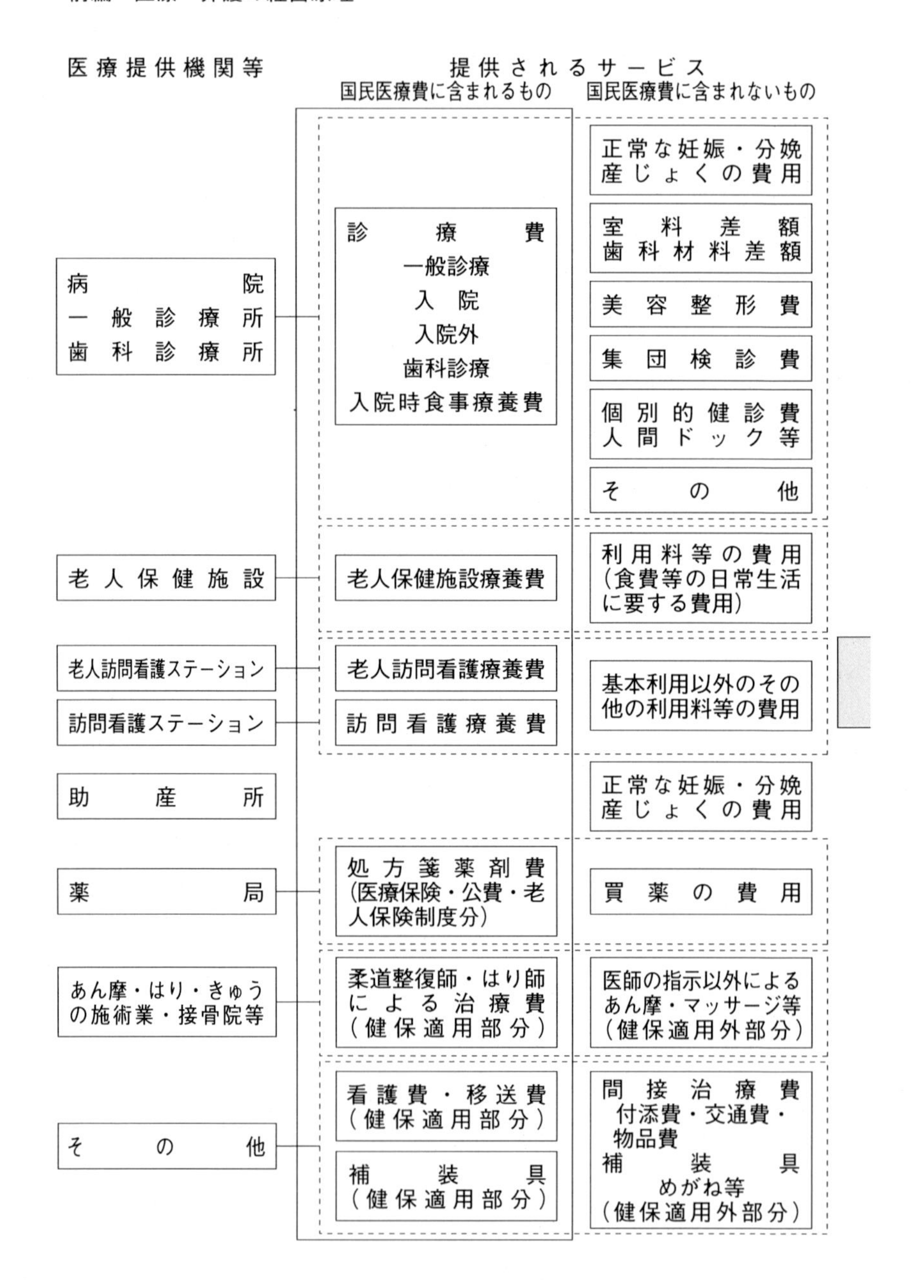

図表２－５　介護保険制度の開始前と後での国民医療費の範囲

出典：厚生省「平成６年度国民医療費」および厚生労働省「平成19年度国民医療費」

医療提供機関等	提供されるサービス 国民医療費に含まれるもの	提供されるサービス 国民医療費に含まれないもの
病院 一般診療所 歯科診療所	診療費 医科診療 入院 入院外 歯科診療 入院時食事療養費	正常な妊娠・分娩 産じょくの費用 室料差額 歯科材料差額 美容整形費 集団検診費 個別的健診費 人間ドック等 短期入所療養介護等介護保険法における居宅サービス 介護療養医療施設における施設サービス その他
介護老人保健施設		介護老人保健施設における施設サービス
訪問看護事業所	訪問看護医療費 訪問看護療養費 老人訪問看護療養費 基本利用料	介護保険法における訪問看護費 基本利用料以外のその他の利用料等の費用
助産所		正常な妊娠・分娩 産じょくの費用
薬局	調剤費 （医療保険・公費・老人保健制度分）	買薬の費用
あん摩・はり・きゅうの施術業・接骨院等	柔道整復師・はり師による治療費 （健保適用部分）	医師の指示以外によるあん摩・マッサージ等 （健保適用外部分）
その他	移送費 （健保適用部分） 補装具 （健保適用部分）	間接治療費 交通費・物品費 補装具 めがね等 （健保適用外部品）

受け止め方がされた。

わが国では、かねてより社会福祉事業は民間篤志家による財団法人などの社会事業団体が行うものという考え方がある。時代を遡ると、旧来からの「福祉は慈善」という一般の意識を下地にして1938（昭和13）年に社会事業法が制定されたものの、1945（昭和20）年の敗戦後の混乱期にそれら財団法人の福祉施設経営が危うくなったため、政府は社会福祉施設に対する運営補助を検討した。しかし、日本に進駐した連合国軍最高司令官総司令部GHQが民主思想においては公の支配に属すべきでないとの考えから、戦後の新憲法では社会福祉の増進を謳っても、国による直接の施設運営補助は違憲になると解釈されたため、慈善や博愛の精神による事業に対して公金の支出ができなかった。

そこで、1951（昭和26）年にGHQの監督下で、米国のシステムを手本にした社会福祉事業法が制定された。もっとも、この法律ではGHQが考えるような米国流儀の契約概念には至らず、わが国の従前からの一般慣習に従った「お上」を意識した福祉を認め、行政による「措置制度」が盛り込まれた。措置制度とは、市町村などが自分たちの判断により社会福祉施設への入所が必要な者に対してサービスを提供するというものである。そのサービス提供は行政処分に該当し、市町村（措置権者）自らが行うか、あるいは民間事業者に委託（措置委託）して行うことになる。

つまり、社会福祉事業法の制定により「社会福祉法人」が誕生したものの、そこには行政の責任を民間に転嫁しないというわが国流儀の福祉政策の大原則は残され、行政は福祉施設サービスを必要とする人々に対して、行政行為である「措置」を行い、行政責任において「措置費」を支払うこととしたのであった。

あらためて整理すると、敗戦により社会が混乱する中、本来は国が行うべき福祉施設の事業整備を、国が厳しく監督するとともに優遇措置を与えることで新設の社会福祉法人に代行してもらい、戦前からの社会福祉施設の持続や新規施設の開設促進を図ったわけである。

ちなみに、国が厳しく監督するとは、本質的に不採算と考えられる社会福祉事業を行う社会福祉法人は、民間からの寄付を前提として運営されることから、財産分与を認められないといった自主活動を制約することを指す。また、国が優遇措置を与えるとは、施設を建設するための費用の四分の三を公費で助成する制度を設け、残りの法人負担分も市町村が補助する場合があることや、「措置費」の計算根拠として施設を運営するに足るサービス対価が勘案されることを指す。

これにより、民間福祉施設が行政との間で措置の委託契約を結ぶと、措置に基づく入所者の費用などの施設サービスに要した費用を賄えるだけの「措置費」を支払ってもらうことができた。見方を変えると、社会福祉事業法は、民間の福祉施設が国に監督されることを条件に補助金や助成金を受けられる道を開いたといえる。そのため、措置による仕組みは社会福祉法人の経営を安定させた一方で、社会福祉法人が創意工夫して経済的合理性を考えた経営努力を行おうとする動機を薄れさせたともいえる。

しかし、当時は敗戦から間もない頃で、膨大な数に上る外地からの引揚者や戦災孤児、浮浪者、戦災傷病者といった人々を行政が強制的に救済する福祉サービスは、社会の秩序回復に大きな成果を上げた。他方で、福祉サービス提供の運営方法については、福祉事務所を都道府県に配置して専門職員の社会福祉主事を置き、また、民間の社会福祉活動を促すために社会福祉協議会を置くといった、米国流儀のシステマティックな考え方を採り入れたことも成果を見た。

社会福祉事業法の制定から間もなくの1950年代半ば（昭和20年代）までは、戦後の混乱期における生活困窮者の救済を目的とした生活保護が重要課題であった。また、戦災傷病者を支援する身体障害者福祉も開始された。その後から1970年（昭和30年代から40年代前半）にかけては多くの保育所が整備され、精神薄弱者福祉法や老人福祉法、母子及び寡婦福祉法などが成立して、いわゆる福祉六法による福祉制度が整ったことにより、わが国の社会はずいぶんと安定した。

そして、1973（昭和48）年には70歳以上の老人医療費無料化といった思い切った福祉政策に踏み切り、「福祉元年」といわれた。しかし、同年秋の第１次オイルショックによって高齢者医療を再び有料化することが検討され、また1975（昭和50）年頃からは高齢化社会の到来を予想して高齢者介護への対応策が議論されるようになった。先に説明した老健制度はこのような背景から生まれた。

その後も高齢化社会に向けた様々な対策が打ち出されたが、いよいよ高齢社会に突入する寸前の1997（平成９）年暮れに介護保険法案が国会を通過し、1999（平成11）年には翌年からの介護保険制度が円滑に実施されるように社会福祉事業法が大きく見直され、また、介護保険制度が始まった2000（平成12）年には、それまでの社会福祉基礎構造改革の検討を経たかたちで、社会福祉事業法は「社会福祉法」と名称を改正した。

こうして戦後半世紀余りのわが国社会福祉の取り組みを振り返ると、その中身は「生活保護→児童福祉→障害者福祉→高齢者福祉」といったように、時代とともに主たる救済対象者を変えながら福祉政策が採られてきたことがわかる。

1999（平成11）年の社会福祉事業法改正の主眼は、それまでのように「恵まれない人々」の保護や救済といった限られた対象者への福祉だけでなく、どこの世帯でも起こりうる介護にも備えるとして、国民全体を対象者としている点にあった。このことは翌年からの公的介護保険制度の実施を意識したものであることはいうまでもない。つまり、従来からある社会福祉法人、なかでも介護保険が給付対象とする高齢者介護サービスを提供する社会福祉法人に向けて、経営パラダイムの大転換を求めたのである。

このように法改正によって「社会福祉」の解釈が一気に拡大したことを、当時の社会福祉法人の多くが気づかないまま、介護保険の時代に入ったものと思われる。その事情について、次節に簡単にまとめておく。

第５節　経営転換を迫られた社会福祉法人

旧社会福祉法というべき社会福祉事業法には、第３条で社会福祉事業を第１種と第２種に分けていた。そして、第４条で第１種社会福祉事業は「国、地方公共団体又は社会福祉法人が経営することを原則とする」

とし、その事業内容は、人を収容して、生活の大部分をその中で営ませる福祉施設業とした。

このように規定された社会福祉法人は、行政による措置を委託され、社会福祉法人による福祉施設での収容は、慈善ではなく、国民の権利としての生存権に基づくものであるので、施設のサービスは「公的な立場」でのサービスと変わりがあってはならないとされていた。そのため、半世紀近くにわたって、このような考え方のもとで施設介護サービスの経営を続けてきた社会福祉法人は、2000（平成12）年４月から始まった介護保険制度により、経営パラダイムの大転換を求められることになった。

ちなみに、法律の名称が変わって社会福祉法になってからは、その第２条に「社会福祉事業」が定義づけられており、ここでも第１種と第２種の区別は残されているが、もはや介護事業は措置制度ではない。高齢社会の進展度により、社会福祉の基礎構造改革が続けられるであろうから、社会福祉事業の見直しも続くものと思う。

かつてのように国全体が貧しかった戦後復興の時代に「貧困に対する救済機関」としての役割を果たした社会福祉法人も、その後長らくにわたって「高齢者を含めた社会的弱者への援護」を旗印にしてきた。ところが、2000年代になって団塊の世代が定年を迎えた社会経済情勢においては、高齢者は必ずしも経済的弱者ではなく、また一方で国の社会保障財政も大きく行き詰まっているため、公的責任のみで高齢者の医療や介護を保証することに対して無理が生じており、介護保険の実施はそのような問題を顕在化させることにもなった。

介護保険以前は、療養型病床群や老健施設は医療機関と扱われており、これらの費用は健康保険から支払われていたため、介護保険制度の開始以降も経営対応の本質的な変化はなかった。むしろ、医療関係者にとっては、介護保険の実施によって今まで関わりの薄かった高齢者福祉分野への参入が可能になったことを意味していた。

一方で、主として社会福祉法人のみに経営が許されている特養では、サービスの費用は措置費、つまり全額公費で賄われてきたため、特養を運営してきた社会福祉法人は顧客集めに始まって、自己責任で採算を維持することなど、根本的に経営パラダイムを変えなければならなかった。ちなみに、介護保険制度が開始される前の特養には、人件費や生活費の算定に地域差が認められていたこと、人件費単価を人事院勧告に応じて変更すること、減価償却が認められないこと、措置費は当月払いであったこと、税法上の課税対象にならないことなどの優遇があった。

このような特殊な経営条件下にあった特養は、介護保険の開始後、老健施設や療養型病床群など他の介護保険適用施設と同様に自由契約施設となり、それらの施設と対等に競争していかなければならなくなった。また、特養では、他の介護保険適用施設と同様の経営能力を持つためにも、一般事業に準じた損益計算に基づく財務管理が欠かせない。しかし、かつての措置制度下では経理規定準則に従って運営されていたため、過去の決算書の数値を読み替えて今後の実績と比較検討していかねばならなくなった。こうして、介護保険の時代を迎えた社会福祉法人にとっては、特養などの施設介護事業の経営近代化が大きな課題となった。

これまでに説明したように、介護保険制度は医療保険制度の経験を下地にして創設されていた。それによって、保険医療に相似した制度に基づくサービスを受ける利用者が、サービス提供者（プロバイダー）に関する情報提供や説明を受けたうえで、納得して介護サービスを選択するというサービス消費者意識が高まることで、有形無形に医療機関に対する意識も変えることになったはずである。

他方、それまでの高齢者介護を担ってきた福祉施設は、措置制度のもとで自己責任による経営努力を行う必要も少なく、「措置待ち」の状態に慣れてしまっていた。そのような状況で、介護保険制度の開始により保険医療事業と似た取引原理を導入されたことは、自ら顧客を獲得する努力をしていかなければならない時代に突入したことを意味した。そして、社会福祉法人は医療法人や民間企業とともに同じ土俵で介護サービスの提供を競い合うことになり、事業関係者たちは自らの努力による経営の効率化と経営基盤の安定化を迫られることになった。

2011年現在、介護保険制度開始から10年が過ぎた。この間、従来の社会福祉法人の多くが経営にもたつく中で、先行して診療報酬改定を当然のこととして受け入れ、また何度も医療制度改革を経験して事業経営の変革に取り組んでいた医療機関は、どちらかというと順調に施設介護事業に進出した様子が観察される。しかし、社会福祉法人も介護保険制度の見直しや介護報酬改定を幾度か経験したため、経営姿勢に変化が現れている。

第６節　介護保険制度の変遷

わが国の公的介護保険制度は、先行して1990年代に始まったドイツの介護保険制度を参考にしていた。しかし、ドイツの制度はいわゆる現金給付方式であるのに対して、わが国では現物給付方式で介護サービスを受けられるようにしたことから、保険財政の管理が難しくなることが予想されていた。

そのため、資金収支の管理を速やかに行えるよう、介護報酬の請求レセプトはドイツと同様に当初から電算処理を義務づけるとともに、要介護度の判定についてもばらつきを抑えるために電算化を推し進めた。また、ケアプランの作成については、新たに介護支援専門員（ケアマネジャー）という専門職を設けたものの、その処遇については全くの手探り状態であった。そのため、３年毎に保険料と介護報酬を見直すこととし、また、施行後５年を目途として全般的に検討することとした。

制度の開始以降、介護保険の支出は毎年6,000億円近い勢いで増え続けたため、初回の介護報酬改定となる2003（平成15）年度以降は、報酬のみならず制度の見直しも進められ、支出抑制策が取られた（図表２－６）。そのため、介護事業者は一様に経営難に直面し、とくに2006（平成18）年度の改定以降は非営利の社会福祉法人や医療機関、公的機関にのみ許されていた施設介護事業者たちが経営難を訴えるようになった。

なお、介護保険の費用は、９割を保険料と公費で賄い、１割が介護を受ける人の自己負担となっている。制度が開始された2000年度の介護保険の総費用は3.6兆円（ただし、初年度のみ支払実績は11ヶ月分。12ヶ月分に換算すると約3.9兆円に相当）であったが、利用者数の拡大により、

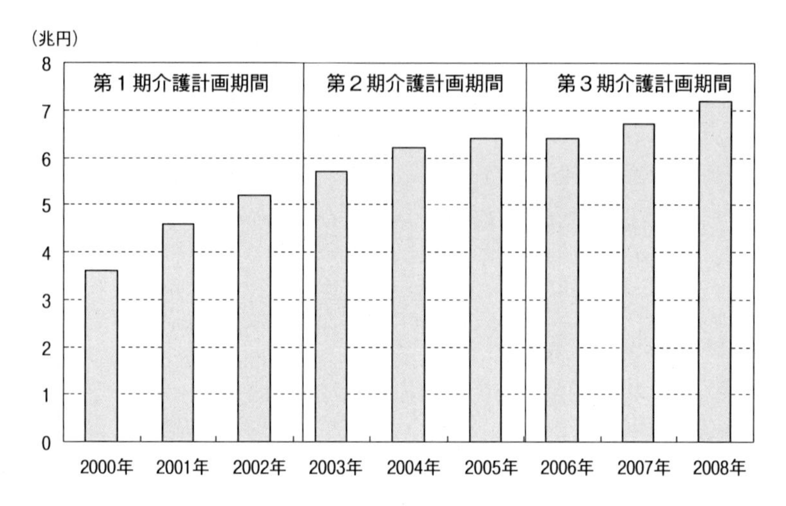

図表２－６　介護保険総費用の動向
資料：厚生労働省「介護保険制度の現状について」社会保障審議会介護保険部会

以降は急激に額が膨らみ、2010（平成22）年度には８兆円に近づいた。

第１期介護保険事業計画、つまり、制度が開始された2000年度から02年度における全国平均保険料月額は2,911円だった。試行錯誤の保険制度運営を経て、最初の報酬見直しが実施された2003年度は在宅重視、自立支援という流れを推進する目的から施設サービスの報酬を引き下げ、訪問介護やケアマネジャーの報酬は引き上げられた。このときは、制度改革というよりも、賃金や物価の下落や各サービス別事業者経営実態などのデータを踏まえた報酬改定に終始した。そして、2003年度からの全国平均保険料月額は3,293円と１割以上の引き上げとなった。

第２期介護保険事業計画（2003年度から05年度）では、2000年の制度開始以来、介護保険総費用が年平均10％以上の伸びを示したことから、介護保険財政の急激な膨張に歯止めをかけるために介護報酬を引き下げた。この頃、介護保険制度は制度全般の検討時期である施行後５年目を迎え、法改正による制度の見直しが図られた。

その結果、第３期介護保険事業計画（2006年度から08年度）では、大掛かりな介護保険制度改革が実施された。たとえば、06年４月から介護報酬を一斉改定するのではなく、前年の05年10月から前倒しの改定を実施することにより、在宅介護を受ける人との公平性を保つという名目で、居住費・食費を施設サービスなどの、いわゆるホテル・コストは利用者の自己負担として介護報酬から除外し、特養などの施設報酬を4％引き下げることで給付費の削減を図った。翌06年4月には、在宅サービスで、要介護度の軽い人への給付を減らし、その分を中・重度の人に回すという保険制度の新機軸を打ち出して、中・重度者向けの介護サービスに支払われる報酬を平均4％引き上げた。さらに、予防重視型と謳って、軽度者については要介護度の悪化を防ぐ介護予防サービスを新設するなど給付を効率化して平均5％下げることで、在宅サービスを1％引き下げた。その背景には、軽度者の場合、訪問介護が家事代行サービスのように使われているといった批判があった。その結果、2006年度からは、先に実施された施設報酬マイナス改定分と合わせて計2.4％の引き下げとなった。また、2006年度からの全国平均保険料月額は4,090円と2割以上の引き上げとなった。

こうして介護保険総費用を抑え込もうとした第3期介護保険事業計画の期間中には、介護事業者の経営事情が悪化し、倒産が目立つようになった。なかでも、介護保険制度の開始に合わせるようにして市場から多額の資金を集めて在宅介護事業の全国展開に乗り出していた大手人材派遣業のグッドウィルグループの子会社で訪問介護最大手のコムスン社は、大掛かりな介護報酬不正請求が露見したことから経営が立ち行かなくなり、廃業に至った。

そこで、第4期介護保険事業計画（2009年度から11年度まで）に向けては、介護事業者への規制、監視強化に焦点を当てた法整備が進められた。しかしながら、介護報酬の抑制は介護事業所の従業員の待遇悪化に直結することとなり、介護のマンパワー確保が難しくなった。そのため、2009（平成21）年度の介護報酬改定では、介護従業者の定着支援を目指した処遇改善を念頭に置いたプラス改定が実施された。もっとも、介護従業者の処遇改善は雇用する事業者の方針によるため、介護報酬改定による誘導は難しく、2011年4月時点では十分な検証結果を聞かない。なお、2009年度からの全国平均保険料月額は4,160円と微増で済まされた。

このほかにも、この期の改定では数々の報酬加算が規定されたが、医療との連携に関連する加算が打ち出された点が注目される。このことは、繰り返し説明するように、医療と高齢者介護はもともと切り離して考えられるものではないことから自然の帰着と考える。

今後の介護保険事業計画においても、基本的には医療事業との間で継ぎ目のないヘルスケア・サービスが整備されて行くことと予想される。それに当たり、医療も介護も保険財政とのバランスを取ることが不可欠であることから、今後は医療機関の機能が明確化される一方で、医療機関の機能の一部が、相対的にコストが少なくて済む介護機関に移されて行くものと考える。

第７節　老人保健制度と高齢者医療制度の動向

わが国では、高齢化社会の到来がかなり以前から予想されており、随時、対応策が検討・実施されてきた。しかし、図表２－７に見るように、わが国の高齢化は急速に進んでいるため、医療や介護の社会保険財政は予想以上に深刻であり、抜本的な改革を避けては通れない。

公的介護保険制度の検討から実施に至る一連の経緯を振り返ると、この制度は世の中に提示されてから６年、厚生省内部での検討が開始されてからだとおそらく10年余りの歳月を経て2000（平成14）年度から実施されたことになる。しかしながら、介護保険制度は、健康保険の財政問題とも関連して、今後も大きく変化せざるを得ないものと思う。じつのところ、医療制度改革との関係から、介護保険制度の開始と同時に、新たな高齢者医療制度の創生が議論され始めていた。

2002（平成14）年10月、老健制度の改正により老人医療受給者の年齢が70歳以上から75歳以上に順次引き上げられた（一定の障害のある65歳以上の人は従来どおり）。その結果、02年10月１日以降に70歳になる人は、75歳になるまでは引き続きそれまで加入していた医療保険で医療を受けることとなって受診時に健康保険証と高齢受給者証の二つが必要になり、その後75歳になると老健制度で医療を受けるという煩わしいプロ

	65歳以上人口割合の到達年次		所要年数
	7％	14%	
日本	1970	1994	24年
アメリカ	1945	2014	69
イギリス	1930	1976	46
ドイツ	1930	1972	42
フランス	1865	1979	114
スウェーデン	1890	1972	82

図表２－７　人口高齢化加速度の国際比較
注：ドイツは、統一ドイツベース
資料：日本は、総務庁「国勢調査」、諸外国は、U.N. "WORLD POPULATION PROSPECTS：1994"
出典：厚生労働省

セスが06（平成18）年10月まで続いた。このときに行われた高齢者医療制度の改正により、公費負担割合がそれまでの30％から年率４％で引き上げられ、2006年10月以降は50％になった。これに伴い、老人医療費拠出金の負担割合は70％から50％に縮小した。また、一定以上の所得がある老人は医療費の公費負担対象とはされなくなった。

しかし、介護保険制度の老人の定義は65歳で介護保険の自己負担は１割なのに、医療保険の老人を75歳以上とすれば、介護保険適用との間で10歳の年齢差が生じるため、負担率に差が生じることになった。さらに、医療保険制度で高齢者の定義を75歳とすること自体、特別な根拠はなかった。要するに、政策側の老人あるいは高齢者の年齢定義は時代とともに変わるわけで、その背景には平均寿命の伸びがあり、また、昔と違って衣食住の環境が大きく改善したことで元気なお年寄りが増えていることが挙げられ、さらにいえば、少子化による労働人口の減少や医療福祉財源などの財政問題に行き着き、社会保障財源が圧迫されると高齢者の定義年齢が上がることになる。

このような事情背景があって、2008（平成20）年４月から、75歳以上の人々（後期高齢者）は独立した医療保険に移るという「後期高齢者医療制度」が実施されることになった。しかし、この制度が説明不十分なまま開始されたことや75歳以上の高齢者を差別するような名称だとして国民から不興を買い、首相交代劇の一因にもなった。

しかしながら、呼び方はともかくとして、後期高齢者医療制度は、けっして検討を御座なりにして決定されたものではない。厚労省の審議会で財源と収支管理にまつわる利害関係者がいくつかの案に分かれて再三にわたり議論したものを、①独立保険方式（日医・経団連が提案)、②突き抜け方式（健保連・連合が提案)、③年齢リスク構造調整方式（突き抜け型との混合型で民主党が検討)、④保険制度一本化方式（国保中央会と市町村が提案）の四つの案に整理したうえで収束を図り、最終的に独立保険方式を採用することとして決定されたものが、この高齢者医療制度であった。つまり、後期高齢者医療制度の問題は、医療保障分野で従来から議論されてきた医療財源の持ち合いに関するものであり、医療制度改革の本質的な問題ではない。

この高齢者医療制度の医療費の配分については、75歳以上の人々（後期高齢者）は、本人１割負担で、残りを「公費負担５割、現役世代の支援金４割」で賄うこととされた。なお、現役世代の支援金は、75歳未満の医療保険制度の全加入者の頭割りによって健保等の被用者保険や国保の各保険者に割り振られる。そして、70～75歳の人々（前期高齢者）は患者負担を２割として、残り分を国保・被用者保険間の高齢化率の違いによって図る財政調整で賄う。本章第１節で触れた退職者医療制度については、団塊の世代が65歳に達する2014（平成26）年までの間、65歳未満の退職者を対象に経過的に存続させることとした。このように複雑な構成になることから、後期高齢者医療保険制度が超高齢社会に立ち向かうわが国の医療皆保険制度が舵取りする過渡的な制度となることは避けられない。

また、後期高齢者医療制度の創設により、市町村は都道府県単位に広域連合を設け、後期高齢者医療の事務処理を担う保険者となった。ただし、先述したとおり世論の反発を買い、2009年秋に誕生した民主党を中心とした新政権では後期高齢者医療制度の見直しを約束し、かつて議論された選択肢の中の「突き抜け方式」相当の制度に移ることが公表された（2010年末時点）。

この制度が医療保険制度改革の議論の末に到達したものであることを鑑みると、次に議論されるべきは、65歳未満の若年層の保険者間の格差の問題や、消費税の引き上げ時に医療制度がどのように関わるかという問題になるだろう。また、公費投入の議論の背景には、保険料の負担軽減を主張する財界経営者団体や、診療報酬引き上げを主張する保険医療関係団体といった医療保険制度の利害関係者の思惑にも留意することが必要となろう。そして、高齢者医療制度の動向は、介護保険事業と密接に関係するであろうことはいうまでもない。

第3章
医療・介護の制度改革の動向

第1節　医療改革の時代

第1章第5節で説明した、いわゆる戦後の医療法は1948（昭和23）年の制定以来、長らくにわたって大きな改正をせずに済んだ。その理由は、国の経済が高度に成長し、個人も法人も所得が大きく伸び、所得に応じて徴収される保険料や税金がともに増え続けたおかげで医療保険財源を確保することができたからであった。そのため、医療保険制度の給付条件は改善こそすれ、後退することはなく、医療保障のための大きな変革が不要であった。

ところが、1979（昭和54）年の第2次オイルショックを境にわが国もとうとう低経済成長時代へと突入し、少し年次をおいて本格的な医療改革の時代に入った。そして、1985（昭和60）年暮れの第1次医療法改正から始まる大掛かりな医療（および介護）保障のための変革は未だ止むことはない。大掛かりな医療法改正前後の医療・介護の提供と保険の制度変革を指して「医療制度改革」と呼ばれており、その意味で、医療制度改革は2011年4月までにすでに第5次まで実施されている。

わが国の国民皆保険制度においては、2008（平成20）年4月の後期高齢者医療制度実施や同年10月の政管健保（政府管掌健康保険）改組・協会けんぽ（全国健康保険協会管掌健康保険）移行までは、市町村国保（国民健康保険）、組合健保（組合管掌健康保険）、そして政管健保のいずれかに加入する国民が全体の9割を占めていた（図表3－1）。

これらの医療保険制度の単年度収支を振り返ると、自営業や零細企業などをカバーする市町村国保と政管健保は、国民皆保険制度を維持するうえで、ある程度の赤字は想定内として運営されていた。また、大企業とその関連会社、あるいは同業会社などで組織される組合健保は、長らくの間、収支が好調だったが、バブル経済破たん後の1994（平成6）年には赤字に転じた。そして、政管健保もかつては1,000億円程度だった赤字の規模が急速に膨れ上がり、96年には4,000億円を超えることになった。そのため、97年に健保法を改正して、同年10月から組合健保や政管健保などの社保加入者本人の自己負担率を1割から2割に引き上げた。その結果、これらの収支が改善し、98年度は黒字に転じたが、翌99（平成11）年度には、また揃って赤字となった（図表3－2）。

2002（平成14）年度の診療報酬実質マイナス改定では、これらの収支改善にあまり効果は見られなかったが、03年度の社保本人3割自己負担の実施による保険給付減と加入者の総報酬制に基づく算定による保険料増収とにより収支が好転した。しかし、その好転もそれまでの単年度赤字額と比べるとさほど大きくはなかった。つまり、医療保険制度改革を続けないかぎり、再びこれらの保険制度が多額の赤字に陥る危機的状況が続いている。

ちなみに、戦後の医療法が制定された1948（昭和23）年、あるいはそれ以前のわが国の医制が発布された1874（明治6）年当時より長らくにわたって、医療とは急性感染症に罹った患者の治療が主であった。このことはわが国に限らず、いずれの国々においても同じである。しかし、戦後は、わが国のみならず、先進国を中心に感染症への対策が進み、代わって循環器疾患や糖尿病、がんなどの生活習慣病への対策が重要となった。生活習慣病の治療には、高額な医療設備が必要であり、治療期間も長いため費用も大きくなる。つまり、疾病構造が変わったことにより、それに対処する医療内容も高度化するため、それに必要とされる医療費支出はおおよそ減る見込みがなく、いわゆる医療費の自然増の一因となっている（図表3－3）。

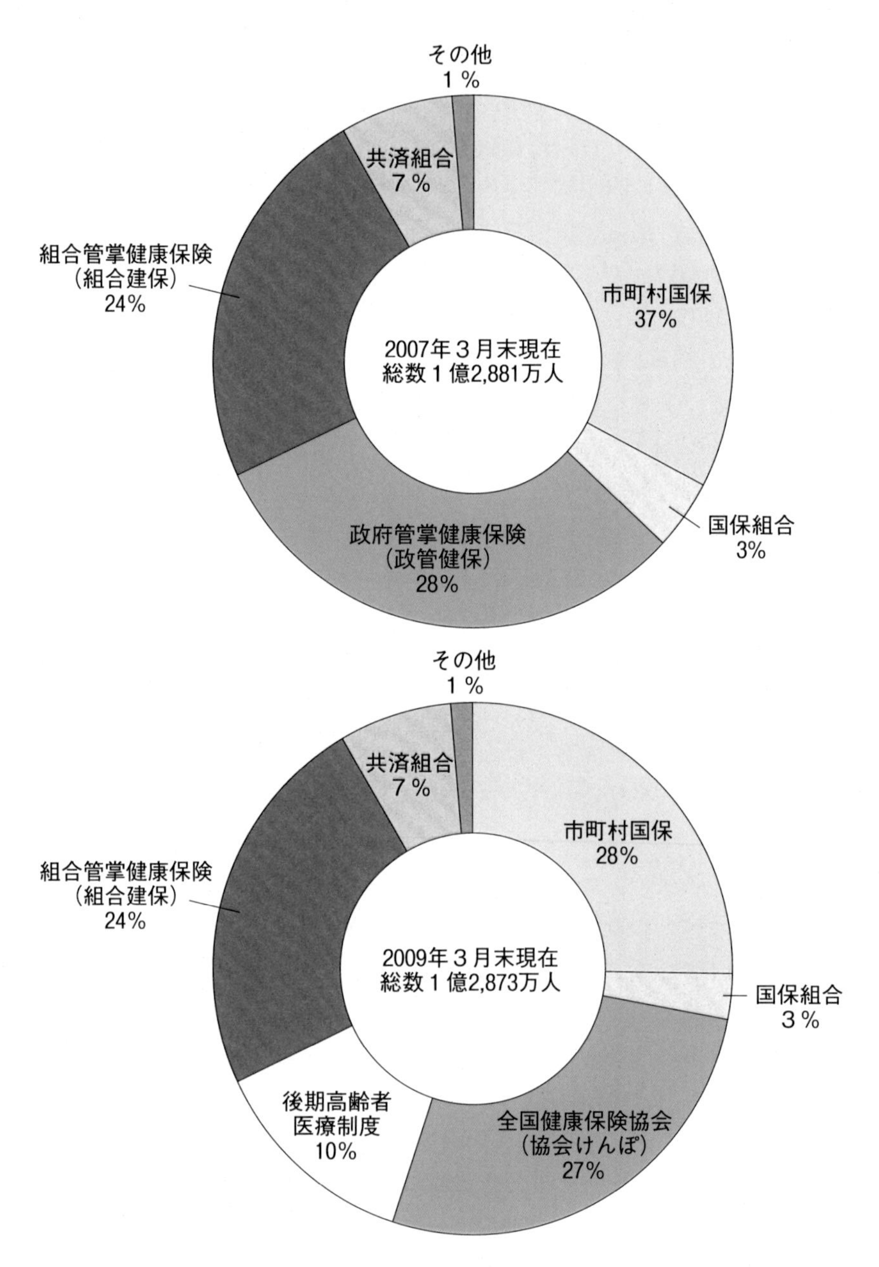

図表3－1　保険制度別加入者割合
資料：厚生労働省

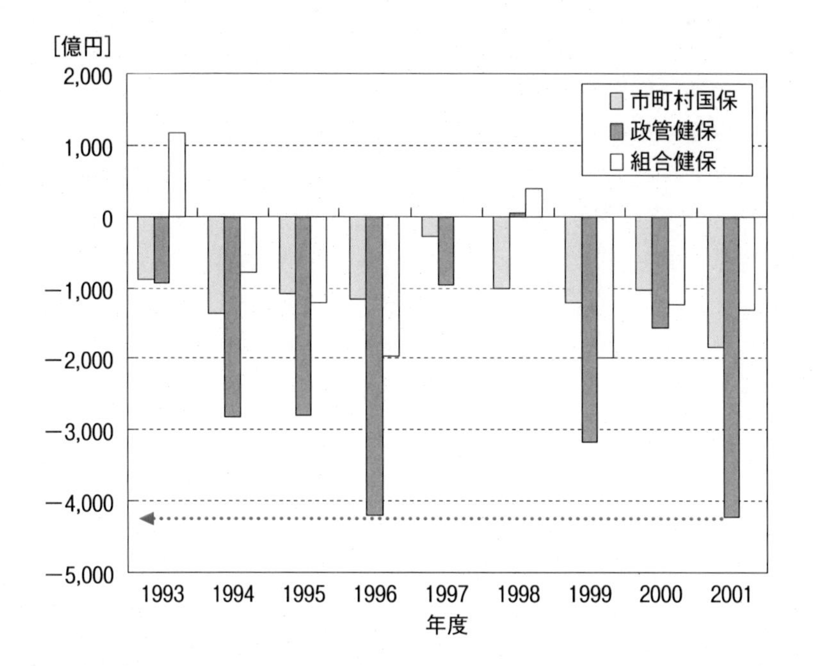

図表３－２　主な医療保険制度の収支は悪化を続けていた…

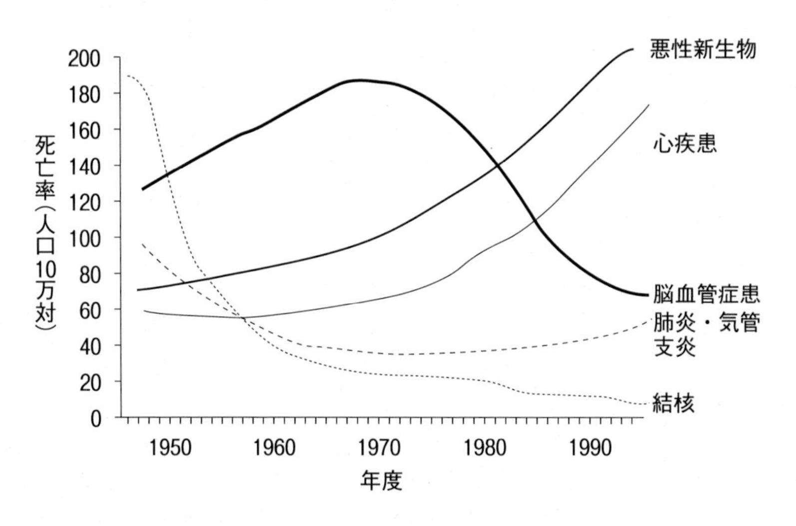

図表３－３　主要死因となる疾病の変遷
出典：厚生省「人口動態統計」

第２節　医療改革着手の時代(第１～３次医療法改正のあらまし)

わが国の医療保険制度においては、職域・地域の医療保険の引受人、つまり保険者たちが保険料率や給付内容の決定、そして医療機関からの請求書の審査・支払いといった保険事務の詳細を政府の管理と指導のもとで行ってきた。それゆえ、わが国の医療保険の保険者の実質は、政府による単一保険者（シングル・ペイヤー/Single Payer）の体制である。しかし、1979（昭和54）年の第２次オイルショック以降は経済成長が鈍化する一方で、人口高齢化が進み、また、医療費の自然増も重なって国民医療費の増嵩は止まらない。膨れ上がる医療保険財政の規模は1999年には30兆円を超え、わが国サービス業の中でも最大規模のものとなっている（第４章第２節の産業比較を参照）。

このような状況下で、医療制度改革はわが国社会保障体制の中でも喫緊の課題といえ、1985（昭和60）年以来、医療法、そしてそれに連動した健保法の大きな改正が続き、また、2000（平成12）年以降は公的介護保険制度の実施により、介護保険法の改正が加わり、これらをセットにして政府厚生労働省では対策を講じ続けている。

こうした一連の改革は医療事業の経営指針に大きな影響を与えるため、医療制度改革の動向の捉え方を学ぶことは、医療・介護事業の経営管理者にとっては不可欠となる。なぜなら、自分たちの事業のファイナンス、つまり資金の出方がどのように変わるか、あるいは変わる可能性があるかを知ることにほかならないからである。

第１次医療法改正（1985（昭和60）年12月公布・施行）は、戦後の医療法制定以来37年ぶりの大改正であった。ここでは、全国的に医療施設の量的整備が足りてきたとの見解から、医療資源の地域偏在是正と医療施設の連携を目指すとした。

この改正の重要な柱は、都道府県ごとに地域医療計画を策定して、病床総数を規制することであった。その背景には、戦後一貫して医療施設の整備に邁進してきた行政側に病院施設が飽和状態になったとの認識があった。具体的には、広域市町村圏を基本に二次医療圏を設定して一般医療を充実させること、都道府県単位の三次医療圏を設けて特殊かつ高度な医療需要に対応するために、二次医療圏ごとに一般病床の必要数を算定し、三次医療圏ごとに精神病床と結核病床の必要数を算定するというものであった。

じつのところ、第2次オイルショック以降の低成長経済の時代に突入することを覚悟したわが国の多くの産業が取り組み始めた構造改革の波がいよいよ医療業にも波及したともいえ、地域医療計画が掲げられたことはまさにわが国医療供給構造改革の第一歩であった。ちなみに、79年の厚生省医療審議会において、病床数は欧米並みに充足したので、今後は公私とも病床規制を行う必要があるとの答申が出されていた。なお、地域医療計画の考え方そのものはもっと以前からあり、1975（昭和50）年には当時の厚生省医務局がいくつかの県で実験的事業として実施していた。すでにその頃から民間病院では患者獲得の競い合いが始まっていたため、病院団体では同業者間の競争を抑制する都合からも、新規参入を規制する病床規制に反対しなかった。ところが、中長期的視野で見る戦略的経営に不慣れな病医院関係者たちは、地域医療計画が実施に移されると、医療計画策定前に既得権を確保する目論見から、競って病床を増やそうとした。当時、厚生省では様々な通知を出してこの「駆け込み増床」の現象を抑えようとしたが、ほとんど効果がなかった。

都道府県の地域医療計画は1987（昭和62）年2月の神奈川県を皮切りに、89（平成元）年3月の東京都で完了したが、この間はまさにわが国のバブル経済の時期とも重なって資金調達が容易だったこともあり、90（平成2）年の医療施設調査によると第1次医療法改正時の5年前よりも病院の数は500近くも増えていた。さらに、病床数も一般病床が17万床以上増え、以前より1割強も多い125万床余りとなった。その後、90年末のバブル経済破たんと時を同じくして、わが国の病院数は、この年の10,096をピークに毎年減って行った。病院数減少の背景については、当時のわが国病院経営者の事業管理技術の未熟さも指摘できるが、詳しくは後編の事業経営論で説明する。

このほかに、開業医1人でも医療法人を設立できる「一人医療法人」制も盛り込まれ、医師会や歯科医師会から歓迎された。というのは、当時、開業医だと最高で医業収入の72％までを必要経費と見なしてもらえるという、いわゆる医師優遇税制が存続していたが、経費を除く課税所得に対しては最高で75％の所得税がかかった。一方、医療法人には一般税率が適用されるものの、正味での節税が期待できた。そして、それまでの医療法人は常勤医師を３人以上確保しないと設立できなかったが、一人医療法人制によって開業医も希望すればこの恩恵を受けられることになったわけである。もっとも、経営管理という観点からすれば、一人医療法人制によって法人格を取得させることで、開業医にもそれまでのようなドンブリ勘定の経営ではなく、会計管理の近代化を促すことも期待できた。

さらに、このときの医療法改正では、医療法人に対する監督強化策が盛り込まれ、非医師の理事長就任が事実上できなくなったが、第１章第５節で詳述したように、病院の理事長は経営管理のトップであり、病院長は医療管理のトップであるという、欧米の近代的な病院事業経営の考え方に逆行するものであったことから後日に再考され、現在では、都道府県の裁量によって医師・歯科医師以外の者が医療法人の理事長に就任することが可能となっている。

第２次医療法改正（1992（平成４）年７月公布・施行、一部93年４月施行）は、わずか７年後に実施された。人口高齢化や疾病構造の変化、そして医療技術の進歩に対応して、患者の症状に応じた適切な医療を効率的に提供するとして、医療提供の理念規定の整備や、医療施設機能の体系化を目指した特定機能病院や療養型病床群という分類を制度化した。また、患者サービスの向上を図るための情報提供を促すとして、広告規制の緩和や院内掲示の義務づけがなされた。なお、厚生省はこの改正に至る前の87（昭和62）年から国民医療総合対策本部を設置して準備に取り組んでいた。

第３次医療法改正（1997（平成９）年12月公布、98年４月施行）は、５年後と、前回以上に短い年月で改変に臨んだ。その背景には、人口高齢化が誰の目にも明らかになったことがあり、また、医療需要の増大が止まらない状況の中で、要介護者の増加や医療の質の向上への要望に対応した介護体制の整備や日常生活圏において通常の医療需要に対応できる医療提供体制、患者の立場に立った情報提供体制、そして医療機関の機能分担の明確化と連携の促進が目標となった。

そのために、医療提供にあたって患者への説明と理解を促すインフォームド・コンセントに報酬を認め、また、一般診療所にも療養型病床群の設置を認めることで高齢者医療福祉施設の促進を図った。病院機能化促進のために地域医療支援病院制度を創設し、さらに医療計画の必要記載事項に、療養型病床群の整備目標、設備・機械・器具の共同利用、医療施設相互の機能分担と業務を加えた。そして、医療法人の付帯業務を拡大して、これまで福祉系サービスとされてきた老人居宅介護事業に参入できるようにした。

このほかにも、広告規制緩和をさらに進めて、療養型病床群の有無および紹介先の病院または診療所の名称を載せることを許した。ここに至る間には、インフォームド・コンセントに関する検討委員会報告や、在宅医療の推進に関する検討会報告が出されており、また、1995（平成７）年には財団法人日本医療機能評価機構が発足している。

この後に続く第４次医療法改正の法案が国会を通過するのは2000（平成12）年暮れのことで、第３次改正医療法の施行からわずか２年後のことである。ここまでの医療法改正の経緯を振り返ると、わが国の医療改革は加速度的に進められたという事実が見えてくる。それでも医療の供給と財政、つまりサービスサプライとファイナンスのバランスの目処は立たず、もはや毎年のように医療改革が行われる状況にあるといえる。そのような環境のもとで、医療・介護事業を続ける経営責任者たちに専門的な経営努力が求められることは必然ともいえる。

一連の医療法改正の内容を見ると、ほかにも大きな流れを含んでいることがわかる。それは広告規制緩和に象徴される医療機関側の情報の開示である。このことは患者を啓蒙して、医療・介護サービスの適切な利用、賢い使い方を促すものである。医療経済学では、医療サービスにおける市場の失敗、つまり正常な取引が成立しない理由として、医師と患者間の情報の非対称性を挙げるが、広告規制の緩和はまさに医療サービスにおいても市場が機能するよう是正を試みる努力でもある。

第3節　1990年代末までの医療改革の整理

1990年代末までの医療制度改革の様子は、図表3－4のように集約できる。当時の厚生省は、医療保険審議会と老人保健福祉審議会の二つの審議会を統合して、新たに発足させた医療保険福祉審議会で四つの見直しを行うとした。

その背景には、94年度から主だった医療保険制度の単年度決算が揃って赤字となり、医療保険の財政建て直しが急がれたことがある。第1節で説明したように、当時、組合健保、政管健保、そして市町村国保の三つで全国民のほぼ9割をカバーしていたが、急速な人口高齢化などで医療費が膨張し、これら保険の財政収支が赤字に陥った。とりあえずのところは、内部留保を取り崩して単年度赤字を埋め合わせていたが、それでは制度が維持できなくなるのは明らかであった。

政府は1997（平成9）年9月に健保法を改正して組合健保や政管健保など被用者保険加入者の本人負担を、84年以来の1割（暫定）から、84年の改正時に決定されていた2割に引き上げたのを始め、様々な患者負担増を行った。その結果、98年秋に発表された組合健保と政管健保の97年度決算はそれぞれ17億円、950億円の赤字で収まったが、赤字そのものからは脱却できなかった。そのうえ、この健保法改正の財政改善効果は2000年度途中までと想定しており、保険制度からの支出が再び膨張し始めるのは時間の問題だった。そのため、厚生省は98年暮れには「医療費の伸びは改正以前の水準に戻った」との判断を発表した。

健保財政問題は、国民皆保険制度が実施されるずっと以前からあったが、とくに零細組織の従業員とその家族に向けた政管健保が深刻な赤字を繰り返し、大きな政治課題となっていた。過去においては、経済成長が長らく右肩上がりの基調で続いたため、たとえ一時は景気が低迷しても、その回復を待って健保財政も立ち直るという幸運が続いた。しかし、少子超高齢化成熟社会への突入期に直面して、もはや過去のような幸運を望むことは無理であった。

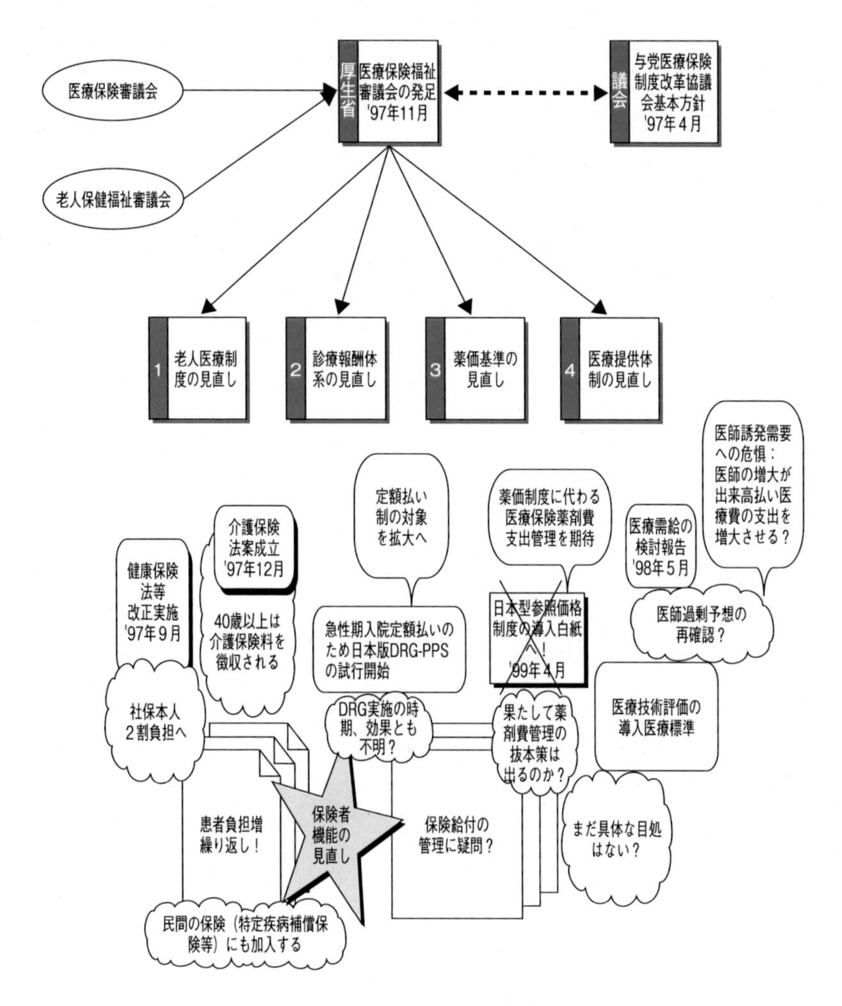

図表３－４　90年代末までの医療制度改革の整理

健保組合においては、2000年度には戦後の混乱期を除くと過去最高となる16組合が解散し、2001年度以降も健保組合の解散増大傾向は変わらない。従来は健保の解散は母体企業の倒産に伴うことが多かったが、90年代半ば以降は母体企業が存続していても、健保財政の好転が見込めないために解散に踏み切るところが目立つようになった。なお、解散した健保組合の加入者は、通常、政管健保（現協会けんぽ）に移るが、保険加入者やその家族への給付条件に大きな違いはない。ただし、政管健保では給付費の一定の割合が国庫から補助される仕組みであるため、加入者が増えると国庫負担も増える。そのため、健保組合の解散は、国の医療保険補助の支出増大につながることになる。

本節の冒頭で述べたように、1990年代末には、厚生省は図表３－４のような四つの見直しの柱を提示して、わが国医療改革の方向性を示したが、その後は保険財源から見た制度の見直しに議論が集中した。背景には、保険財政の悪化や健保組合の解散問題などがあったが、その根底にはたいへんな勢いで増え続ける高齢者医療費にどのように対応するかという問題があった。

高齢者医療費は当時でもすでに10兆円を超えて国民医療費の３分の１を占めるまでになり、その資金の６割強が各医療保険制度からの拠出金で賄われていた。それに悲鳴をあげる保険者たちが、自分たちの都合からそれぞれに高齢者医療費の資金の調達方法を提案したのが高齢者医療制度の改革案（第２章第７節参照）であり、長い年月をかけた議論を通じて方策は絞られた。要は、国民の医療資金をどのように集め、いずれのところで管理されるかをステークホルダー（利害関係者）間で討議を続けたわけである。じつのところ、保険方式であろうと税方式であろうと、医療資金が効率的かつ合理的に管理される見込みがなければ、いくら資金を集めようと、制度維持の目処は立たない。その意味では、以後の医療制度改革に持ち越された課題は何ら変わらない。

エピソード６
地域保険と職域保険のバランス

わが国では国民皆保険制度のもとで国民は何らかの医療保険に加入している。これまでに説明した健康保険や国民健康保険のほかに共済組合や船員保険などがあるが、明治末期に始まる共済組合は医療保険以外に年金も扱っており、船員保険は職場危険度から年金とともに失業保険も一緒に扱う仕組みになっていることを除けば、これらの医療保険は基本的に健康保険と同じである。

あらためて整理すると、わが国の医療保険は雇われている人たちが加入する被用者保険いわゆる「職域保険」と、自営業者や農業者そして退職者の人たちが加入する国民健康保険いわゆる「地域保険」の大きく二つに分けられる。そして、国民皆保険制度を維持するために、加入する保険制度によって保険料率や公的補助が異なっている。ただし、生活保護世帯については例外であり、保険ではなく、福祉として医療保障がなされる。

地域保険については、社会保険庁の解体スケジュールが進む中で、2008（平成20）年10月から政管健保は全国健康保険協会管掌健康保険（協会けんぽ）に改組された。協会けんぽは全国健康保険協会という公法人が経営するとはいえ、都道府県別に財政管理するというわけであるから、加入者は職域保険から地域保険に移ったことになる。これにより、国民の４割ほどだった地域保険の加入者の割合が一気に７割近くにまで増えたことになる。景気の低迷が続くと、維持を諦めた健保組合が解散して協会けんぽへ移るところが増え、また、失職すると市町村国保へ移ることから、地域保険の加入者は増え続けることになる。そのため、かつては非現実的だと思われていた「保険制度一本化」が現実味を帯びてきたことになる。

ちなみに、2004年度から都道府県での設置が推奨され、07年度から設置が義務化された地域医療対策協議会の制度と合わせて考えると、国から地方への医療保障管理の移管の動きが見える。このことは各地の医療機関の事業経営に何らかの影響を及ぼすはずである。というのも、これまでのように実質的には政府による単一保険者（シングル・ペイヤー）ではなく、47都道府県がそれぞれ保険者となることで、たとえばの話だが、診療報酬体系が都道府県で異なるといったことも可能になるのである。

第４節　2000年以降の医療改革の動向

2001年１月の中央省庁再編に伴い、厚生省は労働省と合併して厚生労働省となり、業務は厚生労働省に継承された。これは介護保険制度が始まった2000年度の途中に起こった出来事であったが、大きな混乱もなく医療改革は継承された。

第４次医療法改正（2000（平成12）年12月公布、2001（平成13）年３月施行）が、第３次医療法改正からそれほど年次をおかずに行われた背景には、医療保険財源の逼迫が続くことが予想されたからにほかならない。

このときの改革で注目されるのは、病床を「一般」と「療養」に区分したことである。従来は精神、結核、感染症以外は「その他の病床」と一括りにされていたが、これを一般病床と療養病床とに区分して届けることになった。これにより、1948（昭和23）年のいわゆる戦後の医療法の創設当時と比べて、社会の人口構成や疾病構造が大きく変わった時代に合わせて、効率的な医療提供体制の構築に不可欠となる、集中的な医療が必要な急性期患者と長期療養が必要な慢性期患者とを分けて入院加療する体制への移行がようやく可能となった。いわば、欧米から奇異な目で見られていた社会的入院の患者を、本来病院に入院すべき患者と区別して管理できる体制になったのである。もちろん、このような管理体制への移行は、前年度に始まった介護保険制度の体制整備と無関係ではない。もっとも、病床移行に伴って医療機関の人員配置や施設の構造設備基準を直ちに達成することは無理なため、経過措置が設けられ、その後は人員配置基準に違反した医療機関に対して都道府県知事が改善命令を出せることも制度化された。

結果は、急性期入院のための一般病床が過剰傾向であったにもかかわらず、一般病床を選択する病院が多かったため、その後も引き続き機能別病床区分の施策が試みられ、2006（平成18）年の第５次医療法改正では、この機能別病床区分の施策が盛り込まれるとともに、翌07（平成19）年度から都道府県における地域医療対策協議会の設置が義務づけられた。

また、第４次改正により、医師は2004（平成16）年度から臨床研修が必修化され、病院、診療所の管理者や開設者になるためには、原則として臨床研修を受けることが必須となった。このことは巡りめぐって、全

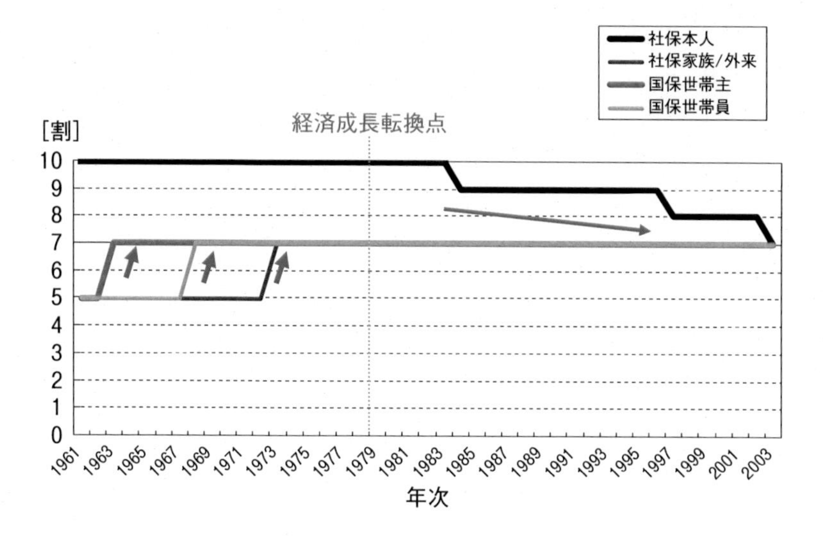

図表３−５　制度別保険給付率の年次推移

国各地の病院で勤務医不足を引き起こし、国民の医療不安はもちろんのこと、行政的医療を担う公立病院を中心に常勤医不在による診療科の閉鎖などにより深刻な経営危機に陥る病院が続発した（エピソード７参照）。そのため、設置義務化で発足したばかりの都道府県の地域医療対策協議会では、医師確保対策の検討が主務となった。

他方で、半年先送りとなっていた社保本人の３割負担が2003（平成15）年４月から実施されたため、社保は国保と同じ自己負担割合になり、これによって歴史的な成立経緯から異なっていた保険者・保険制度を一本化する構想も現実味を帯びてきた（図表３−５）。

同じく03年は初めての介護報酬改定の年であった。このときは保険料の上昇幅をできるかぎり抑制するとしながらも、経営収支の余裕が指摘されていた施設介護における見直しは「平均で2.3％のマイナス改定で、内訳は在宅0.1％、施設△4.0％」で済まされた。しかし、前章第６節で述べたように、介護保険制度は発足から５年後を目途に見直す予定であったことから、2005（平成17）年６月に改正介護保険法が公布されるとともに、介護保険総費用の急速な支出増に対処するために、同年10月には改正介護保険法の一部が前倒しで施行された。これにより、それまで介護保険で賄われていた居住費（家賃・光熱費）と食費、いわゆる介護施設のホテル・コストが原則として自己負担となった。対象となったのは特養、老健施設、介護療養型医療施設であるが、これらの施設を開設する医療機関では利用者の自己負担増となる説明が容易ではなく、事業経営への影響は避けられなかった。なお、介護保険との整合性を図るためとして、続く06（平成18）年以降の診療報酬改定では医療機関における食費などのホテル・コストが見直された。そして、以後の医療改革は、かつての医療法改正と健保法改正に、介護保険法改正を加えた施策を行うようになり、より複雑さを増した。

2005（平成17）年10月下旬に厚生労働省は、医療制度改革について広く国民の議論に供するためとして取りまとめた試案「医療制度構造改革」を発表したが、その内容は、保険医療費の増大を抑制するために一定額を保険外とする免責制度などの患者負担増や75歳以上の高齢者だけが加入する医療保険制度の新設などであった。しかし、翌11月末に決定された当時の自民党を中心とする政府・与党医療改革協議会の医療制度改革大綱では免責制度は見送られ、一方で長年にわたって議論されてきた高齢者医療制度については厚労省試案どおりの独立方式とした。そして前章第７節で述べたように、この新しい高齢者医療制度が「後期高齢者医療制度」と呼称されたことから、多くの高齢者の心証を害して世論の反発を買い、2009（平成21）年９月の民主党政権誕生につながる一因ともなった。

2006（平成18）年４月の衆議院本会議の趣旨説明で審議入りした健保法等改正案と医療法等改正案、いわゆる医療制度改革関連法案はわずか２ヶ月の討議の後、６月の参議院本会議で与党の賛成多数により原案どおり成立した。健保法関係のほかに、医療法、医師法、歯科医師法、保健師助産師看護師法、薬事法、薬剤師法などの関係法規が改正され、制度全般にわたる多数の施策が盛り込まれた第５次医療制度改革であった。

健保法改正等では、国が医療費適正化基本方針を定めて５年毎に５年を一期とした全国医療費適正化計画を定めるとし、都道府県は基本方針に即して5年を一期とした都道府県医療費適正化計画を定めるとした。そして、医療費適正化推進の一環として、特定健康診査（略称、特定健診）・特定保健指導の基本方針を定めた。保険者はこの方針に即して5年ごとに5年を一期とした特定健診などの実施計画を定め、40歳以上の加入者に対して特定健診を実施し、その結果により必要と判断された加入者には特定保健指導を行うことになったが、その実効性の検証は課題として残されている（2011年4月時点）。

第5次医療法改正（2006年6月公布、2007（平成19）年1月及び4月施行）では、数々の変革が予定された。07年1月の施行分では、有床診療所の在り方が見直され、病院と同様に一般病床と療養病床の病床区分の管理が適用されるとともに、一般病床患者は48時間を超えて入院させないという実態にそぐわない努力義務は廃止された。ちなみに、現代医療の主流である西洋医学を構築した欧米では、入院設備を有する医療施設は「病院」であり、有床診療所は日本独特の医療施設であったことから、このときの改変はいわばユニバーサルスタンダードに一歩近づけるものであった。

07年4月の施行からは、患者などへの医療に関する情報提供の推進、医療計画制度の見直しなどを通じた医療機能の分化・連携の推進、医療従事者の資質向上などを通じた医療安全対策の推進などを内容とした改革が順次実施されたが、2011年4月時点では多くが成果未検証である。

これらのほかにも、2000年代に入ってからは、国民皆保険制度に関わる体制の見直しが進められた。たとえば、長年議論のあった中医協の役割が見直され、診療報酬の改定率は政府が決めることが明確となり、中医協では個々の単価を決めるだけとなった。また、社会保険診療報酬支払基金法に基づく特別法人だった支払基金は、07年から特別の法律により設立される民間法人となって自主的な法人運営に移され、昨今の国の事業仕分けの中で、医療機関から請求された国保被保険者の医療費の審査・支払いを行う国保連合会との統合が議論された。これら一連の変革は、戦後に設けられて、半世紀を過ぎたわが国医療保障体制の総合的な見直しにほかならない。

医療改革の目印である改正医療法公布が06年夏に行われてから、11年春現在までに4年余りが過ぎたが、途中、09年9月に政権政党が変わるという大きな出来事があったため、政策現場での混乱は避けられず、医療改革も足踏んだようであった。その一方で、政権交替によって過去のしがらみが一旦断ち切られたことから、09年10月の中医協の委員改選で日本医師会の推薦枠がなくなったりもした。

2011（平成23）年度には、都道府県医療計画（2008～2012年の5ヶ年）の見直しと次期の都道府県医療計画（2013～2017年の5ヶ年）の検討が始まるため、その中で改革の検証が進むことになる。

こうして眺めてみると、当面は医療改革の嵐は収まりそうになく、収まるとすれば医療制度および医療・介護保険制度の持続性の目処が立ったときでしかない。また、一連の改革の経緯から改めてわかるように、わが国医療改革の動機は国民皆保険制度の維持にあり、その意味での医療保険制度改革であり、それは国民の医療資金の最適な管理方策の追及にほかならない。

エピソード7
2000年代半ばに生じた医師確保難の因果関係

1997（平成9）年夏に厚生省が設けた医師需給の検討委員会は、じつのところ、1984（昭和59）年の「将来の医師需給に関する検討委員会」、そして1993（平成5）年の「医師需給の見直し等に関する検討委員会」に続く三度目の検討委員会であった。最初の検討委員会は86（昭和61）年に委員会意見を公表したが、それによると、やや楽観的に見たとしても2025年には10％もの供給過剰が見込まれるため、95年を目途として医師の新規参入を少なくとも10％程度削減する必要があるというものであった。

その結果、全国の大学医学部と医科大学の入学定員は漸次削減され、94（平成6）年までに7.7％の削減に達したものの、当初目標の10％には至らなかった。一方、この間に医療制度の大改正があり、また、92年に厚生省健康政策局医事課で行われた将来の医師供給の推計結果は、医師過剰の事態が接近しているとの危惧を予想するものであった。そこで、第2回目の検討委員会が93年に設置され、翌94年暮れに意見書が提出されたが、その検討結果はやはり先と同じく医師過剰時代の接近を追認するものであった。そして、第3回目の報告が98（平成10）年にあり、三度とも医師過剰の事態を予想するものとなった。

第3回目のときに目新しかったのは、介護保険制度の創設による介護施設での新たな医師需要枠を勘案したうえでも医師は余るという点ぐらいであった。その報告書では、高齢者人口がピークに差しかかる2020年までに新規参入医師数の10％削減を目指すことを提案したが、初期のような具体的な医学部入学定員削減には結びつかなかった。

ところで、わが国の医師養成体制のステークホルダー（利害関係者）の構成は複雑である。たとえば、第1回目の検討委員会が10％の定員削減を目標に掲げたにもかかわらず、8％弱にとどまった理由は公立大学で定員減の協力が進まなかったためである。公立大学の開設者である地方自治体の首長にとっては、医学部定員削減は選挙に大きく影響するため、中央の意向だけで地元の医師供給枠を狭められることは受け入れ難いものである。他方、医師会の立場からすると、頑なに反対する理由はない。なぜなら、法律によって医師は医業の業務独占が許されているものの、医師の供給が進むと独占のレベルが下がるのは必定だからである。

一方で、同じ医師でも病院経営者は、勤務医確保が病院事業の死命を決するため、考えは異なることになる。また、医師の診察を求める患者も、厚生省や日本医師会とは違い、医師過剰にさほど異を唱える理由はない。ちなみに、80年代初頭になって医師需給に関する検討を求めたのは、従業員の健康保険料の半分を負担しなければならない雇用側の経営者たちが集う経済団体の意見を聞いた政治家の判断によるものだった。

ところが、2004（平成16）年度に始まった厚生労働省の新臨床研修制度のために大学附属病院に研修医が残らず、診療に支障が生じて収入が落ちそうになる一方で、同じ2004年度に始まった文部科学省の国立大学独立行政法人化のために国立大学附属病院の財政支援が削減されることとなり、これら大学の医局は急遽、公的病院を中心に派遣していた医師たちを引き揚げさせた。公立や私立の大学医学部でも大学附属病院に研修医が残らない事態は同じで、国立大学の医局員が引き揚げた後の病院勤務医を埋める余裕はなく、それどころか、自分たちの関連病院の見直し策の一環として医局の医師を引き戻して別の病院に付け替えるところまで現れた。このようなことから本章第4節で説明したような全国の病院、なかでも公立病院において極端な勤務医不足が起こったといえる。

歴史に「もしも」はないが、しかし、もしも新臨床研修制度の開始と国立大学の独法化の時期に数年のズレがあったとすれば、事態は変わっていたかもしれない。…(エピソード8）に続く

第5節　診療報酬包括払い制の動向

一連の医療制度改革の中で、具体的スケジュールとして取り上げられたのは、米国のDRG/PPS（Diagnostic Related Groups - Prospective Payment System/疾病分類に基づく見込払い制）の日本版、すなわち日本式包括払い制度である診断群分類包括評価（DPC; Diagnosis Procedure Combination）の導入であった。これは要するに、急性期入院の患者の疾病に関して、保険からは定額しか払わないので、その額を超えて発生した費用分は医療機関側の負担になるというものである。

疾病や重症度などを勘案して患者をグルーピングするDRGは、もともとは提供する医療サービスによって顧客を分類するという病院経営管理の目的で60年代末に米国のエール大学において研究されたものであった。その時代背景には、他の産業と比べて当時の病院業が経営管理技術の点で大きく遅れていることが指摘され、病院経営革新の勢いが盛んになり始めたことがあった。続く70年代に入ると、病院事業合理化を求めて大型病院チェーンが次々と生まれた。

一方、DRG/PPSは、1960年代に米国で始まった高齢者および障害者向けの公的医療保険であるメディケアの医療費支出が大きくなりすぎるために、これを抑える目的で連邦政府が80年代に入って導入した方式で

ある。その結果、在院日数は短縮されたものの、患者は在宅医療を余儀なくされるようになったと、米国の研究者たちが口を揃える。つまり、これにより間接的な患者負担の増大をもたらしたことは否定できない。ちなみに、メディケアに加入する人たちの多くは、医療費の不足部分を補うための民間保険に入っているといわれる。DRG/PPSはその後、民間の医療保険事業であるマネジドケア保険HMOが業務の中核である医療費支払いを監視するための道具として発展させていった。HMOについては次章に載せた（エピソード10）を参照されたい。

このようにして経緯を遡ると、顧客である患者をグルーピングするDRGは病院の経営管理手法の研究から生まれたものには違いないが、医療費包括払い制であるDRG/PPSとは別のものであることを理解しておくことは重要である。すなわち、DRG/PPSはDRGを転用した、支払側あるいは医療購買側、いわゆる保険者のための経営管理手法であり、とくに医療購買側が発展して現れたマネジドケア保険会社HMOの主業務である、医療資金の管理のための重要な手法の一つといえる。

わが国では、DPCを用いた入院医療費の定額支払い制度を、2003（平成15）年度から全国82の特定機能病院等を対象として実施した。その後も、順次、対象施設を増やして2009（平成21）年度にはDPC対象病院は1,283施設となり、一般病床のおよそ半分がDPC対象病床となっている。DPC対象病院の中には、一旦は適用を受けたものの退出するところも現れているが、総数では増加し続けており、2010年夏時点で対象病院数は1,400ほどにまで至っている。対象病院の数は間もなく頭を打つと予想されるが、このことはわが国の急性期病院の数がほぼ判明することを意味する。その結果、精神病院などを除いた残り6,000ほどの一般病院の扱いが続いて取り沙汰されるであろう。そのときに、医療機関として残る病院は半数余りとなり、残りの病院は「介護機関」ということになろうか。とはいえ、両者の間にはファイナンス（資金）の違いしかない。つまり、前者は健康保険制度から、後者は介護保険制度からファイナンスされるということである。もともと、英語のヘルスケアには医療と介護の両方の意味が含まれていることを考えれば、特段の不思議はない。むしろ、介護を「福祉」として区別したことのほうが不思議だったのかもしれない。

いずれにせよ、DPCの導入が患者に在宅医療を強いる可能性は十分にある。その場合には、入院患者は病院から自宅へと居場所を「変える」ことになる。今後の医療財政の余裕のなさを考えると、どれほど在宅医療に配慮して診療報酬体系を改正したとしても、患者への負担転嫁が続くことは想像に難くない。そのため、米国の場合と同様に、患者は民間の在宅医療保険に別途加入して疾病に備えざるを得なくなるかもしれない。これも、形を変えた患者負担増に違いない。それだけに、医療改革では国民のための医療資金の合理的なマネジメント体制の検討が欠かせないであろう。

参考までに、過去半世紀近くの医療機関から介護機関への移行の様子を図表3－6に整理する。この図を見ると、高齢者介護を含む医療改革はまだまだ続くため、読者は図の右側に変革の様子を描き加えて行くことになる。それは、医療制度経営をリアルタイムに観察することでもある。

第6節　医療制度改革と薬局

第5次医療法改正により、薬局が医療提供施設として認められた。もともと、日本薬剤師会は、社会保障審議会医療部会を通じて薬局を医療提供施設として医療法に明記するよう求めていた。それを受けて厚労省が与党自民党厚生労働部会に示した原案には単に「薬局」と記載されていたが、日本医師会は医療業に株式会社が参入することを警戒して、一般用医薬品を販売する営利法人が含まれる「薬局」という文言が医療提供施設として加えられることに難色を示した。その結果、調剤という医療行為を行う医療提供施設であることを明記する「調剤を実施する薬局」とすることで決着した。

法改正はステークホルダー間の政治により決まる。医療制度改革もその例外ではない。医療制度改革のステークホルダーである薬局・薬剤師関係者にとって、この法改正により薬局が医療提供施設として認められたことは、1992（平成４）年の第２次医療法改正で薬剤師が医師、歯科医師、看護師とともに「医療の担い手」と明記されて以来の画期的な出来事であった。

この医療法改正では「調剤を実施する薬局」と限定されているとはいえ、医療提供施設としての薬局は従来のものとは本質的に異なる。というのも、病院や診療所などの医療提供施設は営利を目的とした開設は許されておらず、老健施設も開設主体は医療法人や社会福祉法人あるいは公的機関でなければならず、その意味で非営利性は担保されている。ところが、「薬局」は薬事法中に「薬剤師が販売又は授与の目的で調剤業務を行なう場所（その開設者が医薬品の販売業を併せ行なう場合には、その販売業に必要な場所を含む）」と定められており、薬局の開設者は薬剤師でなくともよく、管理者は薬剤師でなければならないと記されるのみである。そのため、薬局の設立母体は株式会社や有限会社などが大半を占めており、薬局事業には非営利性の担保はない。

医療経済学が説くように、医療サービス市場では情報の非対称性が起こり、買い手の患者は何を求めればよいかがわからず、売り手の医療機関が買い手の内容を決めることから、供給側の都合で需要を喚起するという供給者誘導需要を惹起する恐れがある。そのため、医療サービス市場については正常な取引が果たされるよう監視する目的で、いずれの国であっても行政の介入や規制がある。その一つとして医療機関の非営利性を担保する法的根拠が設けられたりするわけである。ところが、医療提供施設として明記された「調剤を実施する薬局」については、経営主体の大半が会社法人であり、そこでは営利目的の排除はできない。その意味では、医療保険財政の切迫が理由で進む医療改革の一端を担うことができるか否かの検証は、以後の課題となろう。

ちなみに、90年代前半から本格化した医薬分業の結果、診療種類別で見たときの国民医療費中に占める薬局調剤医療費割合はわずか10年余りで４倍を超え、2007年度には15％を占め、金額にして５兆円を超えた。国民が購入する一般の店頭薬の売上規模は年間8,000億円程度と推測されるが、保険適用外であるため国民医療費には計上されない。そのこと

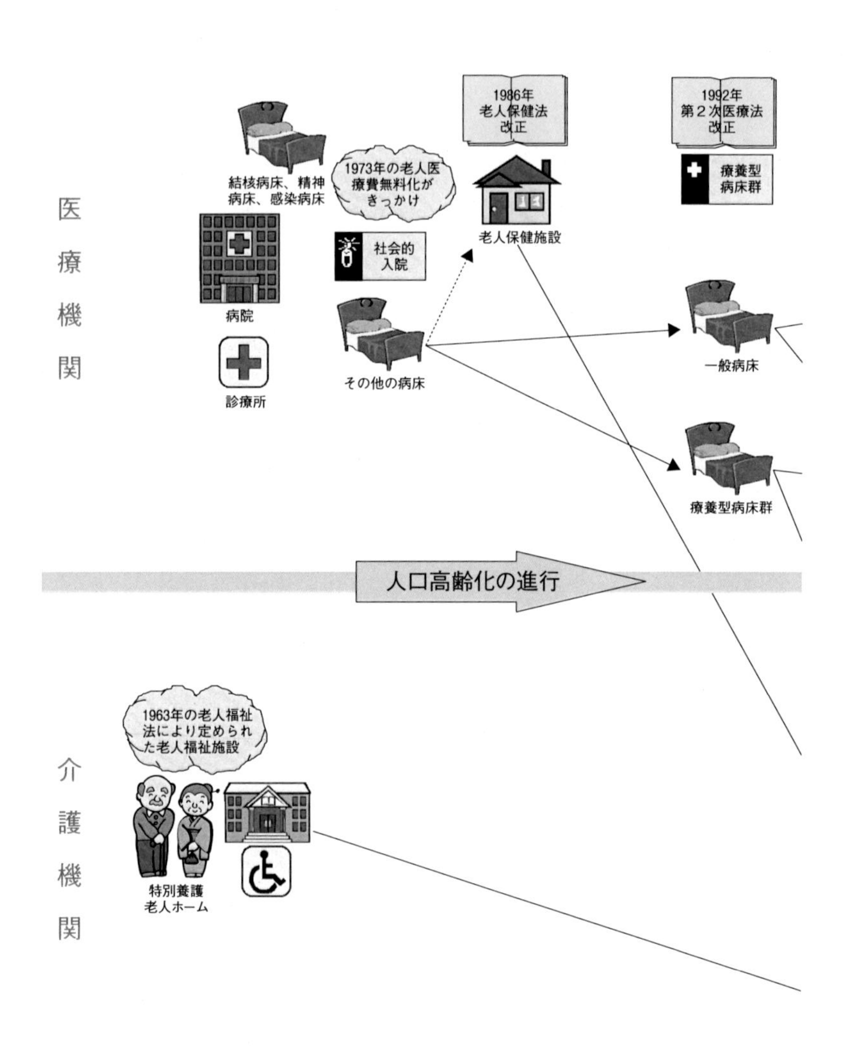

図表３－６　医療機関および介護機関の機能分化プロセス
（1960年代から2000年代までを概観する）

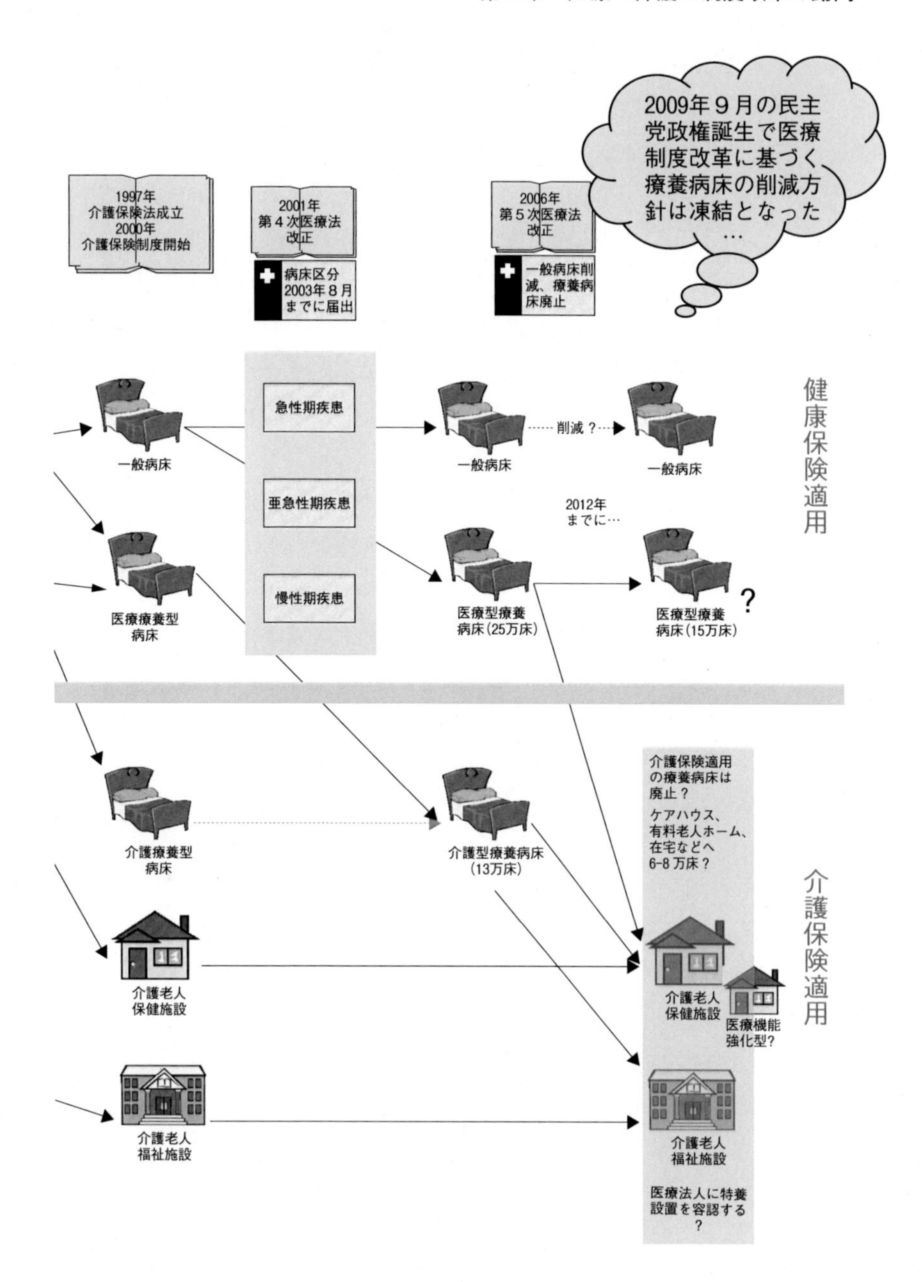

2009年９月の民主党政権誕生で医療制度改革に基づく療養病床の削減方針は凍結となった…
1997年
介護保険法成立
2000年
介護保険制度開始
2001年
第４次医療法改正
病床区分
2003年８月までに届出
2006年
第５次医療法改正
一般病床削減、療養病床廃止
急性期疾患
亜急性期疾患
慢性期疾患
一般病床
医療療養型病床
介護療養型病床
介護老人保健施設
介護老人福祉施設
一般病床
削減？
一般病床
2012年までに…
医療型療養病床（25万床）
医療型療養病床（15万床）
？
介護型療養病床（13万床）
介護保険適用の療養病床は廃止？
ケアハウス、有料老人ホーム、在宅などへ6-8万床？
介護老人保健施設
医療機能強化型?
介護老人福祉施設
医療法人に特養設置を容認する？
健康保険適用
介護保険適用

からも、保険調剤薬局業はけっして小さな産業規模ではない。それゆえに、この事業も医療保険財政の切迫が理由で進む医療改革の影響を受けずには済まされないであろう。

1992（平成４）年の第２次医療法改正を機会に薬剤師は在宅医療と本格的に関わるようになった。1994（平成６）年の診療報酬改定で「在宅患者訪問薬剤管理指導料」が新設され、医師からの訪問指示依頼を受けて薬剤師が患者宅を訪れて薬歴管理や服薬指導などの薬の管理指導を行ったときに報酬算定ができるようになった。

2000（平成12）年の公的介護保険制度では「居宅療養管理指導」という薬剤師によるサービスの算定が認められた。そして、06年４月の調剤報酬改定では、従来の薬剤服用歴管理指導料は「薬剤服用歴管理料」と名称変更され、薬剤名などの情報提供を取り込むとともに保険点数は引き上げられた。また、従来の医薬品品質情報提供料は「後発医薬品情報提供料」と名称が変更され、情報提供項目に「先発医薬品との薬剤費の差」といった新たな項目が付け加わり、ジェネリック品の使用を促す方策が採られた。そのうえで、第５次の医療制度改革で薬局が医療提供施設と確認されたことは重要であるが、皆保険制度下の医療機関としての薬局のあるべき姿の検討は課題として残されている。

エピソード８
医師不足と適正医師数の問題

かねてより病院勤務医の過労働の原因でもあるとして医師不足が問題となっていたが、2004（平成16）年度に始まった新臨床研修制度をきっかけにその指摘が加速した。しかし、医師不足が生じた背景にある要因はじつに複雑である。たとえば、地方の病院で医師不足が起こった様子について、大雑把に因果関係を整理するだけでも図表３−７のようになる。

新臨床研修制度が開始される前年の2003（平成15）年には「医師の名義貸し」と「医局への寄付金」の問題が発覚し、地方の病院と大学医局との関係が変わり始めていた。さらにこの問題をきっかけにして、北海道や東北地方を始め全国の病院で医療法が定める医師標準定員を満たさない、いわゆる「標欠病院」が多数存在することが顕在化した。全国で約25％の病院が医師の配置基準を満たしていなかったのである。「名義貸し」自体は違法であるが、標欠病院であることを認めると診療報酬が減額される病院側と、無給の医学部大学院生の収入便宜を図ろうとした大学医局側の利害が一致したことから、名義貸しが常態化した。

2006（平成18）年夏に出された「医師の需給に関する検討会」の答申では、2022年には需要と供給が均衡し、マクロ的には必要な医師数は供給されるとした。一方で、一部の診療科や地域といったミクロの領域での需要が自然に満たされることは意味しないとした。喫緊の課題として、診療科の医師偏在の問題では、小児科、産婦人科、救急、麻酔科が取り上げられることが多いが、内科や外科を始めとした他の診療科においても医師不足感は否めず、勤務医の疲弊は顕著であった。しかしながら、毎年3,000〜4,000人の医師数の純増があることも事実であり、総人口が減少していく時代を迎えて、現行の医師供給体制ではいずれ過剰になる可能性も否定できない。

政府は、医師不足解消のために医学部の定員を増やす政策も打ち出し、2008（平成20）年度の医学部定員を168人増して定員7,793人とし、その後も09年度は693人追加増で定員8,486人、10年度は360人追加増の定員8,846人とした。しかし、医師を養成するための期間を考えると即効性はなく、将来的に需給が均衡した際には、定員減という政策を再度必要とすることなる。

振り返ると、戦後のわが国の医師数は、1975（昭和50）年頃までは人口10万人当たり100〜120人程度で、緩やかな増加を続けていた。しかし、1970（昭和45）年に人口10万人当たり150人の医師供給を目指すという目標が掲げられて、医学部や医科大学の新設が認められ、入学定員を増加させた結果、毎年約8,000人規模で新しく医師が誕生し、早くも1976（昭和51）年には人口10万対で151人となり、その後も増加傾向は続いた。

なお、2004（平成16）年頃でも毎年7,600人余りの新たな医師が誕生しており、定年退職や死亡などで自然減少する医師数を差し引いても年間

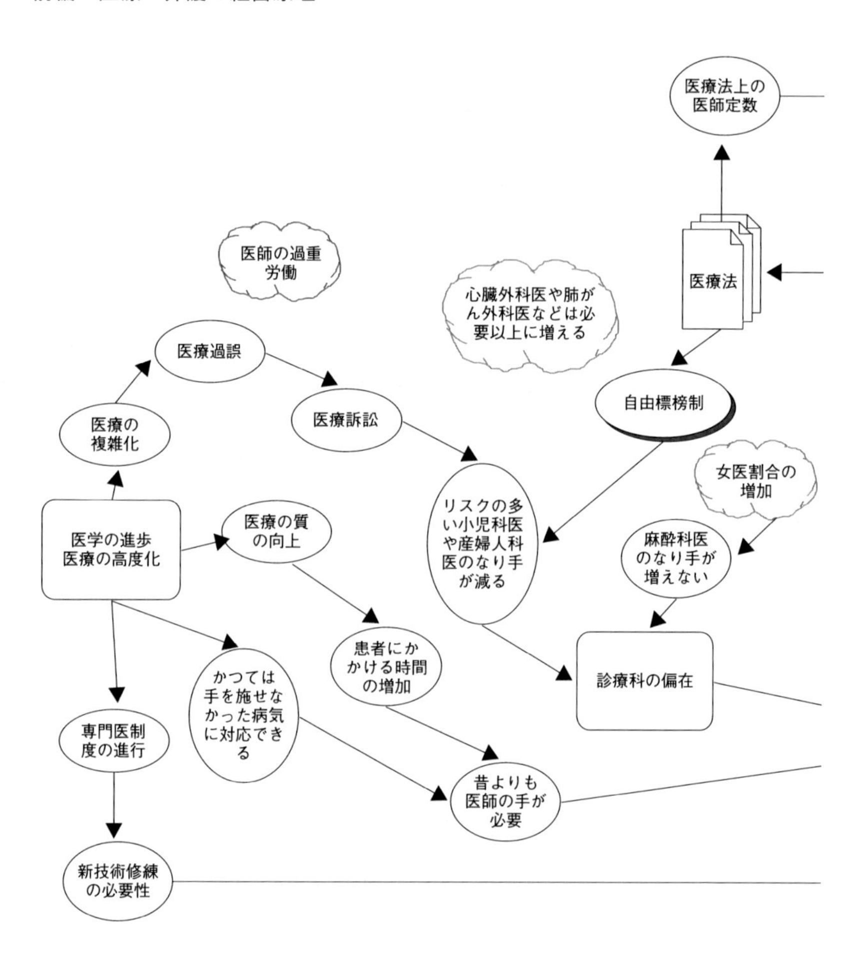

図表3－7　昨今の医師不足問題顕在化の背景整理
参考：久道茂「医学・医療の品格」（薬事日報社、2006）

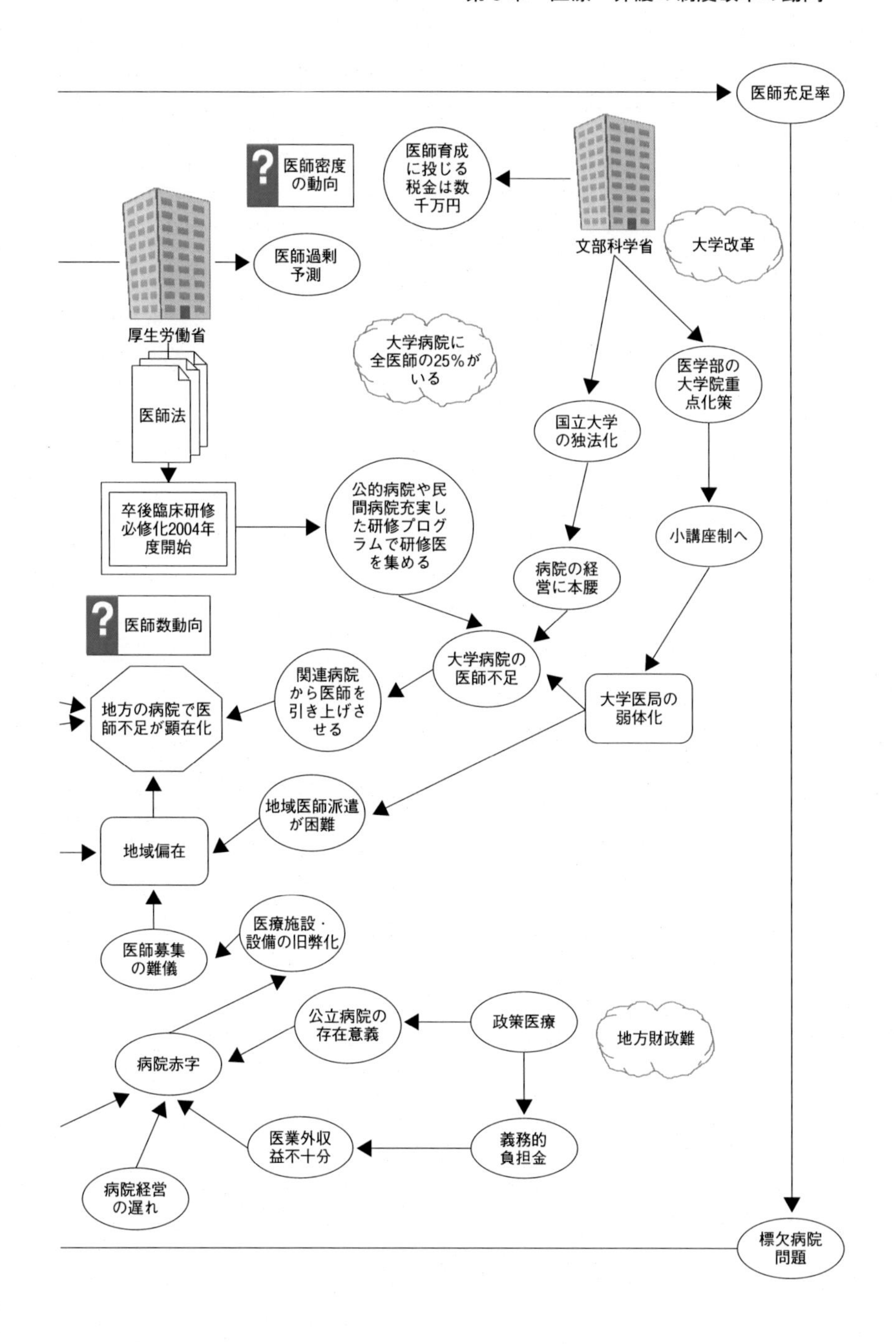

医師充足率
医師密度の動向
医師育成に投じる税金は数千万円
文部科学省
大学改革
医師過剰予測
厚生労働省
大学病院に全医師の25%がいる
医学部の大学院重点化策
医師法
国立大学の独法化
卒後臨床研修必修化2004年度開始
公的病院や民間病院充実した研修プログラムで研修医を集める
小講座制へ
病院の経営に本腰
医師数動向
大学病院の医師不足
関連病院から医師を引き上げさせる
地方の病院で医師不足が顕在化
大学医局の弱体化
地域医師派遣が困難
地域偏在
医療施設・設備の旧弊化
医師募集の難儀
公立病院の存在意義
政策医療
地方財政難
病院赤字
医業外収益不十分
義務的負担金
病院経営の遅れ
標欠病院問題

3,500～4,000人の純増があり、2004年には人口10万対で211人に達している。しかし、過去の検討会が予測した「医師の供給過剰」が顕在化する前に、「(病院に勤務する）医師の不足」が現れたわけである。その偶発性については、先の（エピソード7）に説明した。

「OECDヘルスデータ2006」に掲載された医師密度の国際比較を参照すると、2004年におけるわが国の人口10万人対医師数は約200人で、OECD加盟30ヶ国中27番目である。400人を超えるギリシャ、イタリア、ベルギーから、200人を下回るメキシコ、韓国、トルコまで分布はばらついているが、全加盟国の平均は約300人であり、一人当たりのGDPが平均以上の国の中では、日本は最下位である。ただし、各国で集計方法が必ずしも同じではないことに留意が必要である。

元来、医療提供はその国の文化や国民の価値観と密接に結びついている。そのため、医療制度も国によって当然異なっており、単純に比較することはできない。たとえば、世界でも最高水準の医療を提供している米国の10万人対医師数はOECD平均以下である。しかし、米国の医療制度では、麻酔を扱える専門看護師など、わが国では医師以外に禁じられている医療行為を行える専門職が存在する。そのことからも、医療制度の違いを考慮することなく、各国の医師数を単純に比較して医師の過不足を論ずるには無理があり、OECD加盟国間の10万人対医師数は一つの目安でしかない。

ちなみに、国として抱える医師の総数では、わが国は米国、ドイツに次いで第3位と推計されるが、医師密度が平均の値を超えるOECD加盟国の多くは医師総数がわが国の数分の1ないしは20分の1以下であることや、医師の養成・管理という一国の医療提供体制のマネジメントの難しさの点などから、これについても同様には扱えないと考えられる。

2011年4月現在のわが国の医療法における医師の人員配置標準では、一般病院の場合、入院の一般病床では患者16人につき医師1人、療養病床では48人に1人、外来は40人に1人とされている。また、特定機能病院の場合、入院は患者8人につき医師1人、外来は患者20人に医師1人とされており、この基準を下回ると「標欠病院」とされる。

医師配置の適合率は年々上昇してきているものの、2004年度の立入り検査結果では、全国平均で83.5%であった。この割合は地域によって格差があり、西高東低の傾向を示す。とくに北海道・東北地域では61.6%と低く、約4割の病院が標欠病院となっていた。ちなみに、最も高い近畿地域でも93.4%である。また、病床規模別に適合率を見ると、規模の小さな病院ほど適合率が低い。

上にいう一般病院の医師配置基準は1948（昭和23）年施行の医療法から明記されている。その根拠について何度か調べたことがあるが、近年では2007（平成19）年に調査したときも明確な答えを得られなかった。一説には、当時の医師数や国立病院の患者数などを考慮して決めたというが、1947（昭和22）年の医師数は70,636人（人口10万人対で90.4人）、1948年が72,522人（同90.7人）であり、一方で患者数は「施設面からみた医療調査」（現在の「患者調査」に相当）によると、1948年には病院と診療所の合計で1日当たり919,000人（入院140,000人、外来779,000人）であった。単純計算すると、医師1人当たり12.7人の患者を担当することになるが、当時は戦後の混乱の最中で健康保険制度は十分に機能しておらず、医師や医療機関が保険診療を断ったこともあったという。そのような背景からすると、カネを用意できない者は医療を受けられなかった時代の患者数が医師配置基準の計算の出発点となったことになり、診療体制や保険制度が充実して、医療サービスが国民の身近なものになった今も適用し続けていることは不適切なはずである。

なお、診療の医師偏在の解消策については、2011年春現在も目途が立たない状況にある。一般には意外と知られていないが、「医師本人の判断によって（麻酔科を除いては）自由に診療科を標榜できる」という、わが国独特の制度がある。わが国の医学部では、6年間の教育の中で一応全ての診療科の勉強と実習をすることになっているが、実際にはこれだけで専門的な診療能力を身に付けることができるわけではない。そのため、卒後研修を経てさらに研鑽を深め、専門学会の試験を受けたうえで認定医、専門医などの資格を得ることになる。2004（平成16）年度以降は新臨床研修制度に移行し、かつてのように卒後直ちに大学の医局に入局することは少なくなり、２年間の研修中に自分の適性を判断し、専門を決定することになったが、いずれにしても、ある程度は自分で専門分野・診療科を自由に選べることに変わりはない。

医療提供について考えたとき、診療科によって繁忙度が異なることは、一般にも理解しやすいものと思う。たとえ同じ人数の患者を担当していても、疾患そのものの性質が異なるうえに、重症度も異なるため、医療施設単位で医師の過不足を論じることにあまり意味はない。実需ベースで医師の過不足を論じるためには、診療科ごとの医師需給バランスの検討が欠かせないはずなのだが、2011年現在までのところあまり調べられていない。

勤務医の数についても、診療科ごとの病床数から医師を充足するというルールがあれば、診療科別医師需要が明確になるのだが、医療法ではそこまで細かく人員基準を指導していない。このことは、戦後の混乱期以来、医療提供体制の量的整備を急ぎ、質については後回しにされてきたことに起因しているものと思われる。いずれにしても、従来のように診療科の診察実態が反映されない地域別の医師１人当たりの患者数や、人口10万人対医師数といった指標を使っていては、医師の実際の需要を議論することはできないであろう。

なお、2004年度以降の医師不足問題に直面して病院の経営持続性が危惧されており、このことは医療機関倒産の報告にも如実に現れた。帝国データバンクの報告によると、2007（平成19）年には１月からの半年間に病院倒産が11件起こっている。じつのところ、病院の数は1990（平成２）年の10,096をピークに、毎年減り続け、もはや9,000を割り込んで久しいが、内実は病院から診療所への転換が大半であって、倒産は年間一桁程度で推移してきた。ところが、2007年には倍速の兆候が見えたことで、わが国の医療提供体制と国民皆保険体制維持にとって重要な病院医療提供体制の持続性に対する危機感は募るばかりとなっている。

医師不足の問題についても、「実需」に基づいた政策の再検討が急がれると同時に、上記のような考察を通じて診療科別医師需要の精緻な調査が必要となろう。

第4章

コンセプト研究：医療改革と保険事業の再設計

第1節　医療・介護保険制度改革のゴールとは

わが国の医療・介護保険制度の持続可能性を巡る改革がどのように進むかについては、予断を許さない。その改革の過程では、関係者の間で既得権益を巡って、数多くの政治的折衝が繰り返されるであろう。しかしながら、政治の波によって右へ左へと振れる目前の改革進路はともかくとして、保険財政運営の原理原則に従ったときに医療・介護保険の制度改革が目指すべきゴールについては考えようがあると思う。

本章では医療制度経営論の締め括りとして、医療・介護のヘルスケア保険の保険者機能を考えたときに、米国の民間保険であるマネジドケア保険の考察から敷衍した、国民皆保険制度の持続性を高めるための「医療資金管理」の概念的検討を紹介したい。

これまで説明したように、わが国で国民医療費と呼ばれているものは、国民皆保険制度を管理するための統計である。そして、現状では公費負担、つまり税金からの注入が3割を超えている。言い換えると、保険料と患者の自己負担だけでは現在消費している保険医療サービスの7割程度しか賄えず、残りの3割余りが不足しているために税金で埋めているのである。すなわち、それがわが国の国民皆医療保険の懐事情である。もっとも、最初からこれほど多くの割合を税金で補填していたわけではなく、高度経済成長で国の歳入が潤っていたときに政治的判断が繰り返

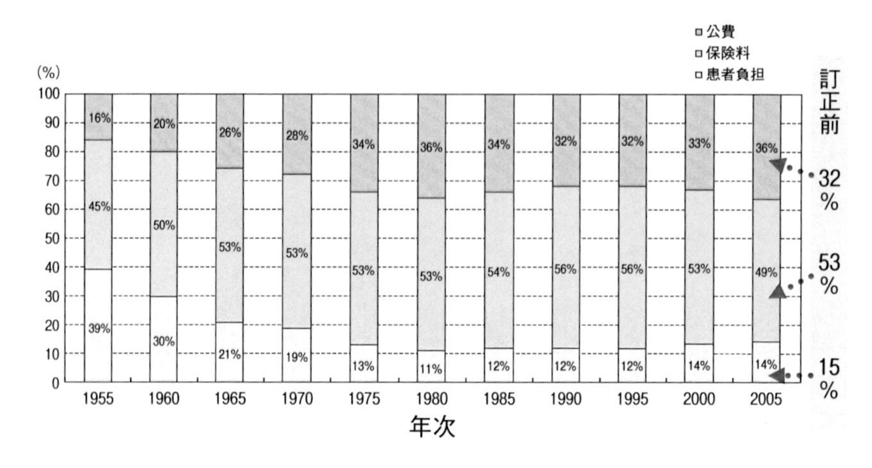

図表4－1　国民医療費の財源別割合の年次推移

資料：厚生労働省

注：厚生労働省は2007年８月24日発表の平成17年度の国民医療費から、公費負担の推計方法を変えた。16年度までは地方単独事業の分を推計で出していたが、17年度からは実績を総務省から入手したので、実績を用いて推計、平成８年に遡って変更したとのことである。

された結果としてここに至ったわけである（図表４－１）。その後、人口の高齢化が進む中で高齢者医療費が目立って増えてきたため、2000年度から介護保険制度を開始して高齢者医療費を部分的に肩代わりさせることとなった。しかし、医療費の自然増は続き、また、高齢化は止まない。医療と介護を合わせたわが国のヘルスケアの社会保険制度を持続させるための改革は続くわけである。

ところで、いわゆる「保険」の仕組みであれば、保険料をリスクに応じて算定し、徴収することで保険事業経営を成立させている。ところが、徴税による医療保障を採る国はともかくとして、保険による医療保障を整備する国々では、米国を除いて原則として社会保険方式であり、つまりは政府の強制保険である。そのこともあって、加入者の支払い能力という観点から所得に比例した保険料を集めている。わが国も社会保険方式を採用しており、加入者のリスクに応じた保険財源の資金を集めているわけではない。そのため、不況が長引いて個人の所得が伸びなくなると、当然保険料徴収も伸びない。また、患者の自己負担は可処分所得に関係する。可処分所得とは、給料から税金や社会保障料、あるいは家のローンなどの決まって出る金銭を払った後に手元に残るお金、つまり自由に使えるお金を意味するが、経済の停滞で個人の所得が伸びなくなれば、当然この可処分所得も伸びないことになる。また、公費負担部分、つまり税収から支払われる分については、法人や個人が得た所得に対して所定の割合で税金を徴収しているので、経済の停滞や不況が続くと、やはりこれも頭打ちになる。とはいえ、頭打ち状態といいながら、国の国家予算と比較すればわかるように、途方もない金額である。

そのようなことから、少子高齢化が続くわが国において、国民医療費や介護保険支出の収支バランスをとることが当面のあいだ困難となることは明らかであり、国は国民への説明責任を果たすべく「医療（介護を含む）改革」を行っているともいえる。

第2節　医療改革なるもの

近年、世界の国々で医療改革（health reform）が重要な課題となっている。その内容を一言でいえば、いずれの国でも増え続ける国民の医療・介護保障、医療・介護保険の財政をいかに管理するかの議論でもある。

社会制度とは、ヒトが複雑な環境に対処するために必然的に生まれた仕組みだと考えられる。つまり、環境や社会の変化に応じて新しい仕組みが発見され、より望ましい仕組みが残ってきたという、適応的進化（adaptive evolution）のプロセスによって生まれてきたものだといえる。医療や介護といったヘルスケアを保障する制度も同様で、現代社会に対処するために必然的に生まれた仕組みであり、より望ましい仕組みが残ることになる。

ただし、現在の制度や市場などは歴史的な経路によって規定されるとする経路依存性（path dependence）に則って考えると、制度の社会的適合度は、経済システムが直面する歴史的・技術的・社会的・経済的環境に依存するために、各国の医療・介護の保障の仕組みは似ているようでいて、それぞれに違ってくる。

しかし結局のところ、医療・介護保障に関わる問題は、財政的問題に辿り着く。つまり、医学・医療的に診療行為の有効性や必要性のランク付けまではできても、社会保障制度の中でどこまでカバーしなければならないかという問題は、財政の問題となる。一方で医療保障制度では、皆保険やアクセス便宜、また、受診受療の場所を問わないとか、幅広い包括的給付などといった原則を確保するうえで、「公営・民営」の区別をする必然性はないはずである。要は、国民の医療・介護資金が健全に効率よく管理される仕組みを生み出すことこそが、医療・介護保障制度における最も根幹の課題と考えられる。

さて、ヒトは、いつ、どのような傷病に遭うかはわからず、また、生活や仕事に復帰できるまでにどれぐらいの日数がかかるのかもわからない。そして、床に伏せている間は収入が滞るかたわら、出費はかさむ。そのようなリスクに備える保障として、１日当たり一定の金額が支給される現金給付方式では不十分であり、原則として傷病が治るまでの医療を受けられることが約束される現物給付方式のほうが安心度は格段に高い。

介護についても同様の見方ができるが、じつのところ傷病治療ほどの複雑さはないため、介護保険制度で先行するドイツでは現金給付方式を採用している。そこで、この後の説明では主として医療保険財政の改革を中心にした論を展開する。

税金であれ、保険料であれ、それらをプールして国民の医療に備える、いわば国民の医療資金管理においては、現物給付方式は現金給付方式と違って、一体どれだけの資金を集めれば足りるのかが事前に確定できず、そのため税や保険料を納める国民への説明を果たすことは簡単ではない。それだけに、医療の現物給付方式による国民の医療資金は、どのようにプールして支出するかの管理（マネジメント）が問題となり、国民皆保険制度を敷くわが国の場合、その本質は現物給付方式の医療保険事業の経営論議となるといえる。もっとも、現物給付方式の医療保険事業のマネジメントは本質的な難しさがあるゆえに、わが国に限らず、世界的にも研究が遅れており、2011年現在も答えは見つかっていない。

90年代に入った頃から、医療内容については医療専門家によるピアレビュー、つまり相互監督の重要性が取り上げられるようになった。たしかに「医療」の管理については有効だと考えられるものの、「医療保険」の管理については不十分である。つまり、保険＝金融（ファイナンス）の専門家によるピアレビューも必要となり、医療保険は医療と金融の両方に通じた専門家が求められる。加えて、国民皆保険という政府の強制保険の場合には、さらに政策や政治にも通じた専門家も求められる。つまり、「複雑系」のマネジメントの一つにほかならない。

経済学では、人間の生活、生存に重要な関わりを持ち、また社会を円滑に機能させるために重要な役割を果たす資源、モノ、サービスを管理しようと考える。近年では、社会的共通資本なるものについても管理しようと考えるようになった。社会的共通資本とは、具体的には土地、大気、海岸、河川、森、水、土壌といった自然環境や、社会的インフラストラクチャーである公共交通機関、上下水道、電気、ガス、水道、道路、通信施設など、そしてさらには、教育や医療といった制度資本も範疇に入る。

米国で長らく研究した高名な経済学者の宇沢弘文は、こうした教育や医療といった制度資本の管理では、官僚が管理するのではなく、社会的な基準で行われるべきで、それぞれの分野の職業的専門家が専門知識に基づき職業的規律に従って管理運営されるべきだと説明した。この考え方はおそらく米国という、国家としての歴史が新しいがゆえに、しがらみの少ない国において発達した本格的なピアレビューの仕組みと、その経済的特性を間近に見たところから得られたものと思う。他方で、古くから国家を形成するわが国を含むアジア・ヨーロッパ諸国では、宇沢が指摘するような制度資本の管理の必要性に気付きつつも、従来からのしがらみや価値観に拘泥してしまって、ピアレビューが経済的な視点から語られることは少ないように思われる。

しかし、発達する経済社会において、あらためて医学や医療がどのような役割を果たすのかについての研究が必要とされている。具体的には社会の予算制約の考え方や、効率的な医療資源の利用についての考え方、医療へのアクセス管理の考え方、あるいは社会保険のような強制保険方式を採るときに最終的な管理を任される政府は国民に説明責任を果たさねばならないといった議論が国民の間でなされる必要がある。

エピソード９
医療費支出の国家間比較

対GDPの比率で見れば、わが国の医療費は低いという意見がある。たとえば、1997年当時のデータで見ると、図表４－２のようにOECD加盟29ヶ国中、わが国の対GDP比は20番目であった。ただし、同じデータを実額で比べると２番目、国民１人当たりで比べると７番目となる。

じつは、OECD加盟各国が提出する国民の総医療費支出については、集計項目が統一されていないことが問題になっていた。そこで、OECDは各国の医療費支出なるものの集計項目を揃えるための検討を行い、ようやく2000年になって国民保健計算（NHA/National Health Account）の国際基準としてSHA（A System of Health Accounts）を発表し、加盟各国に対してSHAに準拠したデータの提出を呼びかけた。

わが国の場合には、2000年度から医療経済研究機構が過去に遡った総保健医療支出（Total Expenditure on Health）の算出に着手し、その結果を発表している。それによると、図表４－３のように、従来の国民医療費よりも２～３割も増える。

ちなみに、OECDは2000年にスロバキアが加盟して30ヶ国となっているが、これら全ての加盟国がSHAに基づいた集計を提出しているか否かについては、2011年現在でもOECDの年次統計に明記されていない。

いずれにしても、わが国の場合、2001年度で総保健医療支出はすでに40兆円近くになっており、第５章第２節で説明するように、わが国の基幹産業である自動車産業（部品業を含む）の規模と比肩できるほどの巨大な額である。

総医療費	対 GDP 比	一人当たり
米　国	米　国	米　国
日　本	ドイツ	スイス
ドイツ	スイス	ドイツ
フランス	フランス	ノルウエー
イギリス	カナダ	ルクセンブルク
イタリア	スウェーデン	デンマーク
カナダ	ギリシャ	日　本
スペイン	オランダ	フランス
オーストラリア	オーストラリア	スウェーデン
オランダ	オーストリア	アイスランド
韓　国	デンマーク	オーストリア
スイス	ポルトガル	オランダ
スウェーデン	アイスランド	オーストラリア
メキシコ	イタリア	カナダ
ベルギー	ベルギー	ベルギー
オーストリア	ニュージーランド	フィンランド
デンマーク	ノルウエー	イタリア
ノルウエー	スペイン	イギリス
ギリシャ	フィンランド	アイルランド
フィンランド	日　本	ニュージーランド
ポルトガル	チェコ	スペイン
トルコ	ルクセンブルク	ギリシャ
ポーランド	イギリス	ポルトガル
ニュージーランド	ハンガリー	韓　国
アイルランド	アイルランド	チェコ
チェコ	韓　国	ハンガリー
ハンガリー	ポーランド	メキシコ
ルクセンブルク	メキシコ	ポーランド
アイスランド	トルコ	トルコ

第 2 位

第20位

第 7 位

図表 4－2　日本の医療費は本当に低いのか？（1997年当時のデータ）

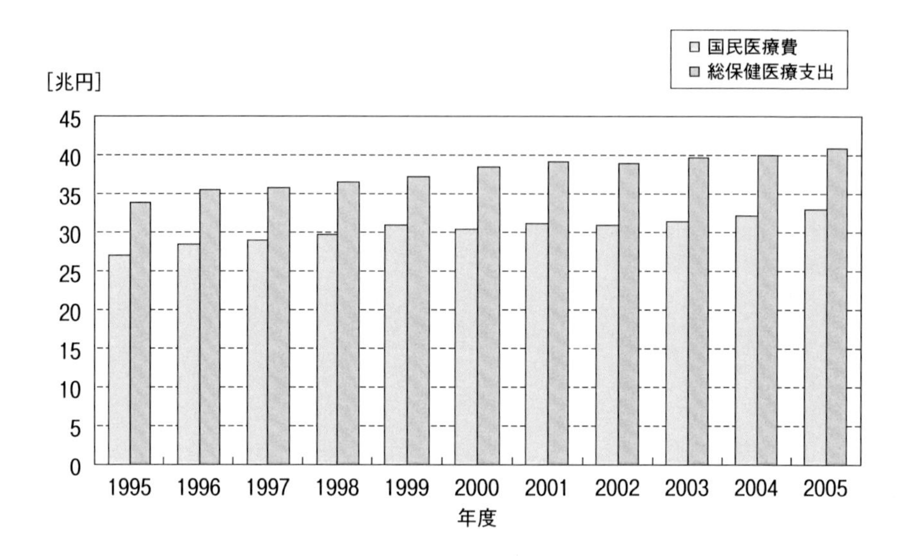

	国民医療費	総保健医療支出
1995	27.0	34.0
1996	28.5	35.5
1997	29.1	35.8
1998	29.8	36.6
1999	30.9	37.4
2000	30.4	38.5
2001	31.1	39.2
2002	31.0	39.0
2003	31.5	39.9
2004	32.1	40.1
2005	33.1	41.0

図表４－３　国際比較では「国民医療費」の約２～３割増しの値!?

資料：「OECDのSHA手法に基づく保健医療支出推計」2008年３月、医療経済研究機構

第３節　医療改革とリエンジニアリング

わが国の医療改革の中身は、医療・介護保険制度の改革であり、一国のヘルスケア保険事業の再設計でもあることを意味する。

経営手法の中で、事業再設計に有効なものとしてリエンジニアリング（reengineering）が挙げられる。その進め方は図表４－４のようになり、その特徴の一つに改革可能性調査という項目がある。ここには事業主体の文化的背景や価値観についても検討の俎上に乗せる「カルチャー・スキルの評価」というステップがある。

そこで、わが国の公的医療・介護保険事業の再設計をリエンジニアリングのアプローチに沿って考えるとき、わが国の文化的背景や歴史的経緯、そして国民の価値観についても議論しておく必要性が示唆される。

わが国の健康保険制度や介護保険制度、つまり公的ヘルスケア保険事業における事業主体の実質は政府であり、その基本理念には国民への福祉がある。それゆえ、わが国のヘルスケア保険の事業再設計が収束する先は「わが国がどのような福祉国家を目指そうとしているか」の答えでもある。

このとき「福祉」の定義が大きな問題となりそうである。第２次世界大戦が終結した半世紀余り前、資本主義先進国は戦争の反省と同時に世界情勢への対応から、競って福祉国家の建設を目指した。ただし、当時の福祉国家の目標は、貧困や病気や無知といった社会のネガティブな要素の撲滅であった。その福祉国家を目指して、わが国をはじめ世界の多くの国々が戦後の経済復興を果たし、経済成長を果たして、それぞれの国民生活を向上させることに一定の成功を収めた。しかし、80年代末になって社会主義国家群の盟主であった旧ソ連の政治システムの崩壊を契機に世界情勢も大きく変化し、そのような中で「福祉」に対する人々の考え方が当初とは異なって来ているようだ。

この点について、英国の社会学者アンソニー・ギデンズは、著書「第三の道（The Third Way）」の中で「福祉とはリスクの共同管理である」と、福祉の意味をあらためて定義している。

とくに経済リスク管理が難しい現物給付方式のヘルスケア保険事業に

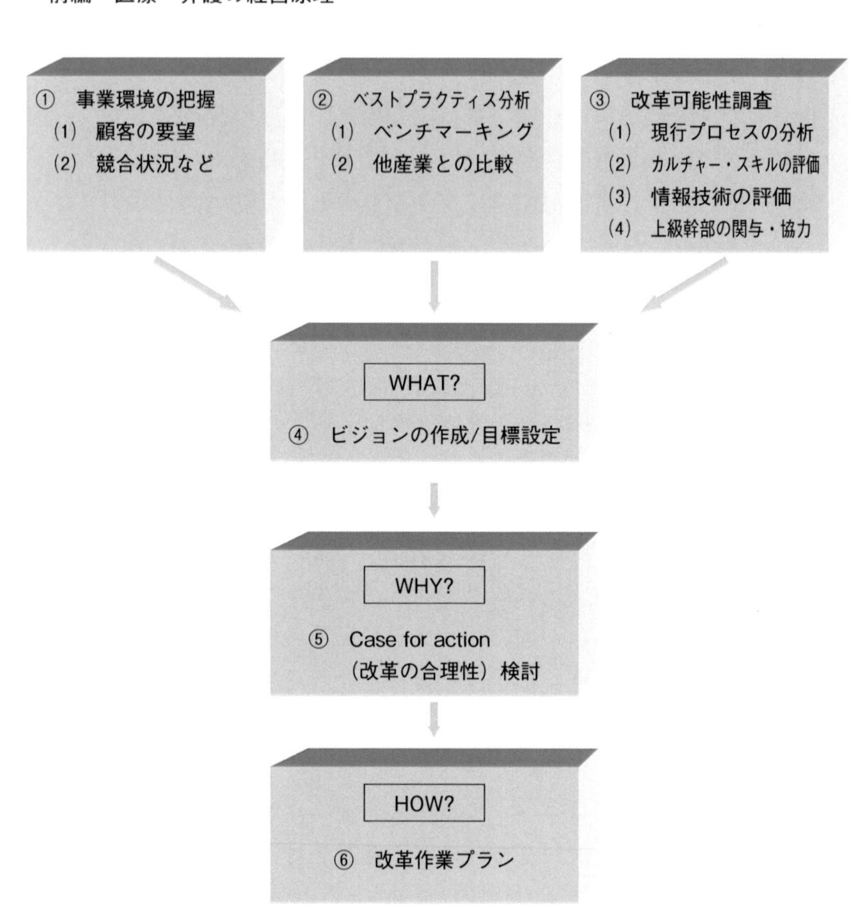

図表4-4　リエンジニアリングの進め方
※西田在賢著『医療・福祉の経営学』P.171を参照して村松譲が作成

おいて、「保険料と給付のバランス」の維持に苦心する米国の民間医療保険「マネジドケア保険」を考察すると、公的保険であっても保険リスクのマネジメントにもっと真剣に取り組むべきではないかとの感想を持つ。そこには、ギデンズの福祉の新定義と共通の思想が見受けられる。すなわち、これからの時代には「(社会福祉の一環である) 公的ヘルスケア保険は、関係者の間で経済リスクを共同管理する」形態を採らねばならないとの結論が見えてくるのである。

そこで、わが国の公的なヘルスケア保険事業の再設計も、保険リスクをあらためて関係者間で共同管理する姿から模索できるのではないだろうかと考える。

第４節　ヘルスケア保険のビジネスモデルの研究

リエンジニアリングの進め方の中でもう一つ注目されるのは、問題解決に先行するマネジメント事例について、分野を超えて探し、比較するベストプラクティス分析である。

この考え方に立つと、わが国の公的ヘルスケア保険事業の再設計の場合、「公的」という枠組みにとらわれず、民間会社による私的ヘルスケア保険の事例も参考にすることになる。ちなみに、わが国の公的ヘルスケア保険事業、つまり医療・介護保険制度は強制加入の社会保険方式によって開始され、とくに第三分野の保険といわれる医療保険については、2000年代に入るまで原則として国内の民間保険会社には手掛けることを許されていなかった。そのため、わが国の保険会社は大手であっても医療保険事業の資金管理のノウハウに乏しい。

余談だが、1980年代に起こったわが国と欧米との貿易摩擦の解消策の一環として、欧米の保険会社に限って国内で医療保険ビジネスを手掛けることが許可された。ただし、いずれの外資医療保険会社も提供するのは現金給付方式の保険であって、病気になったときに保険加入口数に応じて入院１日につき、一定の金額を支払うというものであった。

医療サービスでは、たいていの場合、提供される患者側にはサービス内容の良し悪しや支払うべき対価の判断がつかないという、いわゆる「情報の非対称性」の問題が生じる。そこで、加入者が病気にかかったときに医療費を支払う仲介役の保険者側で、医師や看護師などの医療専門家を多数抱えて、患者に代わって提供される医療内容と診療報酬の妥当性を判断することにより、保険加入者から集めた「現物給付方式のための医療資金」を合理的に管理する試みが現れた。それが、米国のマネジドケア保険の始まりの姿である。

マネジドケア保険事業そのものは、著者が米国に赴いて調査研究した

90年代末はもちろんのこと、2011年昨今になってもまだ完成したものではなく、この試みの成否は未だ定かではない。また、保険者側の経済的観点のみに立っているという批判は当初からある。ただし、米国マネジドケア保険の「現物給付方式のための医療資金」管理の試みに刺激を受けたヨーロッパのいくつもの国々で、自国の医療保険制度や文化的価値観を考慮して受け入れ可能なマネジドケア保険の在り方を探り続けていることも事実である。

現在のところ、わが国の国民皆保険制度下の社会保険医療では、保険料の算定根拠が米国のマネジドケア保険のように明確なわけではない。同様に、医療費算定根拠、すなわち診療報酬の算定も、必ずしも論理的ではない。社会保険方式による医療保障制度を実施しているほかの国々も、おそらくわが国と事情は同じであろう。つまり、保険制度開始当初は、国民が受け入れやすいように保険料を低くし、また保険給付範囲も狭くすることで保険財政リスクをできるだけ小さくしており、その後、前年度の財政収支の実績をもとに、次年度以降の予想を検討しつつ保険財政を遣り繰りし、現在に至っているのが実態のはずである。そのような状況であることから、強制保険による保険料徴収額や診療報酬算定の根拠づけについての努力の痕跡こそあれ、論理的な根拠は希薄である。

米国のマネジドケア保険の場合には、民間企業の常として事業維持のための経営責任の所在が明確である。その表れとして、保険事業リスクの根拠を測るために情報化投資を進めて膨大なデータを収集し、算定の専門家である保険計理士を多数擁して収支バランスを考えた保険料算定に努めている。このアプローチは、社会保険方式によるヘルスケア保険制度を採用する国においても着目すべきものと考えている。

エピソード10
医療と保険の複合事業HMOから発展した米国マネジドケア保険

HMO（Health Maintenance Organization）が、「健康維持機構」などといった直訳でわが国に紹介されたのは1980年代のことであった。まるで公の施設か組織のように聞こえるが、その実態は日本人から見れば

「会社」である。米国の HMO には営利と非営利の両方があり、中でも加入者数が何千万人といった圧倒的な規模を誇るのは営利の HMO である。HMO そのものは1973年のニクソン大統領の時代に施行された HMO 法によって姿を現した。ただし、その頃の HMO と80年代末以降の HMO とでは、仕事や組織が大きく変わっていた。変わらないのは、医療と保険の両方を手がける事業だということである。そして、後年の HMO の事業活動を指して「マネジドケア保険（managed care plan）」と呼ばれるようになったが、そのような HMO を運営する事業組織の姿は、わが国でいうところの「会社」そのものだと考えてもらえば、HMO を解釈しやすいものと思う。

わが国の世間一般では、どういうわけか「保険業は金融業の一つである」ことが意外と知られていない。もちろん銀行や証券会社は代表的な金融業だが、保険業も代表的な金融業である。金融を英語でいえばファイナンスであるから、米国の HMO、すなわちマネジドケア保険会社は、医療とファイナンスの両方の専門的なサービスを提供している点で、わが国に類するものはないといえる。

著者が90年代後半から数年にわたって米国のマネジドケアについて集中的に調べたところ、マネジドケアは「医療とそのための資金のバランス」を説明する概念として捉えることができ、その実体として存在するのがマネジドケア保険会社 HMO だという結論に至った。そして、マネジドケア保険会社のビジネス原理は図表４－５のように整理できることがわかった。

マネジドケア保険会社は、非常に特徴のあるヘルスケア保険の商品作りをしており、図の中で X 軸を保険加入者（患者）のアクセス条件、Y 軸を医療提供者（病院・クリニック）への診療報酬支払条件として、わかりやすいように保険会社にとってリスクが小さくて済む条件を原点に近いところに置き、リスクが大きい条件を原点から遠いところに置いて説明する。具体的には、アクセス条件では「ゲートキーピング」から「フリーアクセス」までの幅で保険会社のリスクが変わり、医療提供者への診療報酬支払条件では「人頭払い」から「出来高払い」までの幅で保険

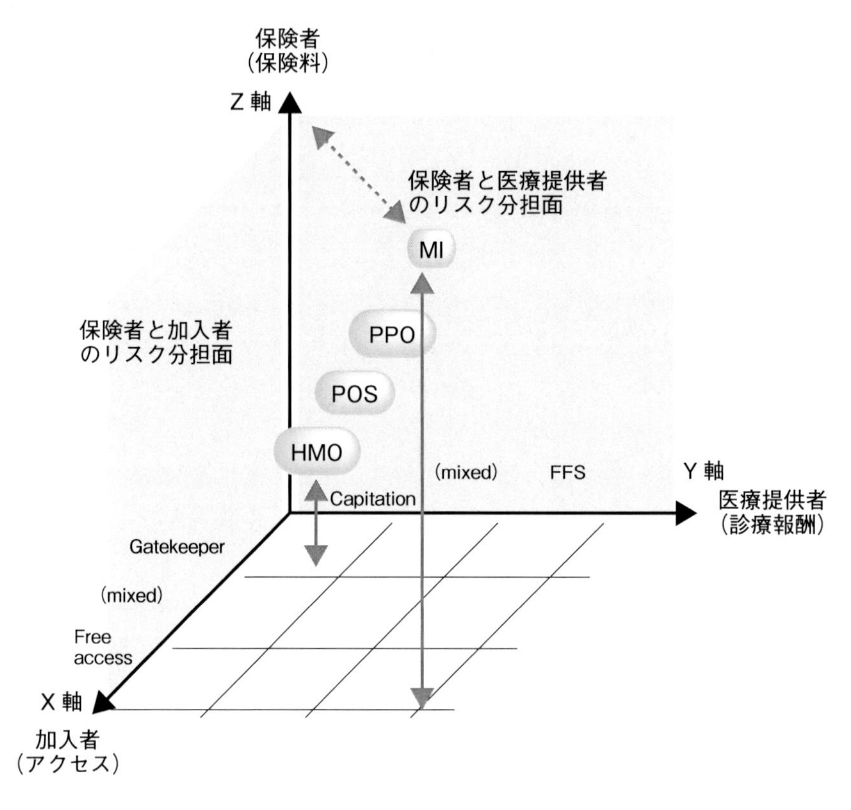

図表 4－5　米国の医療保険のビジネスモデル

会社のリスクが変わるわけである。

「ゲートキーピング」とは、加入者が保険契約時に保険会社が契約する医師のリストの中から病気のとき診てもらう医師を決めており、その医師の診察を受けたうえで承諾がないと、保険でほかの医師や専門医に診てもらったり、病院に入院することができない取り決めになっていることを意味しており、まるで門番（ゲートキーパー）を設けるような仕組みとなっていることを指す。

保険会社から医療提供者への診療報酬の支払い方法は、ゲートキーパー的な役目の医師との間では加入者１人当たり年間いくらといった「人頭払い」もあり得るし、契約病院に向けても一部人頭払いとか、疾病処置単位で「包括払い」にするという条件もあり得る。「人頭払い」や「包括払い」については、当然のことながら医師や医療機関が必ずしも合意するわけではないから、このような条件を受け入れる医療機関のリストは限られたものとなる。つまり、保険加入者にとっては、自分が診てもらえる医師や医療機関が限られることになる。しかし、「ゲートキーピング」で「人頭払い」という条件だと、保険会社側の経済リスクをずいぶんと軽減できるため、保険会社は保険料を下げることが可能になる。それゆえ、このような条件の保険でも加入しようとする人たちが現れるのである。

実際、80年代末から90年代初めにかけて長い不況の最中にあった米国では、市民の多くがこのような安い医療保険を提示するHMOに飛びついた。そこで、このような「窮屈ながら保険料の安い医療保険」を図中で象徴的にHMO型と名付けた（実際のところ、米国の人たちはHMOが始めた保険料の安いヘルスケア保険商品そのものについてもHMOと呼ぶようになり、保険会社と保険商品とを同じ名前で呼ぶという混乱が長らく生じていた）。

これに対して、たとえばPPO（Preferred Provider Organization）といったヘルスケア保険商品のタイプ（図中、下から三つ目）の場合は、加入者が医療機関を受診するときの条件が緩くなり、最初に診てもらえる医師をもっと柔軟に選べる。つまり、X軸のアクセス条件が「フリーアクセス」の方向に移動する。もっとも、診てもらえる医師の幅を広げると、保険会社側では契約してくれる医師や医療機関のネットワークを増やさなければならないため、「人頭払い」の条件では難しくなり、PPO型のときにはY軸の医療提供者への診療報酬の支払い方法が「出来高払い（FFS；Fee for Service）」の方向に移動する。このように、PPO型になると保険会社の経済リスクが大きくなる方向に移動するため、保険会社では保険料を高くする、つまりZ軸の上方向へ移動することになる。

ちなみに、従来の医療保険は「フリーアクセス」の「出来高払い」方式であるから、これは一番上のMI（managed care indemnity）型に相当し、この場合に保険料が最も高くなる。なお、PPO型の保険料はけっして安くなかったため、医療アクセスはもう少し窮屈ながら、保険料を手軽にしたPOS（point of service）型という保険商品も開発された。

ここに紹介した分析については、再度、第6節で取り上げる。ところで、著者がハーバード大学に研究留学した97年から99年当時、米国人自身がこのようにマネジドケア保険を説明できることに気付いていなかったようだった。そのような頃に図表4－5のような説明方法を考えついて、同大学公衆衛生大学院国際保健学科に置かれた武見プログラムに世界各国から集う研究者や同大学院の研究者らを前にして著者の研究内容のプレゼンテーションを行い、マネジドケア保険会社のビジネスを説明したところ、米国人の研究者たちが「なるほど、そうだ」と頷いていた。

著者が米国に初めて足を踏み入れたのは1979年のことだが、それ以来、観察するほどに米国という国は多人種多宗教の多価値感を持った国民で構成されるために、いろいろと社会実験を重ねる宿命にある国だとつくづく思う。もっとも、その多価値感のおかげで新しいものを生み出し続ける素地が社会にあって、多くの世界的なベンチャービジネスを誕生させ続けているものと思う。

第5節　医療保険事業の再設計と保険者機能の見直し

わが国は四半世紀以上にわたって医療保険制度改革に取り組んできたが、しかし、実際に行われた改正は国民の負担を増すものばかりであり、保険事業の管理を改善する施策はほとんど功を成していない。そのため、2000年代に入った頃になって、保険者が本来の役割を果たしていないのではないかという批判が現れた。すなわち、「保険者機能の見直し」論議である。先に見てきた事業の再設計、つまりリエンジニアリングのアプローチに照らしたときのヘルスケア保険事業の考察を振り返れば、この批判が正鵠を射ていたことがわかる。

ちなみに、リエンジニアリング着手の初段では、自他の経営努力の方向性とポジションを知るために三次元マッピングを用いて視覚的に検討することがある。軸は、X軸（製品・サービスの革新性：常に「最新で最高」であることなど)、Y軸（顧客との緊密性：個別顧客対応など)、Z軸（営業・運営の卓越性：無駄をなくして合理的にすることよって消費者の負担を減らすことなど）の三つである（第9章の図表9－4参照)。

ここでは、現物給付方式のヘルスケア保険事業について日米で比較検討するために、三つの軸を次のように設定してみる。

・X軸：保険給付の革新性…医療・介護機関へのアクセス便宜や薬剤給付の可否など
・Y軸：保険加入者との緊密性…保険者の選択の有無や幅など
・Z軸：マネジメントの卓越性…保険財政のリスクマネジメントなど

もちろん、定量的な分析ではなく、保険事業の再設計を討議するためのヒントとして現状と今後の努力の方向を定性的に描くにすぎないが、それでも図表4－6に示したように、米国の事業体制とその改革は三軸にわたって万遍なく検討しているのに対して、わが国ではすでに高いレベルに達している給付内容とその維持のために保険料や自己負担を増やすことしか行っていない。つまり、XZ平面上での改革に終始していて保険事業のマネジメント改善が遅れていることがわかる。

リエンジニアリングの経営研究でもう一つ教えることが、先に説明した図表4－4のようなリエンジニアリングの進め方である。このような工程図を用意する理由は、事業の再設計と抜本的改革のための作業に「漏れ」を来さないためである。ここで、わが国の医療・介護保険制度の抜本的改革の動向を念頭に置いて、あらためてこのフローチャートの説明をしておきたい。

チャート中で、①事業環境の把握とあるのは、いわゆる現状分析である。「顧客の要望」、すなわち保険加入者である国民は何を希望しているのかをしっかりと把握することである。続く「競合状況」では、サービス改善のための適切な経営努力が払われる環境や仕組みをみることになる。前章までに詳述した、わが国の医療・介護保険制度の法令や歴史的経緯の調査研究もここに入る。

②のベストプラクティス分析では、同業種・異業種を問わず、類似の

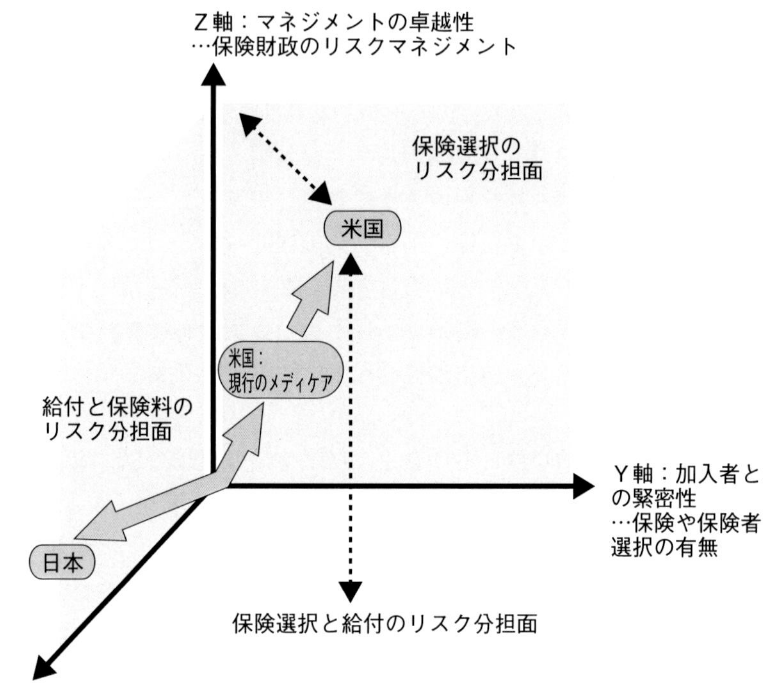

図表４－６　リエンジニアリングの三次元マッピング
ヘルスケア保険事業体制の日米比較

経営問題を解決する事例を研究する。ベンチマーキングとは、定量的分析によって事業のパフォーマンスを比較するものである。また、他産業との比較については、医療・介護保険制度の抜本的改革を検討する場合、公的保険だけにこだわらず、私保険の経営も参考になることを示唆する。

③の改革可能性調査では、現在の医療・介護保険事業の業務手順を徹底的に調べて、問題となる箇所を検討すること（現行プロセスの分析）や、事業主体の文化的背景や歴史的経緯、また国民の価値観についてもあらためて検討の俎上に乗せること（カルチャー・スキルの評価）になる。たとえば、保険事業を担う保険者の経営意識の確認や事業運営のイ

ンセンティブを調べることも含まれる。

このほかにも、(情報技術の評価）は、事業建て直しに成功したリエンジニアリング事例に倣って、近年の情報通信技術ICT（Information and Communication Technology）を導入することによる改革可能性を探るものである。

2011（平成23）年度からの本格的なレセプト電送処理についても、保険者の利得だけで検討されるのではなく、保険財政が行き詰まったときには被保険者である国民はもちろんのこと、医療ファイナンスが停滞することで病院、診療所、薬局など医療提供者も深刻な事態に陥るため、それを回避するための制度運営合理化手段の一つとして、全ての関係者の間で検討されるべき課題といえる。最後に記す「上級幹部の関与・協力」とは、トップのリーダーシップがなくては抜本的改革の実効が得られないため、検討当初から関係者トップが参画することを促すものである。

以上のような準備のうえで、「(What？）何を行うべきか」のステップに移り、④明確な改革ビジョンと数値目標を定める。次に「(Case for Action？）それを行えば、どうなるか」のステップに入り、⑤改革の合理性を検討することになる。

ここで重要なことは、一つ前のステップ④を終えたことが、施策の最終決定を意味しないということである。国家的事業である医療・介護保険制度改革の場合には、ここで国民に青写真を示し、世論の反応を調べることとなる。

ここまでのステップを済ませれば、残るは「(How？）いかにして改革作業を進めるか」であり、優秀な事務スタッフを揃えて、粛々と改革を進めることになる。最終段階の成功の鍵は、事業のトップ責任者が不退転の決意で事務スタッフを支えることに尽きるであろう。

このように一連の抜本的改革、すなわちリエンジニアリングの進め方をトレースすると、初めの①、②、③こそが最もしっかりとやらねばならない課題であることが確認できる。そして、2000（平成12）年前後から議論が活発となったわが国保険者機能の見直しとは、これら①、②、

③の基礎調査にほかならないものと考える。それゆえ、保険者機能の見直しが実現して初めて、わが国の医療・介護保険制度改革のビジョンが描かれることになるだろう。

そして、医療・介護サービスの事業経営者は、自分たちの事業を成功させるためにも、これらの改革作業手順の進捗を注視する必要がある。著者が米国のマネジドケア保険の考察から得た最大の知見は、(大袈裟ではなく）人類にとってヘルスケア保険事業の経営研究が全く遅れていることを思い知ったことであった。それゆえに、巷でいわれる「医療保険の公私二階建て論議」には懐疑的である。なぜなら、いくら払うと約束する現金給付の年金保険とは違い、原則として、治るまでの医療を受けられることを約束する現物給付方式の医療保険の場合には、どこまでが「基礎部分」で、どこからが「上乗せ部分」かという線引きが難しいからである。そのため、実験社会といえる米国では、80年代後半から90年代にかけてのマネジドケア保険会社 HMO の中には、自分たちに都合良く解釈して給付の線引きを行い、「基礎部分」を恣意的に小さくしたところもあった。それが理由で被害を受けた患者たちから訴えられ、HMO は医療保険の約定、つまり線引きの根拠作りに真剣に取り組むようになった。その一つが、経済リスク管理のための多大な情報システム投資につながっていると考えられる。

米国のマネジドケア保険会社は、90年代末に患者や遺族からの訴訟に対して立て続けに敗訴し、多大な賠償を払うことになった。そのため、彼らは経済原理を盾に次々と保険料を値上げし、今度は加入者たちが音を上げるという因果を繰り返している。その結果、90年代半ばに一度は伸びが緩やかになった米国の国民医療費総支出額は再び伸び始め、2006年頃には10年前の倍となる２兆ドルを超えた。

医療を受けるにはお金がかかるとはいえ、高い保険料がゆえに加入がままならず、福祉医療メディケイドを受けるには州政府が決める貧困レベル以下に至っていないと判定される世帯層を含む無保険者の数が5,000万人前後までになった米国では、国民皆保険制度の実現を掲げるバラク・オバマ氏が2008年暮れの大統領選に勝利し、2009年に大統領に就任した。そして、2010年4月には、上下両院で医療保険改革法が通過したことにより、完全とはいえないが国民皆保険制度の導入が進められた。もっとも、米国で国民皆保険制度が実現していなかった理由は、米国民の価値観に基づくものであり、それゆえにオバマ大統領が強力に推し進めたとはいえ、今後とも米国の医療皆保険制度の姿については予断を許すものではない。つまり、わが国のような皆保険システムになるというものではない。

この点からも理解できるように、医療保険制度改革、すなわち医療保険事業の再設計においては「カルチャー・スキルの評価」という課題研究は不可欠である。

米国に限らず、世界の国々で必死に取り組まれる医療改革の中身は、先に説明したように国家レベルでの医療提供と医療資金のバランス管理の取り組みの試行錯誤である。これは、大袈裟ではなく人類が挑戦する社会福祉の経営課題である。

第6節　医療の給付と資金のバランス管理

発達する経済社会の中で、全体として莫大な金額を費やす医療サービスが果たす役割についての研究があらためて必要とされている。具体的には、社会の予算制約の考え方や、効率的な医療資源の利用についての考え方、医療へのアクセス管理の考え方、あるいは社会保険などの強制保険方式を採用するにあたって、その管理を一任される政府は国民に説明責任を果たさねばならないといった議論などが挙げられる。

前章までに詳述したように、わが国の医療保険財政は逼迫しており、国民の医療保険資金が限界を迎えるのは自明の理である。このような場合には、むしろ医療保険資金を含む国民の医療資金の限度を想定して、その資金を効率的にマネジメントするというような、「医療資金」に注目した管理方式へとパラダイムの転換を図る必要があると考え、著者は2000年代前半に他の研究者たちともに研究に取り組んだ。

この研究では、まず米国で進む大規模社会実験ともいうべきマネジドケア保険を医療保険事業の一つのビジネスモデルとして捉え、そこにおける医療の現物給付のための専門的な保険資金管理の在り方を考察し、次にその考察結果をもとにして一般化した医療保険の資金管理の概念を取りまとめ、最後に一般化した保険資金管理の概念を念頭に置いたわが国国民皆保険制度を持続するための新たな医療保険資金管理体制の在り方を考えるという三つのステップに分けて研究を進めた。こうして得たわが国医療保険制度改革のキーワードは「疾病別医療資金管理」というものである。概略については次に紹介するが、詳しくは『新時代に生きる医療保険制度…持続への改革論』(西田在賢編著 , 橋本英樹 , 泉田信行 , 福田敬 , 住吉英樹、薬事日報社、2004）をご参照いただきたい。

さて、(エピソード10）に記したように、米国のマネジドケア保険HMOは民間事業者らしく自己責任による現物給付方式の医療保険(health plan）について、様々な商品開発をするといった経営努力を行った。これを見ると、わが国の健康保険制度における、診療所や病院をはしごできるアクセス条件や出来高払いを基本とする診療報酬支払い条件の姿は、MI 型医療保険に相当することがわかる。それゆえ、どうしても保険医療費は高くつき、その中で医療保険財政の破たんが危惧されてきた。医療保険制度改革の詳細は第３章で説明したが、2000年代から政府厚生労働省は医療改革の正念場に入り、国民皆保険制度を持続するならば、答えを出さざるを得ないところまできている。

このような難しい問題があることを念頭に置きながら、ここで説明する保険加入者にとってのアクセス条件、あるいは保険事業者が契約する医療機関への診療報酬支払い条件によって、XY 平面上に大きく九つの区分けをして説明することを試みた（図表４−７）。つまり、図中のどの区分けを採用するかで、保険加入者の給付条件と保険料が決まるわけである。これを一般概念化して説明すると、XY 平面上に「給付の機会」が集まっており、Z 軸では保険料や税や自己負担の総てを含めた医療保険制度の医療資金総額を表すと考える。このとき、医療給付を受けるための資金が小さいと給付条件の選択肢は少なくなり、資金が大きくなれば選べる給付の範囲が拡がることになる。じつは、これが米国マネジドケア保険会社 HMO の医療保険商品の作り方の原理である。もちろん、

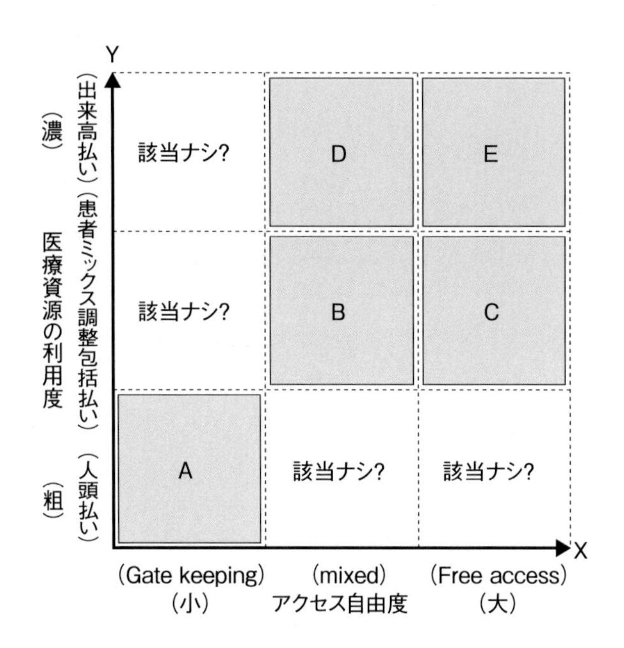

図表4－7　医療給付条件のマトリックス

ここではかなり単純化して説明しているが、米国マネジドケア保険に現れる煩雑な用語をかなり整理して説明することができる。

ちなみに、保険商品ごとに月額保険料がどのように変わるかについて、図表4－8に一例を紹介する。この図を見ると、制約だらけで不自由なHMO型は、従来の出来高払い方式のMI型と比べて6割程度の保険料で済んでいることがわかる。米国の医療保険は、原則として民間会社に委ねているところが大きいため、保険会社間の競争が進み、米国社会の様々な制約条件の下でダイナミックな変革（チェインジとチャレンジ）が続いているので、関心のある方は注視していただきたい。

「医療の給付と資金のバランス管理」の研究では、医療の保険事業はどのように管理されるべきなのか、国民の医療資金はどのように管理されるべきなのか、医療資金と医療提供のバランスをどのように扱うべきなのかといった概念研究に始まり、具体的にわが国皆保険制度における医療資金管理の考えを整理している。

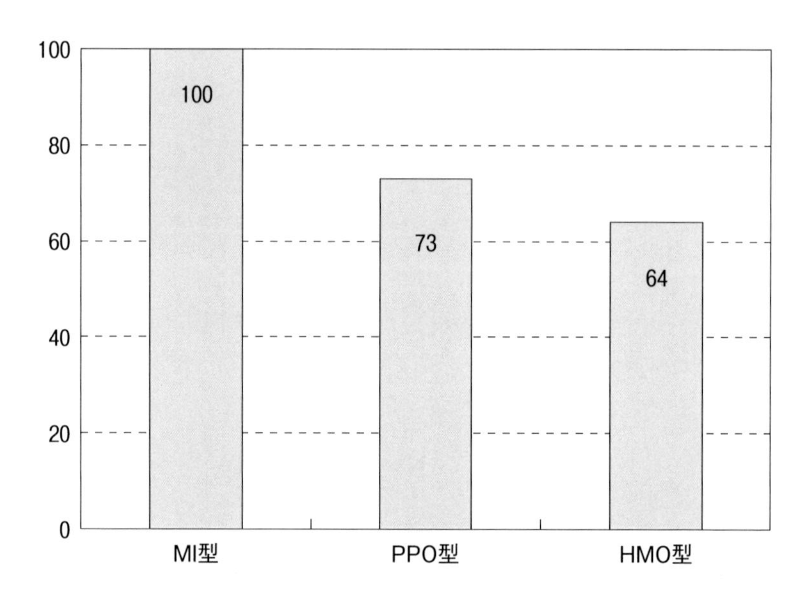

図表４－８　マネジドケア保険の商品別保険料比較
注：米国のあるマネジドケア保険会社 HMO の月間保険料を MI 型を100として他のタイプと比較（1999年秋のデータに基づく）。

医療現物給付とそのための資金のバランス管理では、単に疾病別給付条件管理にとどまらず、さらに検討すべき課題を含んでいる。たとえば、給付条件の検討軸と考えられる保険加入者患者のアクセス条件や保険医療機関への支払い条件は、じつは二種類の異なる性質の管理があることを、泉田信行が指摘した。つまり、必ず起こる事象に対する構造的管理（Structure issue management）と不確実な事象に対する確率的管理（Uncertainty issue management）の二つがあり、それぞれでマネジメントの方法が違う。前者については、取り決めによって管理できるはずであり、後者についてはリスク情報管理が必要になるわけである。これらの検討から、保険事業の資金管理ではリスク情報管理が必要であるにもかかわらず、わが国の国民皆保険制度下で政府保険者がそのためのデータを十分に集めていないのではないかと疑われ、国民皆保険制度の運営管理に必要なデータ整備体制の見直しを急ぐ必要を指摘した。このように「医療の給付と資金のバランス管理」の研究課題は多岐に渡るが、それらを整理する一つの試案として「疾病別医療資金管理」が浮かび上がった。

ちなみに、収支の変動をリスクと捉えて、これを適切に数量化して資金投入の効率性を考えた資金の分散管理を行うことで、一定の収支を保証しながらリスクの最小化を図ろうとするのがポートフォリオの理論である。この考え方に従うと、収支均衡を目指す社会保険方式の医療保険制度の要諦は、歳入・歳出の変動要因を検討して医療費支出変化額、すなわち医療資金の変動を管理することにあり、この変動をリスクと捉えて医療資金の投入効率を考えた管理ができないかというのが著者ら研究グループの着眼点であった。ここでは医療保険制度を保険者と被保険者、そしてプロバイダー（わが国の場合は、政府と国民と医療機関）の三者間の経済リスク分担システムと規定し、このリスク管理の中核になるのがリスク計算とそのレベル管理であると考えた。ただし、拠出金など世代間再分配といった「保険事業」の外側の問題については、保険者の破たんを防ぐ術である「再保険」を国が引き受けることで、社会保険の責任体制は果たせるものと考えて、医療資金管理の問題のみに集中して論考を進めた。そして、医療資金管理では「ポートフォリオ的な管理の発想が有効」と考えて、次の三つの課題を示した。

・確率的管理と構造的管理の最適な組み合わせの検討
・確率的管理を可能とする情報処理インフラの検討
・加入者および保険医療機関との政治的交渉装置の在り方の検討

このうち、確率的管理と構造的管理の組み合わせについては先に触れたとおりだが、それらの最適な組み合わせの検討は課題として残った。また、加入者および保険医療機関との政治的交渉装置については医療政治学（Health Politics）のアプローチが必要となるが、このときの研究グループでは検討する時間がなく、これも課題として残した。そのうえで結論的に指摘したのが、確率的管理を可能とする情報処理インフラの整備検討を急ぐことであった。

医療保険事業の確率的管理を可能とする情報処理インフラの構築につ

いては、従来から取り組まれていたが、別々に収集されたそれら統計も有機的に結びつけられることはなく、30兆円を超える巨額の支出を伴う医療保険事業の管理には不十分であった。橋本英樹は、とりあえず入手可能な既存統計を用いたリスク計算を試みることで、リスク管理情報インフラの在り方を例示した。すなわち、経済リスク管理を行うのに現行の統計調査では粗いが、たとえば患者調査で行う調査項目と社会医療診療行為別報告で行う調査項目とを統合するような調査が行われれば、疾病別に医療費支出の実態がもっと仔細に推計できることを示した。

1999年度のデータに基づいた推計では、外来診療で35歳以上の高血圧の再診患者の医療費が年間で約１兆4,000億円、つまり国民医療費の約５％を占めていることを示した。別途に患者の行動調査が必要であろうが、これら患者についてはアクセス条件を変更して、原則、かかりつけ医制度による給付方策を検討してもよいと考えられた。また、入院診療では35〜64歳の手術ナシで６ヶ月以上入院の統合性障害の患者が4,000億円強、75歳以上の脳梗塞の手術ナシ入院が5,000億円かかっていることも推計された。

しかし、前者は福祉医療の範疇かもしれないし、後者は議論の多い後期高齢者医療の範疇といえる。いずれにしても、経済リスクの情報がなくては、財政事情だけで制度改革を議論しても空回りする恐れがある。そのため、政府保険者は限られた国民の医療資金の有効配分を考えた優先順位づけを説明するためにも、リスク管理のための情報インフラの構築が不可欠であり、そのための体制作りも喫緊の課題であることを著者らの研究グループは指摘した。ちなみに、このような研究は医療制度の経済的運営、すなわち医療の制度経営の範疇になると考える。

第７節　医療・介護保障の国民への説明責任と今後の持続可能性

厚生労働省では、2002（平成14）年度に国民皆保険達成後初めての診療報酬実質マイナス改定を実施するにあたり、「医療制度改革について」という小冊子を作成して関係各所に配付した。このように政策側が関係者にわかりやすく説明しようとすることは、国民に向けた「説明責任を果たす」姿勢につながるであろう。

後編の事業経営論で説明するが、英語では「会計」のことをアカウンティング（accounting）という。そこにはアカウンタビリティ（accountability）、すなわち「説明責任を果たす」という意味がある。そのようなことからも、国が医療改革の中で社会保険制度の持続可能性を巡って会計予想を国民に明らかにすることは当然の努力だといえるのだが、わが国の歴史的経緯から国には「お上」意識があって、そのような努力がお座なりにされてきたことは否めない。しかしながら、2000年代に入って医療・介護の保険制度改革は正念場に入ったものと見え、国民に説明責任を果たす姿勢が表れ始めたものと思う。

著者は1995年頃から積極的に医療の制度政策と事業経営の両方に関心を置く論文や論説を発表するようになった。というのも、その頃から医療保険財政の先行き不安がかなり見えてきたので、医療保険制度の持続可能性と病院などの経営持続性とが不可分の関係にあることを論じようとしたわけであった。制度の持続可能性という表現は、2000年代以降にマスコミなどでよく使われるようになったので、一般にも聞き慣れるようになったと思う。また、事業経営の持続可能性という表現も一般の企業経営論義に現れるようになった。しかし、これを著者が唱え始めた当時は、周りの専門家たちでも意味をよく理解できないようであった。

「持続可能な」という表現は、英語ではサステイナブル（sustainable）となる。つまり、「支え得る」という意味合いであって、単純な連続性や継続性を考えるものではない。経済学では、経済成長の持続可能性（growth sustainability）という用語があり、それを制度の運営の場合に、あるいは病院など医療機関の事業経営の場合に、支え続ける、つまり持続可能であるためにはどのような条件整備が必要かという視座からの検討が必要だと、著者は当時説明した。そして、政策側に向けては、医療保険財政の行き詰まりが現実のものに近づく中で国民の負担増ばかりを繰り返していると、国民が負担に堪えられなくなって大きな反発が起きるはずで、その臨界点に達するのを事前に回避するためにも国民への説明責任を果たすことにもっと努力しなければならないと主張した次第であった。

そのような立場からすれば、2002年度の診療報酬実質マイナス改定を進めるにあたって小冊子が作られ、一般に向けて患者、保険、公費別に「医療費」負担の予想額をグラフにして説明されたことは望ましいことであった（図表４－９）。ただし、「制度改正のための財政的な影響」として示されたグラフには「医療費」とだけ記されおり、その金額からして明らかに国民医療費ではなかった。じつのところ、厚生労働省では用途が違うとして、概算医療費や医療保険医療費を使ったり、あるいはまた2005年10月に発表した医療制度改革試案では「医療給付費（＝国民医療費から患者負担分を除いたもの）」ベースで医療費圧縮計画を語ったりする。しかし、専門家であっても勘違いすることがあるこれら様々な医療費統計を、新聞などのマスコミが区別して一般に説明することは難しいはずである。

今後も続く大規模高齢社会の国家運営のためには「説明責任を果たす」という基本姿勢があってこそ、医療・介護保険の財政改革のための国民的合意が可能となる。そのためには、公正な評価が利害関係者の間で行われることも重要であり、また、政府厚生労働省の制度経営努力としての「わかりやすい説明」と「事後検証の説明」がより一層求められることとなろう。

高度な技術を要する多品種少量サービスである医療・介護も、情報公開が進むことで情報の非対称性の解消が進み、やがては患者もヘルスケアサービスを買いやすくなることが予想される。そして、ヘルスケアサービス市場はますます大きくなるだろう。そのためにも、国民の医療資金の適切な管理体制が明らかにされなければならない。

わが国政府は、病気のため生活を続けることが困難となるカタストロフィックな事態に備えた医療の国民皆保険を半世紀前に実現したが、その実態は医療機関の量的整備を急ぐことで、いつでも、どこでも気軽に医療機関にかかれるというアクセスの良さを叶え、国民の満足が得られたものと思う。しかし、結果として、本来は入院患者のための施設である病院を、単純な風邪などの外来でも利用することを許した。またその

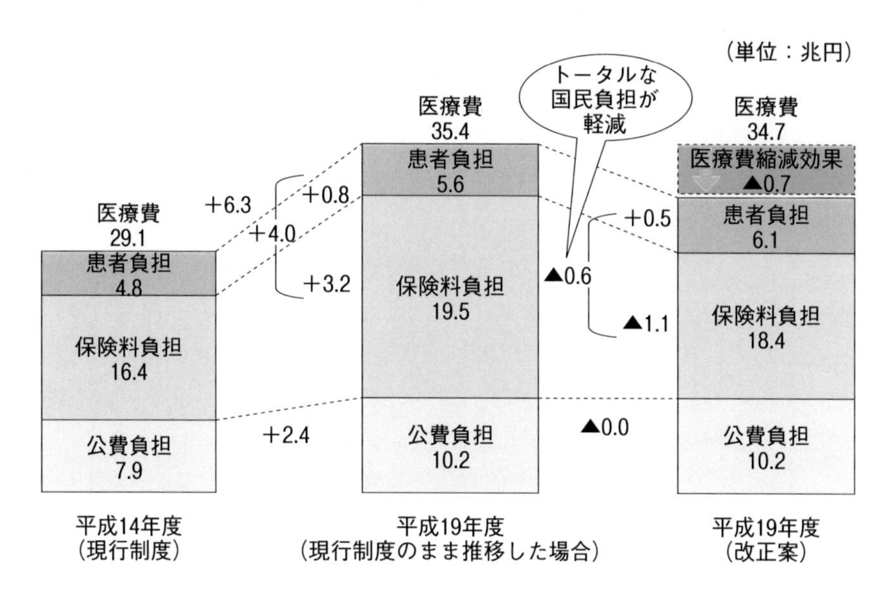

図表４－９　2002年度の診療報酬実質マイナス改定時の厚生労働省の説明図
※「国民医療費」ではなく、「医療保険医療費」ベースでの議論であることに注意！
出典：厚生労働省保険局「医療制度改革について」

一方で、医療の需要を医療保険財政の枠内に押し込めてきた。ところが、高齢社会が本格化するにつれて医療保険財政の維持が難しくなり、介護保険制度を開始することで高齢者医療費の何割かを介護保険財政に転嫁したものの、そうした遣り繰りも限界が見えてきたため、医療・介護サービスの提供を持続させる責務にある政府・制度経営側は、経営改革の正念場に至っている。

とはいえ、今後に医療ガイドラインの実用化が進んで、疾病の経済的リスクを合理的に予測できるようになると、たとえば政府の医療保険介入は高齢者や生活保護世帯に向けたもの以外は、純粋に生活を破たんさせるような疾病に限定することも可能となろう。そのときには、それ以外のヘルスケア保険事業の運営は公営・民営のいずれであっても良いということになろうか。医療・介護保険のミニマム・セットを手にした国民にとっては、個々に必要だと考える付加的な保険を自己責任で選択できる仕組みになると、もはや保険財政枠に限られた医療・介護サービスの消費を強いられることはなくなる。そうなれば、おそらく医療サービス市場はさらに勢いを増して大きくなるであろう。ただし、患者の消費者意識は必然的に高まることが予想されるので、医療・介護サービスの事業者たちが素人経営で済まされるはずがなく、これらの事業経営も進化を余儀なくされるであろう。

このように考えて行くと、少子超高齢化成熟社会において、医療・介護サービスの提供体制を整備することは、国民が国に求める基本的要件となるため、政府の財政事情だけで抑制することはもともと無理があるといえる。むしろ、その求めに応じた医療改革、ヘルスリフォームを推し進めることのほうが自然かもしれないと考える。

第8節　まとめ

本章ではわが国のヘルスケア保険事業の再設計を考える参考として、米国のマネジドケア保険 HMO の考察を取り上げて説明した。わが国のような国民皆保険制度のもとで、ほぼ全ての医師や医療機関が、保険医や保険医療機関としての指定を受けて、全国どこでも医療保険が使えることを当然だと思っているわが国国民からすると、なぜ米国の国民が HMO の医療保険の不自由さに我慢しているのだろうと不思議に思うはずである。しかし、本来、保険は契約事であり、加入者にせよ、医療機関にせよ、契約に加わっていないものは無効である。A病院やB診療所では保険は効くが、C病院やD診療所ではその保険は無効であるというのが米国における通常の医療保険の姿である。HMO もその類いの医療保険である。つまり、HMO の医療保険事業の姿のほうがむしろ自然であり、原始的であるといえる。そう考えて、わが国医療改革のコンセプト研究という脈絡の中で米国マネジドケアの試みから導かれる医療の保険システムの原理なり原則なりを抽出して紹介した。

ちなみに、マネジドケア保険会社 HMO では少ない保険料の裏返しとして医療の現物給付を制限したことから、米国社会の多くで患者の反発を招いたが、同時に診療報酬の支払いの点でも条件が厳しかったことから、90年代末頃にダラスの医師たちが大手 HMO から集団で保険医を脱退する事件もあった。しかし、このことは民間保険会社だから起こるわけではない。わが国でも、健康保険制度の診療報酬改定交渉の過程では、保険医や保険医療機関の指定や脱退を巡って争議が繰り返されてきた。そして、1971（昭和46）年７月に当時の日本医師会長が保険医総辞退を日医会員に指示し、全国の開業医のほとんどが保険診療を拒絶するということがあった。このときには全国各地で患者と医療機関の間に料金のトラブルが起きたが、幸いなことに、政治折衝を通じて約１ヶ月で元のさやに納まった。その後は同じ類いのトラブルを起こさずにいるため、医療機関で健康保険が効かなくなる事態など、国民の意識からは完全に消えてしまったようである。しかし、保険とはあくまでも取り決めであり、社会保険ゆえに国民は強制加入させられるが、医師や医療機関が保険診療をすることは強制されていない。この点で比べても、米国マネジドケア保険HMOの医療保険事業の姿は自然体であるといえる。しかし、長らく太平を喫したわが国の医療・介護保険システムも、速やかに国民の間で原理原則を本格的に議論せずには済まされないであろう。

以上、医療経営学の前編として、医療や介護の事業が展開される外側にあって、これらを管理・運営する仕組み、つまり、医療の制度経営を説明した。ここでわかるように、制度というのは、医療や介護の事業を行う者にとっては制約条件を設けるものでもある。もちろん、医療業や介護業に限らず、他の産業でも法令により様々な制約条件が設けられている。たとえば金融業はその貸出金利に上限が設けられているし、運輸業では運ぶ対象によって厳しい規制が細かくある。しかし、それら制約条件や規制はいずれもが国民の社会生活を守ることが目的であり、民主主義国家にあっては国民の合意なくしては成立しない。そして、日本には日本の、米国には米国の規制体系があることを理解して、制度のマネジメントの望ましい在り方を議論することこそが重要である。

しかしながら、そのような制約条件や規制も、社会の進展とともに変化していく。たとえば、社会福祉の考え方でも、先進国の間で福祉国家を目指すことが叫ばれた第２次世界大戦後から間もない頃は、無知や貧困の撲滅が主題であった。ところが、それから半世紀余りが過ぎた昨今は、国によって差があるとはいえ、当時とは比較にならないほど先進国の国民の生活や教育の水準が上がった。その一方で、国民生活に問題がなくなったわけではない。つまり、従来どおりの社会福祉の考え方では、現代の社会福祉の目的を説明できなくなっているのである。そこで、先にも述べたとおり、福祉国家の先鞭をつけた英国では、首相の顧問を務めた社会学者アンソニー・ギデンズが「福祉とはリスクの共同管理である」と唱え、現代の社会福祉の在り方を考え直すことを提唱したわけである。

この新定義に則れば、福祉国家における社会保障の一つであるヘルスケアの保障については、これを保険方式で行う場合に、保険事業の主要関係三者（国民患者、保険者、医療提供者）間でリスクの分担を協議することが求められることになる。このような新しい枠組みの中では、当然のことながら、わが国の国民皆保険制度の運用形態も変わり、これまで政府が実質的に保険者を兼ねていたものが、政府は保険事業の主要関係三者の枠外に出て保険事業の監督だけに専念し、他方で、自主性のなかった都道府県が自らの責任で地域保険事業を運営したり、あるいは民間に医療保険事業を委託するといったことも考えられる。あるいはまた、医療・介護機関と保険者との契約関係ももっと明確な形に書き換えられるかもしれない。

医療や介護の事業経営においては、国の制度・政策が密接に関わるため、それらを切り離して考えることはできない。すなわち、医療改革は医療事業持続の難儀でもあり、同時に規制が解除の方向に向かうときにおいては新たな事業機会が生まれるときでもある。

エピソード11
「医療の質」と「医療経営」

米国マネジドケア保険会社 HMO の社会実験から、図表4－5のような医療保険事業の経営モデルが導かれたわけだが、最後にこのモデルを使って「医療の質と医療経営」について考えてみたい。

「医療経営」の良し悪しについては、世俗的には、うちの病院の経営は良いとか悪いとかいうときには、そこの病院がたくさん稼いでいるかどうか、あるいは収支が黒字か赤字かを意味していることが多い。そこで、医療経営の良し悪しを収益、つまり売上げの増減で測ることにしよう（「経営」とはたいへん幅広い概念だから、このように断っておく）。

収益を伸ばすためには、顧客である患者に来てもらえることが第一である。患者に来てもらうためには、提供する医療サービスに満足してもらうことが重要となる。しかし、患者側には医療の内容や技術のレベルはなかなかわかるものではない。要は、どの程度自分の思いどおりに診察・治療が受けられたか、そして、（大きな要素だが）それに対していくら払うことになったかという患者の「主観的な」収支バランスとなるだろう。また一方で、保険で診てもらおうとする患者には、保険からの給付に条件が設けられる。しかし、もともと保険の給付条件は保険料によって変わるものであり、満足な医療サービスを受けようとすると、利用者である患者の負担もそれに比例して増えることになる。すなわち、給付と負担のバランス次第で患者満足度も変わるというわけである。

こうして考えていくと、医療の質を医療費支払側の満足度だけで測るとなれば、医療の質と医療経営は比例することになるが、実際のところ医療の質の議論は、そのような医療サービス消費者の満足度だけで測ることは難しく、医師をはじめとする医療の専門家でなければ判定がつかないことが多々ある。他方で、医療の質の判断を医療プロフェッショナルのみに委ねたとしても、医療の質と医療経営とは必ずしも結びつくわけではない。

このことについて、一般の産業からわかりやすい実例を紹介する。それは技術的な意味での高い質を提供することが、必ずしも経営成果に結びつくとは限らないという二つの実例である。

一つは、ビデオデッキの話である。かつてVTR戦争というのがあった。具体的には、VHS方式とベータ方式でどちらが良いかという競い合いであった。著者は大学時代に電子工学を勉学し、当時の同窓生には就職してVTRの研究に就いたものが何人かいた。その頃、彼らから聞いた話では、皆が皆、録画技術としてはベータ方式のほうがVHS方式よりも優れていると断言した。ところが、VHS方式の陣営がソフトウエアともいうべき映画タイトルをより多く揃えたことで、レンタルビデオ屋の品揃えはほとんどがVHS方式となり、そのことがVHS方式のビデオデッキの需要を増やしたため、このデッキは安くなり、VHS方式の利用者をさらに増やすこととなった。その結果、家電ショップの店頭からベータ方式のデッキは消え、生産もされなくなった。つまり、技術の質ではなく、営業の巧拙が事業の勝敗を決めたわけである。

もう一つの事例は、パソコンの場合である。著者は大学院で情報工学を専攻した。その知見からすると、パソコンの基本ソフトウエアであるOSの操作性や画像処理能力などからして、かつてはアップル社のマッキントッシュのもののほうが、マイクロソフト社のウインドウズよりも明らかに優れていたと思う。ところが、経営業績の点ではウインドウズに軍配が上がった。マイクロソフト社のほうは、ウインドウズの販売戦略や事業資金調達の点で群を抜いていた。結果として、技術的には劣っていたウインドウズが圧倒的に普及した。

そのようなわけで、もしも技術的な意味で「高い質」の提供が業績に直接結びつくかどうかといわれたら、そうとは限らないというのが答えである。それよりもむしろ、消費者・顧客の利便に結びつく何かを訴えることに成功したところが業績を伸ばし、経営の成功を収めるわけである。

再び米国のHMOの話に戻る。HMOの事業は、加入者から集めた医療資金と加入者・患者の医療給付のバランスを管理する、いわば金融業でもある。ただし、一般の保険・金融業と異なるのは、医療給付の管理を担当する部署には、医師や看護師といった医療技術がわかる専門家が管理職に就いていることである。この部署こそが、HMOと契約する医療提供機関のサービス内容と診療報酬請求を審査することから、ピアレビュー、つまり相互監督のシステムにほかならない。

たとえば、ボストンのハーバード・ピリグリム・ヘルスケアというHMOは、96年と97年に全米HMOの評価ランキングのトップに名を連ねた。もっとも2000年になって、資金繰りが破たんし、日本式にいえば会社更生法の適用を受けたが、その後、マサチューセッツ州の支援を得て事業活動を再開した。ここは非常に質の高いHMOといわれたが、この1997年当時の組織図を見ると、社長の下に様々な部門があり、その部門長のうち、医療管理統括部長、医療管理部長、地域別医療管理部長、経営企画部長、医療広報担当部長に就いているのは、じつは医師ライセンスを持っている人たちであった。つまり医師が、このマネジドケア保険会社HMOの経営幹部に多くいるということであった。さらには、医療管理部門では部門長をはじめとして、医師が中間管理職に就いているのが目立った。このほかにも、看護師の資格を持っている人たちも部長の職に就いていた。

そのようなわけで、医療機関とHMOとの間にはジレンマがあることが、わが国にもよく喧伝されていたが、じつのところ、医療専門家たちが医療を管理する側と資金を管理する側とに分かれて生じる対立もあるわけである。しかし、そのおかげで個々の医療機関で医療の質の改善努力があったのは事実だし、クリニカルパスの普及も保険者であるHMO側の押し付けで促進されたというのが実態であった。

医療の質と医療経営の良し悪しとの因果関係については、まだまだ十分な説明がつけられないものと思うが、「ピアレビュー」が大きな鍵を握りそうである。

翻ってわが国はどうかというと、患者はもちろんのこと、保険者も医療内容に精通していない。現在の国保・社保の管理部門の長に医療に精通している人がいるかというと、ほとんどいないに等しい。つまり、外部の審査・支払機関であっても、自前で医療プロフェッショナルを抱えた医療管理部門など持たないに等しいのがわが国の現状である。そのような事業環境において、医療機関が質の改善努力をしたからといって、果たして医療資金を拠出する国民・患者側にわかるであろうか。

そのようなことからも、医療の質と医療経営とが結びつくような下地が、果たしてわが国にあるか否かは疑問である。要するに、本格的なピアレビューの仕組みが整わないかぎり、技術面での医療の質の改善が医療経営に結びつくことの因果関係は説明できないわけである。もっとも、そのための準備は、病院の第三者評価を行う財団法人日本医療機能評価機構ですでに始まったが、本格的なピアレビューはまだこれからの課題である。それゆえ、米国の社会実験ともいうべきマネジドケアの考察を念頭に置くと、保険からの審査・支払いに明確なピアレビューの仕組みが取り入れられないことには、「医療の質」と「医療経営」とは直接的には結びつくことはないと思う。

後　編
医療・介護の事業経営論

第5章

医療・介護の事業

第1節　医療・介護経営のパラドックス

人の生命に関わるという点では、医療業に限らず、鉄道などの人員輸送業や食べ物を提供する食品製造業・飲食サービス業など、ほかにも多々の産業がある。しかし、医療業がほかの一般事業と大きく異なる点は、医療サービスである「治療」のために、他人の身体にメスを入れたり、劇薬や危険な化学物質を含む医療用医薬品を使用するため、行政が仔細に監督し、事業を規制していることである。加えて、前編で説明したように、国民の社会保障のために、医療業の育成と保護を目的とした規制が設けられていることもある。

そのような事業環境の中で、わが国の医療業は長らくの間、「公」と「私」のパラドックス、つまり矛盾をはらんだ中で経営されてきた。すなわち、国民皆保険制度下の保険者たちはともかくとして、医師や医療機関までもが自らを「公」と思い込んできたことが、本来自己責任によるものであるはずの事業経営を怠る原因になったものと考えられる。

いうまでもないが、診療所を開設する者は、原則として医師個人である。一方、経済規模の大きい病院については、医師個人よりも法人によって設立されることが多い。ただし、わが国の病院はほかの先進諸国と比べると、公立病院の割合は少なく、民間病院が圧倒的な割合を占めている（図表5－1）。

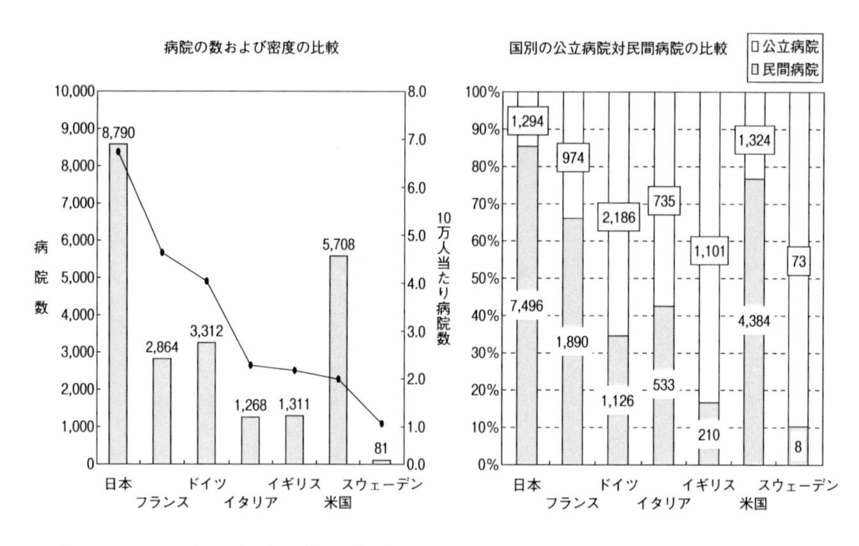

図表5－1　日本は病院の数が多く、大半が民間病院
参考：松山幸弘「地域医療経営のガバナンスの国際比較」Monthly IHEP No. 177、医療経済研究機構（2009年）

歴史を遡ると、現代医療の始まりとなる西洋式病院は、幕末にオランダ軍医のポンペが幕府お抱えの医師である松本良順とともに長崎に作ったものが最初だとされる。しかし、その後、なかなか数は増えず、40年近く経った日清、日露戦争の後からようやく増え始め、70年余りを経た1940（昭和15）年頃にようやく4,700を越えるまでになったものの、戦争で多くが失われて600ほどにまで減少した（**図表5－2**）。

戦後の医療法において入院設備を20床以上備えた医療機関を病院と定義する施設基準が明示された後は、戦後の復興期にまず診療所が興され、その規模を拡大して病院となっていったところが多い。その甲斐あって、戦後10年経った頃には、病院の数は戦前の水準にまで回復したが、その大半は個人が開設した民間病院で占められた。そして、前編で説明したように、戦後16年経った1961（昭和36）年に実現した国民皆保険制度は、わが国の病院と診療所の経営安定に寄与した。

病院の数が急激に増える中、80年代半ばの第１次医療制度改革で地域医療計画と謳って病床規制を打ち出したことで、期限内の駆け込み増床

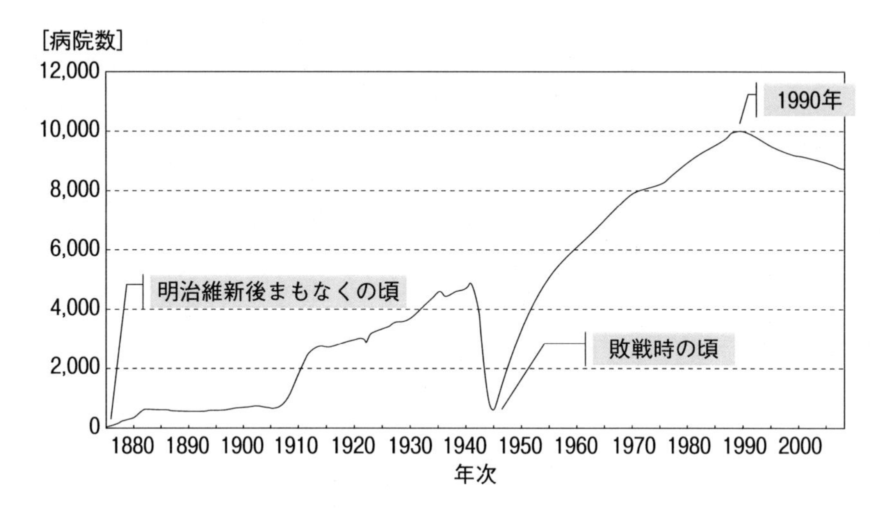

図表5－2　わが国130年間の病院数の動向
資料：厚生労働省

と合わせて病院開設の件数も増加した。ところが、1990（平成2）年末からのバブル経済破たんと歩調を合わせたように、病院の数は毎年減っていく。なお、90年のピーク時に10,096あった病院は、2010（平成22）年2月末現在で8,700余りとなった。

このように、わが国では医療施設の整備に民間の資金、とくに医師個人の資金に頼ってきた。そのため、第1章で説明したように、医療施設は医師が開設・管理・所有するのが当然という、わが国独特の医療提供体制ができあがったものと考えられる。加えて、医療法は医療機関の開設手続きの中で非営利性を確認するわけであるから、過去には民間の医療機関が自分たちは「公的存在」だと思って運営されてきたことは否めない。一方で、民間の医療施設は開設した医師個人の私有財産でもあるため、パラドックス感を抱えることになった。

そのため、わが国の医療施設の多くは民間事業であって、経営責任は一般企業と同じく自己責任に基づくべきであるにもかかわらず、国が支援することが当然と思われるようになった。その結果、民間事業本来の経営管理が行われず、その代わりに診療報酬の改定時に、いかに取りは

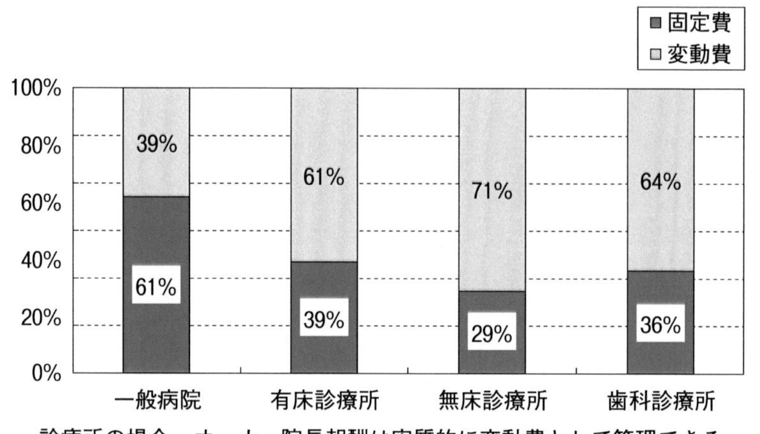

図表５－３　医療施設別固変比率
※「TKC 経営指標（BAST）平成13年指標版」を参考にして著者が作成した。

ぐれなく保険請求を行うかが医療事業の経営であるかのように考えられてきた。

しかし、1984（昭和59）年の健保法改正により社保本人の１割窓口負担が始まった頃から状況が変わり始め、一部の病院から経営が難しいという声が上がるようになった。この事態は医療保険制度改革が実施されるたびに深刻なものとなって行っている。なお、病院の数はピーク時からの20年間に1,400近くも減っているが、倒産もしくは閉鎖した病院は１割程度しかなく、そのほとんどは無床診療所に戻っている。ちなみに、図表５－３を見てわかるように、病院は固定費の割合が多く、診療所は逆に変動費の割合が多いということから、両者の事業特性が大きく異なる。そのため、景気変動への対応が遅くなる固定費事業の病院のほうが経営が難しいことを考えれば、当然の成り行きといえる。これについては第８章第２節で再度触れることにする。

ちなみに、80年代半ばから90年代にかけて三度にわたって行われた医療制度改革の洗礼を受ける以前の医療機関が経営にあたる姿は、2000年度からの介護保険制度が開始される以前の高齢者介護サービスを扱う社会福祉法人と非常によく似ていた。当時の社会福祉法人は措置制度により行政の委託を受けて高齢者の施設介護サービスを行っており、措置費という形でかかった費用相当額が支払われていた。つまり、措置制度下での介護事業は、処遇向上と措置費単価の設定が一体になっており、経営とサービス内容とが区分されていなかったのである。さらに、当時の社会福祉法人の介護事業では損益状況ではなく、資金の収支状況だけを管理する会計方式を行政から指導されていたため、事実上、事業者責任による経営は行われず、経営管理の素地がほとんど醸成されなかった。そのため、医療事業者にも増して経営観念に遅れが生じることとなった。

公的介護保険制度の開始後は、介護サービスの利用者は自分たちの都合に応じてサービス提供者を選ぶこととなり、社会福祉法人は自らの努力で利用者、つまり顧客を集めなくてはならず、また、自ら経営の損益管理を行って、経営に責任を持たなければならなくなった。具体的には、介護保険が始まった2000（平成12）年４月に社会福祉法人会計基準が制定され、医療法人などと同様に収益と費用の状況や資金繰りの状況から経営を把握する損益計算システムに移行することを求められた。そして、同年７月には当時の厚生省社会・援護局で「社会福祉法人の経営に関する検討報告書」がまとめられ、経営責任体制の明確化や経営管理機能の確立が提言された。すなわち、先行する病院など医療法人の経営管理体制に相当する事業経営を社会福祉法人にも求めたのである。

結局のところ、病院業は経済成長が鈍化した後の80年代半ばを境に、また、高齢者介護サービスを行う社会福祉法人は2000年の介護保険制度開始を境に、行政から経営の自立を促されたわけである。

今後も人口高齢化が進み、医療や介護のサービス消費がますます進む中で、消費者の要求水準が高まることを考えれば、医療・介護の事業は、根本的なパラドックスを抱えたままで存続することは難しい。その意味で、わが国の医療・介護の事業経営は昨今にわたって大きな変革期を迎えており、経営パラダイムの転換を迫られている。このとき、医療・介護事業の経営者にとっては、「自らの在るべき姿を考える」ことが重要な課題となるだろう。

エピソード12
「医業」と「医療業」が意味するもの

わが国では「医業」という言葉と「医療業」という言葉がしばしば同じように使われるが、両者は明らかに意味が異なる。「医業」とは、医療法に定められた医師の独占業務を指す。これに対して「医療業」は、医師以外の医療従事者も含めた人員が働く医療機関総体が提供するサービスだといえる。つまり、病医院で提供するサービスが「医療」であり、医療費という用語からもわかるように、「医療」は経済行為でもある。その意味で、「医療業」は経済的行為だといえるが、「医業」は必ずしも経済行為を指すとは限らない。

一方、介護業については、医療業のように業務独占できる専門家で占められているわけではない。介護に携わる専門家としては、介護支援専門員（ケアマネジャー）や社会福祉士、介護福祉士などの公的試験や国家試験による資格取得者たちがいるが、いずれも資格者だけが名乗れるという名称独占相当であって、医師、薬剤師、看護師のような有資格者でなければ当該業務を行えないという業務独占ではない。

要介護度の認定は、保険者である市町村が専門家の手を借りて決定するが、ケアプランについてはケアマネジャーに頼らず、利用者自らが身内の人などの手を借りてプランニングすることが許されている。これらの点でも、介護業の経営は医療業の経営とは異なっている。

2006（平成18）年度から介護保険法によって市町村の中学校区単位での設置が義務づけられた「地域包括支援センター」では、総合相談業務、サービス事業者および行政との連携業務担当者として社会福祉士を置かねばならないとして、社会福祉士の業務独占職務が初めて決まった。今後も、医療や社会福祉の改革が進む中で、専門家養成のために業務独占のインセンティブが現れることがあるだろう。しかし、当面のあいだ高齢化が進むわが国では、医療や介護の社会保障費が増え続けるため、社会コストの増加につながる業務独占の枠を拡げることは難しいと思われる。

第2節　医療・介護サービスの経済規模

2011年現在、総務省統計局が管理している日本標準産業分類には、20に分けられた大分類の中に「医療、福祉」の項目がある。1994（平成6）年4月から適用された第10回改訂の産業分類では、大分類「サービス業」の中に、中分類として「医療業」や「社会保険、社会福祉」の項目が設けられ、各項目の中に病院や診療所、そして老人福祉の介護事業が含まれていた。

産業分類は時代の変化に合わせて改訂される。総務省統計局は、サービス産業の拡大を考慮して、2002（平成14）年10月から適用された第11回改訂で産業分類を大きく改め、大分類に「医療、福祉」のほかに、「情報通信業」、「教育、学習支援業」、「飲食店、宿泊業」、「複合サービス事業」の計五つの項目を追加した。「医療、福祉」に関する分野については、介護福祉に関わる新産業の出現と多角化に伴い産業規模が拡大していることから、従来の「サービス業」から分離して大分類にしたと説明されている。たしかに、介護保険制度が始まった2000年度の介護保険費用の支出規模は約4兆円と巨額であった。

2008年には日本標準産業分類の第12回改訂が実施されたが、「医療、福祉」分野の扱いについて変化はない。なお、日本標準産業分類は個々の産業を定義するものでなく、統計調査の結果を産業別に表示する際の統計基準として、社会的な分業として行われる全ての経済活動を分類するものである。このようなことからも、「医療、福祉」分野の経済活動が、産業大分類に位置づけられるほどの巨大な経済規模に至っているのである。この分野で経済活動する医療や介護の事業者をサービス提供者と顧客という関係でみたときに、当の事業経営者たちは知識や方法としての医療や行政の措置に精通していても、サービス消費者、つまり患者や要介護者が求めているものに無頓着ではないかという批判をかなり以前から聞くようになった。医療・介護サービスが巨大な経済規模であることからも、関わる国民は多く、利用者満足度と効率性の両方を満たす専門的な経営が求められている。

わが国の医療施設の経営現場では、長らくにわたって経営を学んだことのない医師が事業組織のトップに立ち、先輩たちの運営ぶりを見よう見まねで踏襲することで済ませてきた。なぜ経営の素人が医療機関の経営陣のトップにいるかについては、医療法に根拠がある。しかし、医業のほかに、病院施設の開設権と管理権についても事実上医師の業務独占としていたのは、先進国の中でも珍しいといえよう。欧米では、病院の経営責任者と医療責任者とを分け、病院の経営責任者は経営に専念する立場にあるとして、必ずしも医師資格を求めていない。

介護事業の経営においても、かつては措置制度のおかげで、経営の素人でも責任者が務まったが、介護保険制度の開始以降は状況が一変した。保険料を支払うことで介護サービス受給の権利がある利用者たちは、昨今の新聞やテレビなどのマスコミで社会保障問題などを取り上げる「生活保障ジャーナリズム」あるいは「くらしジャーナリズム」が活発になる中、次第に医療や介護サービスの選択の仕方を学び、賢い消費者となることを目指している。介護事業の経営者は、そうした消費者に自分たちの介護サービスの内容を訴求して、利用してもらわなければならないのである。そのために必要とされるのは、いわゆるマーケティングであり、営業である。また、そうした中で、治療、リハビリ、介護相談、デイケアなどのサービスを結びつける「チームケア」を管理していくことが、介護事業の経営責任者たちに求められている。

第１章で説明したように、医療・介護の事業経営では、収益のほとんどが社会保険制度からもたらされる。その経済規模は国民医療費や介護保険費用額を合わせただけでも、2008年度には40兆円を優に超えており、今後もさらに増える傾向にある。

医療業や介護業などのサービス業と、いわゆる製造業とでは付加価値率が異なるため、単純には比較できないが、生活の基本となる衣・食・住の産業と比較すると、医療業の経済規模は、国民医療費だけでも、これら生活基本産業を超えている（図表５－４）。なお、医療業につながるわが国の医薬品産業の６兆円を超える生産額は、世界の中で米国に次ぐ規模となっている。

ちなみに、病院（hospital）とホテル（hotel）という言葉の語源は、

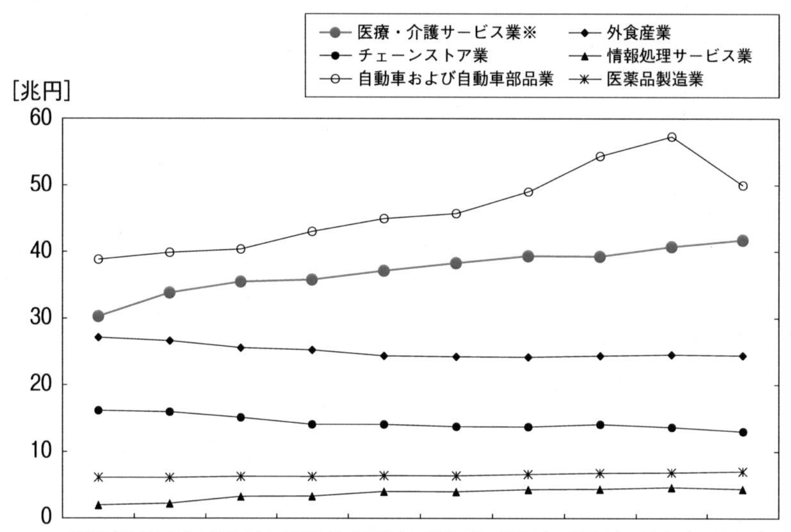

注.　医療業は国民医療費、介護業は介護保険総費用で集計した。

■サービス業

単位［兆円］

産　業	1999年	2000年	2001年	2002年	2003年	2004年	2005年	2006年	2007年	2008年
医療業（国民医療費ベース）	30.70	30.14	31.10	30.95	31.54	32.11	33.13	33.13	34.14	34.80
介護業（介護保険総費用）	−	3.95	4.56	5.19	5.68	6.20	6.30	6.17	6.47	6.74
外食産業	27.39	26.99	25.85	25.45	24.57	24.48	24.39	24.55	24.56	24.43
衣料製品流通業	18.69	−	−	15.24	−	14.05	−	−	12.43	−
チェーンストア業界	16.55	16.28	15.47	14.39	14.47	14.16	14.15	14.22	13.84	13.17
情報処理サービス業	1.88	2.12	3.08	3.19	3.90	3.71	3.98	4.06	4.20	4.00
ホテル・旅館業	9.20	−	−	−	−	66,329.00	−	−	−	−

介護保険総費用の2000年度分は3.6兆円程度だが、これは11ヶ月分なので、12ヶ月に換算したのが3.95兆円

■製造業

単位［兆円］

産　業	1999年	2000年	2001年	2002年	2003年	2004年	2005年	2006年	2007年	2008年
自動車および自動車部品業界	39.00	40.04	40.42	43.16	45.05	45.81	48.95	54.11	57.18	50.00
家電業界	2.29	2.41	2.21	1.96	1.89	1.89	1.85	1.87	1.74	−
食品業界	24.33	−	−	22.98	22.76	22.80	22.68	22.67	24.20	24.94
衣料製造業	3.90	−	−	2.65	2.44	2.25	2.11	2.01	2.08	−
医薬品業界	6.04	5.93	6.20	6.14	6.17	6.12	6.39	6.44	6.45	6.62

※西田在賢著『医療・福祉の経営学』P.243を参照して武田浩二が作成

図表５－４　わが国の産業別経済規模の動向

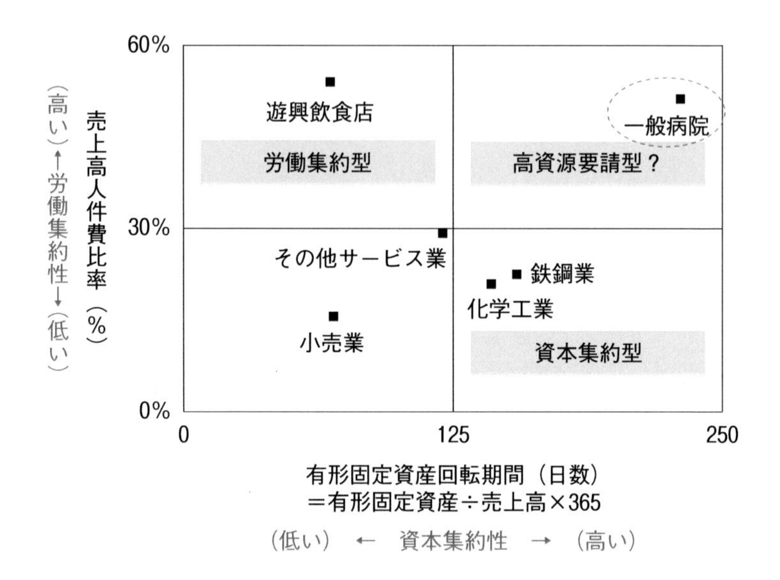

図表５－５　病院業の特徴
※TKC経営指標BAST（平成13～17年版）を参照して著者が作成

ともに中世ラテン語のhospitaleに始まっており、その意味は巡礼者や旅人の宿泊所のことであった。つまり、病院とホテルとは、キリスト教の修道院の姿にその原形がある。そのホテル業については、旅館業というセグメントで1999年に９兆円程度の規模であったものが、2004年には７兆円弱にまで縮減している。

一方、製造業にあっては、生産・雇用ともに日本最大規模の基幹産業は「自動車および自動車部品業」であり、その規模は2007年に57兆円を超えた。ところが、翌08年秋のリーマン・ショックによって世界経済が冷え込むと、わが国の自動車輸出は急激に落ち込み、業界首位のトヨタ自動車の売上げは26.3兆円から20.5兆円へと、およそ６兆円もの減少となった。同業他社も一様に収益を落とし、2009年も自動車産業の国内経済規模は縮小したが、医療・介護業は、国民医療費と介護保険費用額を合わせただけでも、08年には41兆円を超え、しかも、まだまだ増え続けている。

今後、医療・介護業の経済規模は国内最大になることが予想されるが、医療・介護業は単にサービスそのものを提供するだけではなく、数百万人を超える巨大な雇用を生み出す産業でもある。しかしながら、医療・介護業は単純な労働集約型産業ではない。医療・介護業の経済の半分近くは病院業が占めるが、その病院業は資本集約型という特徴も併せ持つ（図表5－5）。つまり、医療・介護業は相当に巨大な成長産業であり、なかでも病院業の経営管理は専門的なトレーニングを受けずに取り組むのは難しいものである。

第3節　医療・介護サービスの経営規模

医療・介護業には、もう一つ別の経済的特徴がある。それは個々の事業体の収益規模はけっして大きくないということである。医療・介護業の中でも収益規模が大きい病院業でさえ、収益規模は平均で20億円余り（2011年現在）である。病院収益は病床数規模にほぼ比例するが、その病床規模別病院分布をみると200床未満の病院が7割を占め、また、400床未満で見れば9割を占めている（図表5－6）。このことからもわかるように、医療・介護業は巨大な産業である一方で、個々の事業組織はけっして大きくはない。

経済産業省の外局である中小企業庁は、国内の中小企業を育成、発展させ、経営を支援することを任務としている。そのため、基本的な政策対象の範囲を定める必要から、中小企業基本法の中で中小企業を定義している。かつては、とくに断らないかぎり、中小企業とは従業員数規模で300人未満の法人または個人企業を指すとしていたが、近年では従業員規模・資本金規模の点で、「製造業・その他」は300人以下または3億円以下、「卸売業」は100人以下または1億円以下、「小売業」は50人以下または5,000万円以下、「サービス業」は100人以下または5,000万円以下を指すとしている。

この業種分類は、日本標準産業分類第10回改訂に基づき、2008（平成20）年4月の第12回改訂後も従前どおり取扱うとしていることから、医療・介護事業は「サービス業」の範疇に入る。さらに、この法律では小規模企業者についても、従業員規模により「製造業・その他」は20人以

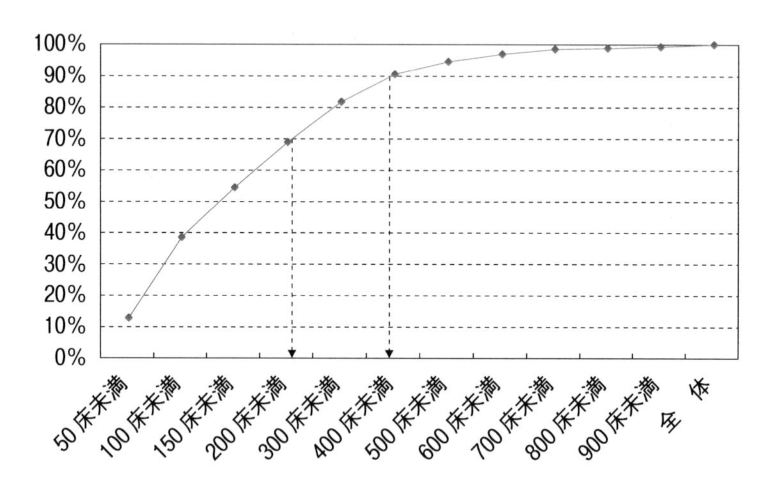

図表5－6　病床規模別病院数の累積割合（2007年）
資料：厚生労働省「医療施設調査」

下、「商業（卸売業、小売業、飲食店を含む）・サービス業」は５人以下と定義している。これからすると、医療・介護事業者の大半は中小企業あるいは小規模企業に相当する。

長らくにわたる医療改革の中で、わが国の病院の数は年々減少する一方で、生き残った病院は経済規模が拡大している。それでも、医業収入が100億円を超える病院（おおよそ500床前後からが目安）は数パーセントしかない。その規模の病院であっても、わが国の株式会社の中では「中堅企業予備軍」ともいうべきレベルであって、銀行など金融業が見るところの中堅企業に届いていないことを認識する必要がある。

そして、このように考えると、全国の病院のうち95%近くを占める500床未満の病院が参考にすべき経営技術は、中小企業の維持運営術であるといえる。もちろん、医師や看護師、薬剤師など高度な技術職を必要とする医業というものの特殊性はあるが、こと経営科学、すなわち組織の維持運営の仕組みや管理技術についていえば、多くの病院は大企業レベルの高度な経営が求められているわけではない。

それゆえ、サービス体制の品質管理を診る国際評価機構

（ISO；International Organization for Standardization）の認証取得や電子カルテシステムの導入といった手間と資金のかかる投資は、必ずしも全ての病院にとっての経営課題とはならないはずだ。事業組織はそれぞれの規模に応じて備えるべき経営能力に違いがあることを理解して、医療・介護のサービスを速やかに提供するために必要な経営体制を備えることこそが望ましい。

医療業や介護業は産業規模こそ巨大なものの、おびただしい数の個人や法人による事業組織から成立している。そのため、医療経営学の研究を進めて、その成果をもとに、この新しい巨大産業を支えるために有為な人材を育てることが、国や地域の重要な課題となろう。

第4節　医療提供の機能分担と経営責任

世界の中で経済規模が最も大きい米国は、合理的な経営管理の研究も進んでいる。その米国の医療提供システムは、図表5－7(a)のように五つの基本機能による分担で説明される。

これからわかるように、医師は患者の診断をして医療資源の配分（治療方針）を決定する専門家という独立した立場にあるが、同時に、病院などの医療施設そのものの経営責任とは一線を画している。これは医師と医療施設経営者は利害が相反する立場にあると考えられるためである。つまり、医師の立場としては、経済性や採算性よりも、患者の傷病治療を優先して考えなければならないが、医療施設の経営責任者の立場は、当然のことながら事業採算性を考えることであり、それを無視することは経営責任を放棄することにも等しい。そこで、医療責任者である医師が、同時に事業経営責任者にも就くことは不合理だと考えて、どちらか一方の責務に専念することが望ましいとするのである。

そのため、米国などでは病院の経営トップには医師ではなく、経営の専門家が就くことが多い。また、医師がその役割に就くときには診療を行わず、経営に専念することを求められる。なお、米国の医療提供システムは、もともとがヨーロッパのキリスト教の伝統を引き継いだものであるが、社会の価値観や人種・民族が多彩な点からも、もはや米国独自

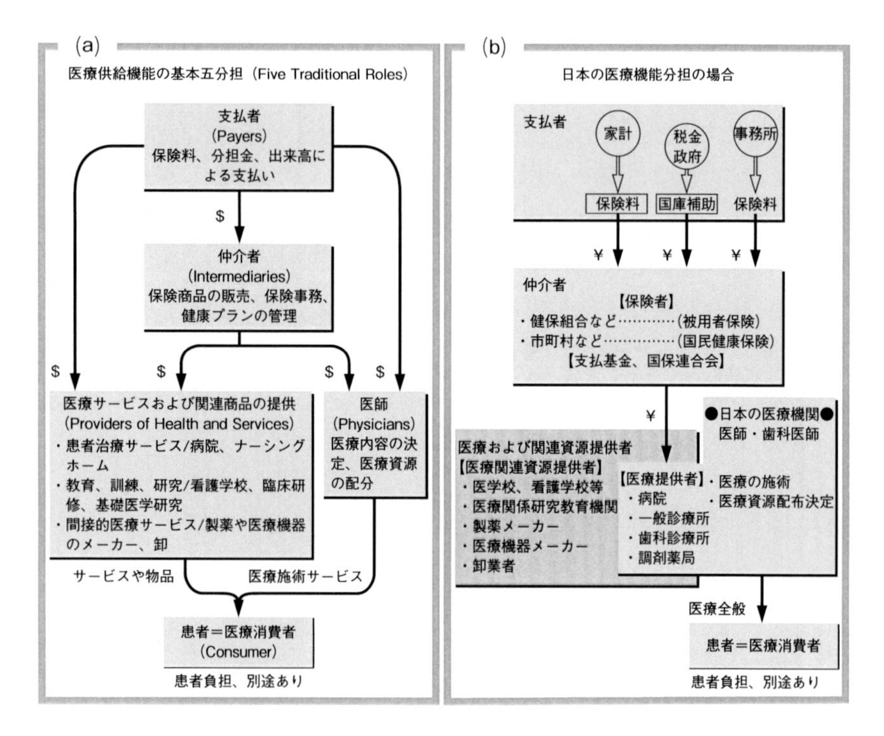

図表 5－7　日米の医療提供体制比較

のシステムであるといえる。

そのような合理的な説明がなされる米国の医療提供の機能分担をわが国に当てはめると、「医師」という機能と「医療施設」という機能とが渾然一体となっており、機能が未分化であることがわかる（図表 5－7 (b)）。このことは、わが国の医師の場合、医療施設を開設する権利を持つと同時に、経営責任も果たさなければならないことを意味している。

それにもかかわらず、ずいぶんと長い間、医師による医療業の経営責任が重視されてこなかったために、近年になって多くの問題が噴出している。相次ぐ医療機関の倒産や、病院施設の建て替え時の資金問題といった経済的問題のみならず、医療事故や医療訴訟などの問題もこのことと無関係ではない。わが国の医療業において昨今に取り沙汰されている、いわゆるリスクマネジメントの問題の根源には、このような医療提供機能の非合理性も指摘される。

医療経済学の研究においては、わが国のような出来高払い制を原則とした医療提供システムの場合、医療サービス供給者自らが需要を創り出すといった「供給者誘発需要」、あるいは「医師誘発需要」の危惧が指摘されている。つまり、医師や病医院が自らの収益を増やす目的で、顧客である患者に余分な治療をほどこすという危険性である。

他方で、介護保険制度下の介護サービス提供の機能分担では、医療提供における「診断と医療資源配分の決定」に相当する部分については、保険者である市町村の調査員や委託を受けたケアマネジャーの調査による一次審査と、その判定結果と医師の意見書に基づいて介護認定審査会が行う二次判定との二段構えで行うといったように、供給者誘発需要を回避できるよう検討された。

医療にせよ、介護にせよ、保険料、自己負担、税金からの公費投入といった限られた資金が有効かつ合理的に使われる仕組みでなければ、社会保障の持続性は約束されない。そのためにも、医療・介護事業の責任所在の明確化は今後とも進むことになるだろう。そして、医療・介護事業の経営責任者にはアカウンタビリティ、すなわち説明責任を果たすことが当然のこととして求められることになる。

エピソード13
米国に見る営利病院の浸透の限界

営利目的での病院業が許されている米国で、営利病院がどれほど浸透するものかをみておきたい。紹介するデータの年次が古いもので恐縮だが、話の大筋は今も変わらないものと思う。

1998年時点では、コミュニティホスピタル、いわゆる一般病院は5,015あり、このうち営利病院は771と15％にすぎなかった。残りの内訳は、公立病院が1,218（24％）、民間非営利病院が3,026（60％）と、大半が非営利病院である。ちなみに、病床数割合でみると、営利病院、公立病院、民間非営利病院でそれぞれ13％、17％、69％となっている（1997年データ）。そして、この20年間で民間非営利病院の病床割合がほぼ７割を占

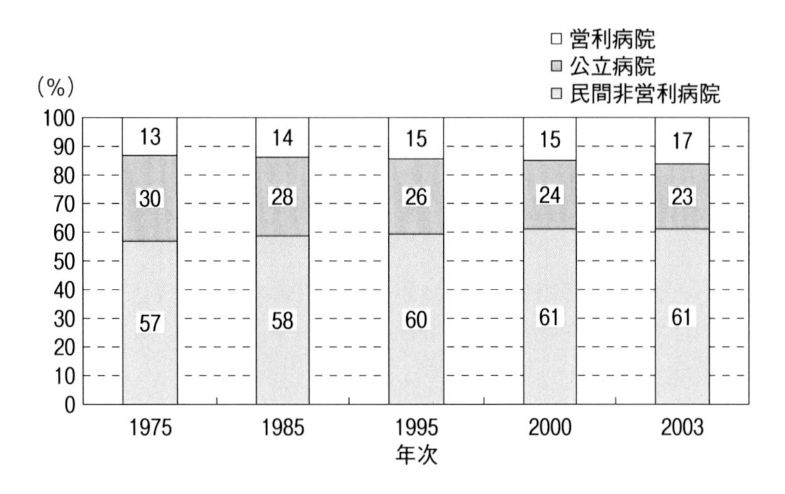

図表５－８　米国の非営利・営利病院の割合の動向
資料：米国病院協会

める様子は変わらず、また、病院数割合でも６割を維持している。そして、公立病院の割合が減少し、その分だけ営利病院が増加している状況が伺える（図表５－８）。

こうしてみると、米国市民の民間非営利病院を支持する様子は変わらないといえる。実際のところ、米国民の間でも営利病院に対する漠然とした不信感があることを何度か耳にしたことがある。その理由は、やはり利益追求の姿勢に対する不安であった。このことは経営技術そのものへの疑問というよりも、事業使命（ミッション）の違いから生じるものである。

このデータに接したのと同じ頃、ハーバード大学公衆衛生大学院医療政策・経営学コースのマーク・ロバーツ教授（Dr. Marc Roberts）は、「非営利病院と営利病院は、70年代から80年代にかけての競争を経て、今日では両者とも経営行動や組織の在り方はほとんど同じ（Almost identical）である。」と語っていた。そして、その理由として、1950年代に非営利病院が相次いで建てられたものの、サービス面での立ち後れに対する利用者の不満が募り、そのような状況の中、1960年代後半に株式市場から資金を集めた営利病院が積極的なサービス改善に努めることで1970年代に急成長した一方で、1980年代には高齢者医療保険メディケアを運営する連邦政府が財源問題から医療費支払いを厳しく査定するようになったために病院経営が難しくなったことを挙げ、こういった一連の危機感から、非営利病院も営利病院に負けずに経営改善を進める必要に迫られ、病院の維持に努力してきた結果であるとロバーツ教授は説明していた。

第５節　医療・介護・福祉は複合サービス事業

医療・介護事業の経営者にとっては、「自らの在るべき姿を考える」ことが重要な鍵になる。先にも説明したように、かつての特養は市町村の指示に従ってサービスを供給する措置制度により運営されていたが、公的介護保険制度の開始により利用者による選別を受けることになった。また、介護保険制度をきっかけに、医療と福祉の中間的サービスが今後もさらに分化していくと考えられることから、両分野の境界がやがて消滅して、両者のサービス提供が連続したものとなり、経営思想という形でサービス理念が統合される可能性があると考えている。すなわち、あらためて公的措置で運営されるべき福祉サービスが明瞭化され、開始当初は未熟だった介護保険のコンセプトもさらに整理が進むことになるだろう。そして、医療機関と介護機関、および福祉機関のそれぞれの事業の関係が明らかになり、これらに携わる経営責任者は事業展開の説明責任を果たせるようになるはずである。

ところで、医療と福祉を統合して説明しようという考え方は以前からあった。いわゆる医療福祉学である。その解釈については諸説あるが、たとえばその中の一つに次のような考え方がある。

人は「健常」と「死」との間にいる。病人は急性疾患と慢性疾患に区別され、慢性疾患の人は人生の長きにわたって「健常」と「死」の中間領域にいる。病人以外にも、リハビリテーションを受けている人や心身障害の人もおり、これら「健常」と「死」の中間にいる人々が求めているものが「医療福祉」である。そして、健常人も老いとともに高齢者と

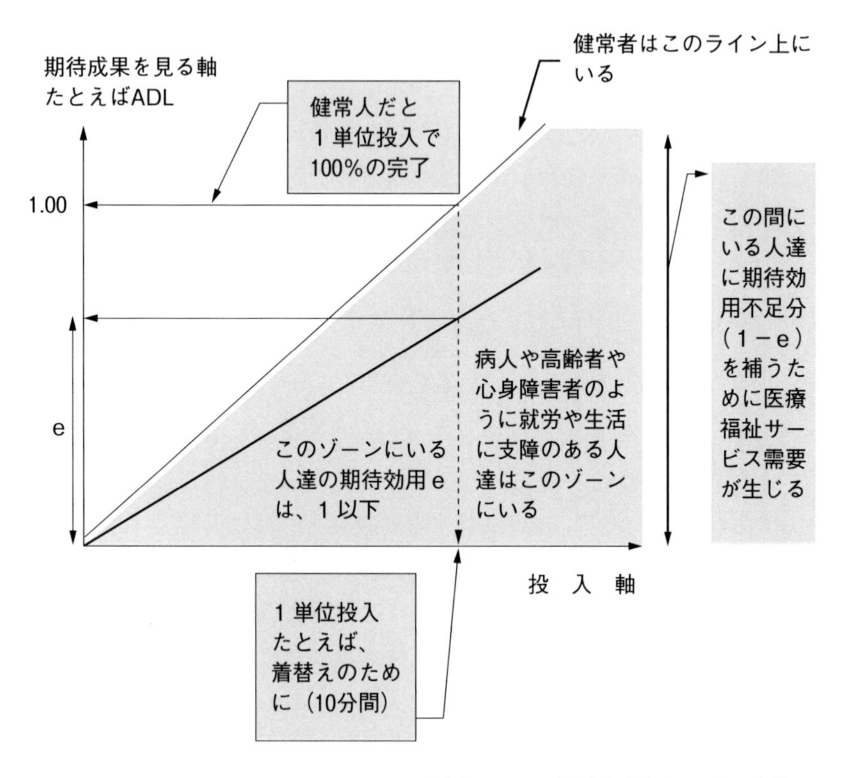

図表5－9　医療福祉サービス事業の

なって、この中間領域に入っていく。医療福祉の考え方においては、この中間領域にあって、「いかに生きるべきか」や「いかに死すべきか」という問題は、本人が選択すべきであり、医療や福祉に携わる人が選択すべきことではない。そのため、多くの選択肢を用意しておくこと、自己決定権を尊重すること、個々人の希望達成を支援することが求められる。

医療福祉学という分野が整理して説明されるまでには、まだ時間がかかると予想されるが、実学的にみれば、市場経済化が進む医療や介護のサービス分野と福祉サービスとの事業的なつながりについて、それぞれの事業特性やサービスの連続性に注目して説明することが可能だと考えられる。

このことを、現実の医療・介護・福祉サービスと照会しながら整理す

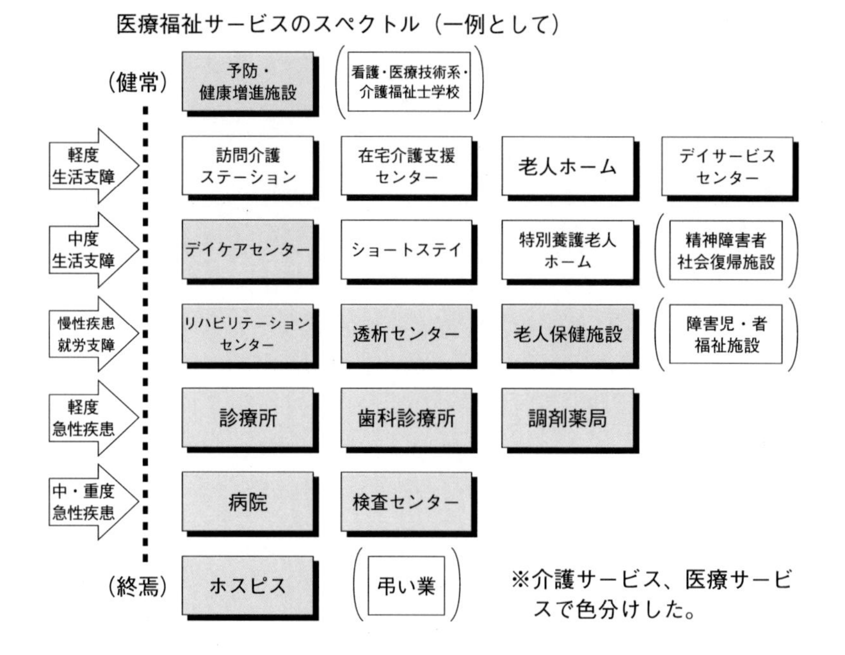

範疇を考える（概念図）

ると図表5－9のようになる。図中で左側のグラフは健常と死との間にいる人を説明する。健常だとされる人たちの資源投入に対する期待効用を100としたときに、中間領域にいる人たちは100未満であると特徴づけられる。たとえば、日常生活動作（ADL; Activities of Daily Living）で考えると、衣服の着脱動作が健常人の場合は平均10分かかるとしたら、中間領域にいる人たちはさらに多くの時間を要するため、この人たちの単位時間当たりの成果（e）は健常人よりも低くなる。そこで、健常人の期待効用に至らない不足分（1－e）をできるだけ補うことで、一般の社会生活がある程度可能になるはずであり、この期待効用不足分を補てんする（介助する）サービスこそが、医療・介護・福祉サービスだといえる。

中間領域にいる人たちは軽病軽傷で障害の少ない人から死に直面している人まで幅広くおり、そのために不足分（1－e）を補うサービスの提供も幅のある事業スペクトルとならざるを得ない。それを整理したのが図中右側である。

この事業スペクトル図では、わかりやすくする目的で、医療・介護・福祉の各種専門家育成機関や弔い業についても、括弧内に載せてみた。また、障害児や障害者のための福祉施設については、サービス提供者（以下、プロバイダー）の積極的な市場競争でサービス向上を期待できるとは考えにくく、むしろ国や自治体の社会保障のもとで積極的に保護されるべきものと考えられるため、これについても参考までに括弧内にポジショニングした。

著者は、大学生や医療関係者を対象とした医療経営学（あるいは医療・福祉経営学）の講義の中で、各人が考える事業スペクトル図を描いてもらう演習を長年行っているが、なかなかの好評を得ている。この演習の意図は、事業スペクトル図の作成を通じて、医療・介護・福祉のサービス事業の連続性を考えてもらうとともに、各々のサービスプロバイダーの事業運営における経営管理の違いにも気づいてもらうことで、医療・介護・福祉のサービス事業を手当たり次第に取り込むと、事業間のシナジー効果（相乗効果）が期待できないことを理解してもらうことにある。

第6節　医療経営のパラダイム転換を考える

「資本と経営の分離」という言葉は、資本主義社会の基本原理と理解されてきた。昨今のわが国では、会社は誰のものかという議論の中で、この言葉が繰り返し現れた。要するに、会社の資本は株主のものであるから、株主総会で取締役を承認し、取締役の中から代表取締役を選ぶというものである。その意味で、代表取締役は、投資した株主の利益を損なわないように、会社の経営を監督するトップであると説明され、会社のガバナンス（統治）論が展開されてきた。

なお、会社の株主は人数が多く、また、その大半は配当金や株価の動向を気にしているため、会社の日々の事業経営そのものに関心を持つことはまずない。また、会社の事業経営は、複雑な経営資源を効率的に使うことで初めて良い業績を達成できるが、このことで株主と直接関係することはほとんどない。そこで、会社の経営は株主志向の経営と事業そのものの経営との二つに分けて考えることが必要となるため、近年になって、会社の役員の在り方が大きく変化してきている。

先に説明したような株主と取締役会との関係から、本来の取締役会の任務は、会社の経営執行者が株主のために責任を果たしているかどうかを監督することにあるといえ、取締役は必ずしも会社の経営執行者である必要はない。一方、会社の事業経営に責任を持つのは執行役員であるが、この役員は必ずしも商法上の取締役である必要はない。また、これまで当たり前のように考えられてきた、代表取締役が事業経営の執行役員のトップである社長を兼ねることも必定というわけではない。

このように整理すると、会社役員は取締役会と執行役員会とで、それぞれ別個に任命されることが妥当だと考えられるようになった。つまり、取締役会は代表取締役が統括することになり、最高経営責任者（CEO/Chief Executive Officer）が執行役員会と取締役会の両方に責任を持つこともあり得る。また、社長というのは、会社法に規定のない内部的職制であるが、これに就くものは最高執行責任者（COO/Chief Operating Officer）として、執行役員会の全責任を持つことになろう。

明治維新前後からの150年ほどの間に近代化を急ぎ、欧米の「会社」という概念を取り入れたわが国では、会社という組織の歴史は浅い。そのため、大株主である創業家から社長（COO）を出すことが当然のように思われてきた。振り返ってみると、明治維新後100年が過ぎた1970年代から、いくつもの日本企業が世界的な会社となり、80年代も安定した経済成長を遂げたわが国の事業管理技術は「日本的経営」として欧米先進国から誉めそやされた。しかし、90年代にバブル経済が破たんしてからは、わが国の会社組織の旧弊性が槍玉に上がり、会社は誰のものかといった基本的な命題をあらためて突きつけられ、2000年代に入ってからも会社のガバナンスについての見直しが続いている。

翻って、わが国の病医院の経営体制はどうであろうか。わが国の医療関係者たちが自らの事業の経営について真剣に考えるようになったのは、近年のことである。80年代半ばから始まった一連の医療制度改革の中で、とくに病院において経営の危機感が募り、次第に意識が変わっていった。そして、2000年代に入ってようやく医療経営を学ぼうという機運に至ったわけで、わずかな歴史でしかない。

もちろん、病医院はずっと以前から、「経営の問題」だと考えて、たとえば税理士や公認会計士、また、弁護士などに相談していた。しかし、税理士は、税務に関わる専門家であり、税務の相談には応えられる。公認会計士は、税務のほかに財務書類の監査などの相談に応ずることを主務とする専門家である。弁護士は、訴訟行為のほかに法律事務一般を行うことを職務とし、税理士の事務を行うことも認められている。しかし、これらの人々は、けっして「経営の専門家」ではない。

最近では、経営コンサルタントに相談する医療機関も増えているが、経営コンサルタントを称するのには何の免許も要らないことが意外と知られていない。そのため、良心的で優れた経営コンサルタントがいる半面で、経営相談に乗りながら病医院の建物・設備の更新に関わって、顧客の病医院に出入りする建築請負業者や設備納入業者から謝礼を得るといった、ブローカーまがいのコンサルタントも後を絶たない。

ちなみに、会社の経営者になるのにも免許は必要ない。そのようなことからも、経営の相談は「経営が判る人」に相談するしかない。ただし、相談された人が経営責任を取るはずはなく、相談した経営者当人が経営責任を負わねばならないことはいうまでもない。このような当たり前のことも、わが国の病医院の責任者の間では十分に理解されていなかったようである。

かつての病医院の経営は、赤字だといえば、中医協を通じて診療報酬を改定してもらうというように、まるで福祉の世界の措置制度にも似た、政府丸抱えの運営を繰り返していた。そのため、病医院では経営責任の自覚が希薄であったといわざるを得ない。しかし、高度経済成長が終焉を迎えた80年代になって、政府の医療保険財源の伸びが明らかに頭打ちになることがわかり、次々と医療保険制度改革の施策が打ち出され、中医協もかつてのような診療報酬の改定率を決める権限はなくなった。そして、病医院は「自己責任による医療経営」を迫られるようになったのである。

ここで「経営が判る人」とはどのような人なのかをあらためて考えてみたい。一つは、業界をよく知る人である。しかし、業界をよく知るだけで経営が上手くいく保証は何もないのは言わずと知れたことである。

参考までに、会社経営における「経営が判る人」の事例を紹介する。近年の経営では、世界をリードする米国産業界において経営手腕を賛辞された人物にルイス・ガースナー氏がいる。この人は、90年代にコンピュータ最大手のIBM社の経営を建て直したことで有名である。しかし、彼はIBM社のトップとしてヘッドハンティングされる前は大手食品会社ナビスコの経営トップを務めていた。またその前は、アメリカン・エキスプレス社、つまり金融業であるクレジットカード会社の重役であった。ガースナー氏が業界を移るたびにその業界について猛勉強したことは疑わないが、つまるところ、業界が変わっても通用する「経営技術」というものが存在するのである。それは、人事、財務、企画といった事業組織全般の管理技術である。

わが国の医療および政策関係者の間でも、「経営」に対する認識が新たになりつつある。かつてわが国では、「医は仁術であって、算術ではない」といわれ、経営することを「算術」、つまり金儲けと同じに考えて、経営という言葉を嫌悪した経緯がある。じつのところ、「経営」という漢語は2000年以上も前からあり、もともとの意味は算術とは関係がない。絵を描くときに構図をあれやこれやと考えるとか、建物を造営するという意味で使われ、やがて、物事をうまく営むという意味で使われるようになった言葉である。この言葉が、わが国に1000年余り前に輸入されてからも、たとえば源氏物語や平家物語、あるいは太平記の中で、元来どおりの意味で使われていた。

ちなみに、英語のマネジメント（management）も、原意は「遣り繰り」である。その意味では、幕末・明治維新頃に入ってきたであろうこの英単語に「経営」という日本語訳をつけたのは、まったく正しかった。しかし、いつの間にか「経営」と「金儲け」とが同じ意味で使われるようになっていたのである。

あらためて整理すると、人事、財務、企画などの事業組織の経営管理技術は、業界が違っても通用するものであり、元来、専門的な仕事である。また、金儲けのための技術というよりも、事業を続けるための技術だといえる。

今後の医療・介護サービス事業の在り方を考えるとき、整備と促進の鍵となる事業経営管理の人材養成の体制を速やかに整えることが急務の課題である。とくに、事業規模が比較的大きい病院業では、より多くの経営人材が求められる。そのため、まずは経済規模の大きい病院経営の研究が進み、その成果が一般診療所や介護施設の経営管理に活かされていくという道筋を辿ることになるだろう。

また、病院業においては、介護事業への拡がりの可能性を考えると、医師、看護師、薬剤師、臨床検査技師、社会福祉士、事務管理職等々の総ての職員が経営情報を共有し、それぞれの立場から病院事業を持続して患者のケアの仕方を検討する体制を考える経営理念や経営哲学を検討することが必要となろう。

経営責任者は、自らが率いる組織の位置づけや存在意義を説明する立場にあり、そのような責任者の下で組織の価値観が決まり、組織は動く。そのような考えに基づいて考案されたレポーティング・システムは、望ましい組織図を生み出すためのヒントとなるだろう。すなわち、組織図というものは、大袈裟なものでもなければ、十年一日のごとく固定化されるものでもなく、経営環境の変化に応じて次第に変わっていくものである。

なお、中小企業で経営責任者が財務を人任せにして事業を長く続けられた例はまずない。それだけに、経済規模が小さくない病院の経営幹部は、少なくとも財務管理の基礎的な知識を知っておかねばならないであろう。

エピソード14
医療業における「経営品質」

企業経営で、どれだけ資金を注ぎ込んでも収支が改善しない赤字事業を指して「お金をジャブジャブ使う」という言い方をする。その連想から、無駄な費用を絞っていないとして「ずぶ濡れの雑巾」という喩えがある。医療業に用いる喩えとして「雑巾」はあまり相応しくないので、ここでは「布巾」としよう。

昨今の規制改革の流れの中で、財界関係者からわが国病院経営の非効率が指摘され、株式会社の病院業参入の是非を問う議論も現れたが、そこには、一般企業の経営管理技法をもってすれば、病院経営の効率化ができるといわんばかりの気負いが見える。要するに、企業経営者の目には、病院経営の現場は費用管理が不十分な「ずぶ濡れの布巾」状態に映り、自分たちの経営ノウハウでこれを絞ってやろうという自信のほどが見て取れる。

この見方が正しいとすれば、営利企業の病院業参入によって病院の経営管理が劇的に進み、効率化されることであろう。しかしながら、病院を利用する国民が諸手を挙げて賛成するか否かについては、誰もが半信半疑であると思われる。

著者は、厚生労働省医政局が進める「医療施設経営安定化推進事業」に、研究総括者の一人として10年近く関わった。その中で、平成15年度の「医療機関の経営安定化に資する経営管理手法に関する調査研究」が行われたときに、医療機関の経営は一般企業経営と比べて、一体何が違うのかをあらためて考えたことがある。

そのときに思い至ったのが、「経営品質」という概念である。この概念は、単に「経営」とはいわず、「経営品質」という新語をもって事業に成功した組織の経営努力の様子を説明するものである。経営品質の研究で先行する米国では、その説明対象を一般産業に限らず、教育業や医療業にまで拡げている。

再び、冒頭の喩え話に戻る。管理不十分な「ずぶ濡れの布巾」状態にある病院経営は、無論、改善が必要である。しかしながら、市民の健康と生命を守る医療業にあっては、いつでも使えるように「濡れ布巾」の状態で用意しておかねばならないと思う。つまり、病院業では病床利用率が100％の状態は理想ではなく、異常であると考えねばならないはずである。

わが国の場合、医療法には医師や看護師など専門職の配置基準があり、病院の設置基準が設けられている。これらを軽視して、自動車会社のような「カンバン・システム」によって、自らは最小限の在庫で済ませ、残りは全て外部に準備させるといった徹底した合理化や費用削減を行うことで「濡れ布巾」をカラカラに絞ってしまおうものなら、ぎりぎりの診療体制となって社会に安心を提供することはおぼつかない。

しかし、これが経営技法ではなく、「経営品質」といった場合には、カラカラに乾いた布巾では用を為さない事業分野の在り方にも配慮があり、医療業は備えるべきを備えてこそ、経営品質が高いと評価されるはずである。

第6章

医療・介護事業の財務管理と経営分析

第1節　経営の説明責任を果たす会計

医療・介護の事業を経営するにあたって、ヒト・モノ・カネの資源の管理は不可欠である。それらの動きを金銭という「ものさし」で管理することが会計である。

会計では、各種の帳簿に日々記録し、半年や1年などの期間で取りまとめて報告することが求められる。いわゆる、決算書の作成である。ちなみに、英語では会計をアカウンティング（accounting）というが、そこにはアカウンタビリティ（accountability）、つまり「説明責任を果たす」という意味がある。

なお、説明する相手によって求められる情報が異なってくるため、説明目的に合わせて会計の報告は大きく二つに分かれる。一つは、外部の債権者や監督官庁に説明する目的で行われる「財務会計（financial accounting）」である。もう一つが、組織内部の経営管理者に説明するための「管理会計（management accounting）」である。

財務会計では、情報の利用者である外部の利害関係者に理解されるよう、企業の場合には商法や証券取引法、税法などによって情報整理のルールが規定されている。ところが、医療や介護の事業者の場合は、開設者が民間の医療法人や個人だけでなく、国や自治体であることもあれば、日赤や済生会などの特殊な法人もあって様々である。そこで、施設としての医療・介護機関という捉え方で会計のルールを整理したものが「病院会計準則」や「介護老人保健施設会計経理準則」である。

これに対して、管理会計は外部に公開する財務会計の情報に加えて、公開義務のない組織内部情報も用いて会計情報を加工し、経営資源を効率的に利用することで組織を合理的に経営していくためのもので、要は組織内部の経営管理を目的とする情報である。その意味で、管理会計のルールは法律で規定されるものではなく、各々の組織の経営陣が自分たちの管理の都合に合わせて集計項目を決め、分析するものである。なお、管理会計の用い方については次章で説明する。

第２節　経営分析について

医療業や介護業の経営状態を知るためには、財務分析あるいは経営分析が必要である。個人の健康状態を知るために健康診断があり、そのために検査をして分析が行われるように、一般の事業組織では経営健全性を知るために経営診断があり、そのために経営分析が行われる。

ちなみに、健康診断では、身長や体重、視力の検査に始まって、血液検査やエックス線検査などによって各種の身体情報を集め、受診者の年齢や性別などの特性に応じて「正常値」という健康人の平均値と比較して、分析結果が説明される。

これと同じく、経営診断では、施設の設立年や業務内容、従業員数などの基礎データに始まって、損益計算書や貸借対照表といった各種財務データを集め、その事業組織が属する産業別、そして地域や規模別の平均業績と比較して、経営の分析結果が説明される。

経営分析は、19世紀末の米国で企業の財務会計情報である財務諸表を分析することから始まった。その目的は、企業内部の管理会計のためというよりも、外部の投資家や金融業者が企業の将来性や信用力を測るためであった。

なお、財務諸表とは、一般に損益計算書、貸借対照表、付属明細表といった年度ごとの企業の決算書類を指す。また、最近では事業組織の資金の動きを表すキャッシュ・フロー計算書も加えられるようになっている。

財務分析の基本資料は、損益計算書（Profit and Loss Statement、P/L）と貸借対照表（Balance Sheet、B/S）である。損益計算書は、一定期間（通常は1年）における事業体の経営収支を明らかにする計算書のことであり、貸借対照表は、一定時点（通常は期末決算日）における事業体の財政状態を明らかにするために、資産、負債、資本を記載した計算書のことである（図表6－1）。

前節で触れたように、これらの財務会計の書類は監督官庁の法律に従った会計原則で項目が定められ、事業体に共通の会計手続きも定められている。このような会計を「制度会計」ともいう。目的は、事業体の経営成績や財務状態を外部の利害関係者に情報開示することにあるが、企業が自分たちの事業に投下した資金がどのような結果や成果をもたらしているかを管理することは、企業の経営当事者にとっても重要である。そのため、経営管理の基本として財務諸表の分析が発達した。昨今では、一株当たりの収益性といった株価分析であったり、競合他社との比較分析であったり、統計手法を駆使して将来予測につなげる分析であったりと、経営分析の範疇は拡大している。

一方、このように経営管理が発達する中で必要とされるようになった組織内部のための会計情報が先に触れた管理会計である。そのようなことから、管理会計と財務会計は完全に切り離して考えるものではなく、ともに経営分析には欠かせない情報となる。

経営分析の方法には、同一企業について過去の何期間かにわたって業績を比較する方法と、同時期の同業他社間で業績を比較する方法とがある。つまり、経営分析の基本は「比較」に尽きる。それだけに、比較対象を誤ると経営分析の意味はない。そのことを戒める目的から、経営管理の専門家の養成を目的とする米国のビジネススクール（経営管理学大学院）などでは、経営分析の講義の初段で「リンゴとミカンとで較べてはいけない」と教える。つまり、リンゴはリンゴ同士、ミカンはミカン同士で比較するように、比較対象を正確にすることで、初めて意味のある異同が論じられるわけで、どちらも果物だからといった大雑把かつ曖

損益計算書

（自平成○年○月○日　至平成○年○月○日）

（単位：百万円）

科　目	金　額	
売上高		×××
売上原価		×××
売上総利益		×××
販売費及び一般管理費		×××
営業利益		×××
営業外収益		
受取利息及び配当金	×××	
その他	×××	×××
営業外費用		
支払利息	×××	
その他	×××	×××
経常利益		×××
特別利益		
前期損益修正益	×××	
固定資産売却益	×××	
その他	×××	×××
特別損失		
前期損益修正損	×××	
固定資産売却損	×××	
減損損失	×××	
その他	×××	×××
税引前当期純利益		×××
法人税、住民税及び事業税	×××	
法人税等調整額	×××	×××
当期純利益		×××

図表 6 - 1　一般的な P/L、B/S

出典：「会社法施行規則及び会計計算規則による株式会社の各種書類」日本経済団体連合会、経済法規委員会企画部会（2010年）

貸借対照表

（平成○年○月○日現在）

（単位：百万円）

科　目	金　額	科　目	金　額
（資産の部）		（負債の部）	
流動資産	×××	流動負債	×××
現金及び預金	×××	支払手形	×××
受取手形	×××	買掛金	×××
売掛金	×××	短期借入金	×××
有価証券	×××	リース債務	×××
商品及び製品	×××	未払金	×××
仕掛品	×××	未払費用	×××
原材料及び貯蔵品	×××	未払法人税等	×××
前払費用	×××	前受金	×××
繰延税金資産	×××	預り金	×××
その他	×××	前受収益	×××
貸倒引当金	△　×××	○○引当金	×××
固定資産	×××	その他	×××
有形固定資産	×××	固定負債	×××
建物	×××	社債	×××
構築物	×××	長期借入金	×××
機械装置	×××	リース債務	×××
車両運搬具	×××	○○引当金	×××
工具器具備品	×××	その他	×××
土地	×××	負債合計	×××
リース資産	×××	（純資産の部）	
建設仮勘定	×××	株主資本	×××
その他	×××	資本金	×××
無形固定資産	×××	資本剰余金	×××
ソフトウェア	×××	資本準備金	×××
リース資産	×××	その他資本剰余金	×××
のれん	×××	利益剰余金	×××
その他	×××	利益準備金	×××
投資その他の資産	×××	その他利益剰余金	×××
投資有価証券	×××	○○積立金	×××
関係会社株式	×××	繰越利益剰余金	×××
長期貸付金	×××	自己株式	△　×××
繰延税金資産	×××	評価・換算差額等	×××
その他	×××	その他有価証券評価差額金	×××
貸倒引当金	△　×××	繰延ヘッジ損益	×××
繰延資産	×××	土地再評価差額金	×××
社債発行費	×××	新株予約権	×××
		純資産合計	×××
資産合計	×××	負債・純資産合計	×××

味な分類で比較しては、とうてい経営分析の用を為さないことを戒めているのである。また、このようにわざわざ断らなくてはならないほど、経営の場では比較対象を誤って論じやすいという戒めでもある。

なお、制度に大きな改変があった場合には、その前後で項目の不一致が起こって、比較しようにも項目の連続性や整合性が取れないことがある。本書が関係するところでは、国民医療費は事実上の保険者である政府が国民皆保険制度のマネジメント、すなわち医療保険の財務管理のために収集する統計ともいえるわけだが、この数値も公的介護保険制度が始まった2000年度以降は、それ以前と同じように比較することができない。第１章で説明したとおり、介護保険の開始以前は、老健施設や療養型病床群などの利用者の費用は国民医療費に集計されていたが、介護保険制度開始以降、それらの費用は介護保険で賄われるため、国民医療費の集計から除外されたからである。

さて、経営分析はまず財務諸表に基づいた財務分析から始まる。財務分析では、伝統的に経営についての安全性や安定性、そして収益性、生産性、成長性、適切性、機能性などの諸事項を診るために各種関係比率が調べられる。いわゆる経営指標とは、この関係比率のことを指す。

財務諸表に現れる項目には産業ごとに独特のものがあるため、各々の経営指標の重要性は必ずしも一律ではない（図表６－２）。たとえば、製造業と販売業とで原価として取り上げる費用をみると、前者では原材料費や部品代金などであるのに対して、後者では完成品の仕入れ代金となる。そのため、一般的には売上高に対する原価割合は製造業のほうが販売業よりも小さい。そして、販売業は、仕入れたものを売るという仕事であるから、一般的に製造業と比べて売上高は大きいものの、粗利益（売上総利益＝売上高－売上原価）の割合はずっと小さい場合が多い。このような点からも、比較検討は同業間もしくは類似業種間で行うことが基本となる。つまり、リンゴはリンゴ同士、ミカンはミカン同士で比較するわけである。

ところで、会計においてよく混乱する用語に「収益」がある。一般に収益は「利益」と同じ意味で使われており、また、財務分析でいう収益

	指標名	業種別			
		建設業	製造業	販売業	サービス業
総合	経営資本対営業利益率	○	○	○	○
	経営資本回転率	○	○	○	○
	売上高対営業利益率	○	○	○	○
	自己資本対経常利益率	○	○	○	
	総資本対経常利益率	○	○	○	○
財務	総資産対棚卸資産比率			○	
	総資本対自己資本比率	○	○	○	○
	流動比率	○	○	○	○
	当座比率	○	○	○	
	自己資本対固定資産比率	○	○	○	○
	固定長期適合率	○	○	○	○
	売上高対支払利息比率		○	○	○
	固定資産回転率	○	○	○	○
	受取勘定回転率		○	○	
	支払勘定回転率		○	○	
販売	売上高対総利益率	○	○	○	○
	売上高対経常利益率	○	○	○	○
	商品回転率			○	
	販売管理費比率		○	○	
	売上高対広告費比率		○	○	○
生産	加工高比率		○		
	加工高対人件費比率	○	○		
	機械投資効率	○	○		
	原材料回転率		○		
	仕掛品回転率		○		
	製品回転率		○		
労務	売上高対人件費比率			○	
	人件費対福利厚生費比率		○	○	○

図表６－２　業種別の一般的な財務指標一覧

性も利益割合の多寡をみている。しかしながら、財務会計でいう「収益(revenue)」は、事業者が一会計期間中に事業活動によって外部に提供した財貨やサービスの価値、つまり売上高や受取手数料などの報酬を指すとされている。

たとえば、販売業の収益は売上高で表現できるが、同じサービス業である銀行業の主な収益は手数料などの営業収入であるため、「売上高」という呼び方が相応しくないことからもわかる。また、建設業の場合は、大きな工事を請け負っても、年度内に完成しない場合に「売上」をゼロとしては実際の業績を正しく表せないため、「完成工事高」として完成分相当を財務会計の収益欄に計上する。このようにして、企業あるいは事業活動の会計基準を揃える必要から、財務会計の用語が検討されている。

財務会計項目以外にも、業界独自の指標（インデックス）を検討する必要がある。たとえば、銀行業の経営業績や実力を反映する指標として、預金量などを採用するといった具合である。

このように、一般の産業では「企業会計原則」に従って、長年の研究から業種ごとに経営分析に有効な指標が研究されている。

第３節　医療・介護事業の経営分析

わが国では、医療・介護事業に携わるサービス機関における経営指標の検討は長らく進まなかった。その最大の理由としては、前章で説明したように、医療や介護のサービス機関の経営は、長い間にわたって行政が管理・監督していて、これらサービス機関の遣り繰りが成り立つように診療報酬体系や措置費などを決めてきたため、個々の機関での経営研究に関心が持たれなかったことが指摘できる。

70年代後半以降、経済低成長の時代になっても医療費支出の勢いが止まず、産業規模の拡大を続けてきた医療業では、80年代半ばから始まった医療制度改革を背景に経営研究に目が向けられるようになった。なかでも、平均して事業規模が大きい病院業において、米国の先進的な病院経営研究を参考にした経営諸指標が検討され、経営研究がなされるようになった。病院経営の場合、地域の事情が大きく影響するもので、90年代に入ってからは、地域によって中小病院の経営困難や閉鎖が報じられるようになった。次章のＫ点分析のところであらためて説明するが、北海道で病院の経営難が伝えられるようになったのも、この頃からであった。そのような背景もあって、当時の厚生省健康政策局（現在の厚生労働省医政局）は、99年度秋から医療施設経営安定化推進事業として病院経営に関する調査研究のための検討委員会を設立させた。著者はこの検討委員会に10年近く関わったが、年を追って病院経営の研究テーマが多彩になっていく様子を目の当たりにした。

一方、一般診療所については、前章で触れたように、病院のような固定費型事業とは違って、変動費型事業という経営特性があり、また、そのほとんどが事業規模も小さいため、経営の危機感が病院業と比べて低く、経営分析に対する関心も低いところが多かった。なお、変動費と固定費の割合の違いが事業収支に与える様子については、次章の損益分岐点分析のところで説明する。

ちなみに、歯科診療所の経営については事情が異なる。70年代に歯科大学の新設が続いたことから、数多くの歯科医が養成されるようになり、80年代半ばからの開業ラッシュにつながった。そのため、都市部を中心に歯科診療所間の患者獲得競争が激化して、患者が集まらなくて閉院するところも現れたことなどから、現場レベルでの経営研究はかねてより熱心に行われていた。なお、歯科診療所の平均的な収益規模は一般診療所の３、４割程度と小さい。

介護事業を行う社会福祉法人については、介護保険制度が開始された2000年度が損益計算システムに切り替わる初年度だったことから、同一事業所内で過去の業績と比較する時系列分析もしばらくはままならなかった。その後、2011年までに介護保険制度は３回の見直しが行われ、介護報酬体系についても大幅な見直しが繰り返されたため、介護サービス分野の経営分析の研究が進むようになった。ただし、介護事業の中で大きな資金を必要とする介護施設事業であっても、収益規模は病院業と比べてずっと小さい。

以上のような経営研究の背景や事情を踏まえ、以降は経営分析の研究が進んでいる病院業の場合を取り上げて説明する。いうまでもないが、病院業における経営分析の発想やアプローチは、他の医療機関や介護機関の経営分析においても利用できる。

第４節　医療法人の経営

2000年代に入ってから、医療制度のみならず、行政全般においても否応なく改革の波にさらされている。たとえば、医療法人も範疇に入る公益法人の制度改革では、2000年末の「行政改革大綱」閣議決定において、1896（明治29）年の民法で定められていた公益法人制度を抜本的に見直すことになり、2006（平成18）年に公益法人制度改革関連法案が通常国会において成立し、2008年暮れから新制度に移行している。

これと連動するように医療法人改革も進められ、2007（平成19）年に施行された改正医療法により、医療法人制度が大きく変わった。

具体的には、従来からの医療法人の大部分を占める「持分の定めのある医療法人」が廃止され、新たに設立される医療法人は全て「持分の定めのない医療法人」となり、医療法人を辞める際に、出資額に応じた払戻しの請求ができなくなった。ただし、既存の医療法人には経過措置が設けられた。そして、「持分あり」医療法人に代えて、「基金拠出型医療法人」が制度化された。また、財団または持分の定めのない社団の医療法人のうち、一定の要件に該当して、都道府県知事または厚生労働大臣の認定を受けたものは医療法上、後述する「社会医療法人」として扱われることになった。

これら一連の公益法人制度改革、医療法人改革がいわんとしているのは、これまで認可や活動が何かと曖昧であったわが国の公益法人の在り方を見直し、公益性が明らかな法人については事業継続性、持続性を担保するために税の優遇を図る一方で、公益性が明らかでない法人については非営利組織であることのみを認めるということである。

以前、公益法人という場合は、かつての民法第34条に基づく社団法人と財団法人を指し、特別法に基づいて設立された公益を目的とする法人も広義の公益法人と称した。医療法に基づく医療法人は、この「広義の公益法人」に該当し、税法上は営利法人と同様に扱われた。ただし、医療法人には利益剰余金の配当は認められておらず、この点で非営利性を担保していると考えられていた。しかし、そのような「広義の公益法人」であった医療法人のほとんどが持分の定めのある社団法人であったため、構成員が退く時に内部留保されていた法人の剰余金が合法的に持ち出されることが問題視されていたのである。

病院開設者の内訳をみると、医療法人が６割以上を占めており、かつては多くの割合を占めていた個人経営による病院、つまり非法人立病院は５％にも満たない。個人病院は一般的に小規模なところが多いが、ある程度以上の規模の病院になると医療法人体制による「説明責任を果たす」ための透明性の高い経営が欠かせない。医療法人経営の場合には、医療法に則って経営の体制や業績を明らかにしなければならず、また、法人税や住民税も一般の法人と変わらないが、事業経営を続けていくにあたって、外部の利害関係者に説明責任を果たすことは重要である。

さらに、これまであった、事業税の軽減措置がある「特定医療法人」や、特定の収益業務を手掛けることが認められた「特別医療法人」については、公益性を認められた「社会医療法人」と従来の非営利性の趣旨を引き継ぐ「医療法人」とに整理されることになった。

「社会医療法人」の認定にあたっては、小児救急医療、災害医療、へき地医療などのいずれかを行うことを義務づけられるが、一方で、収益事業などを行うことが認められ、また、税の優遇措置を受けられることなどにより、法人医業経営を安定させて地域の医療提供を安定させることが目論まれている。

また、今後の医療法人は附帯業務を社会福祉事業の一部業務にまで拡げられることになり、医療・介護・福祉と連続的なケア・サービスの提供が期待されている。

2000年代の国民医療費の支出先をみると、病院と一般診療所では一施設当たり平均で20倍近い収益の開きがある。施設の収益規模が大きいほど経営管理が難しくなることはいうまでもないが、このことからも、このあとの事業経営論は病院業を中心にした解説となる。

第５節　病院会計準則と病院の財務諸表

医療法人の場合、医療法および同施行規則によって、財産目録のほかに損益計算書（P/L）と貸借対照表（B/S）を作成し、債権者の求めに応じて閲覧できるよう備え付けておくことが義務づけられている。このとき、損益計算書と貸借対照表などの作成にあたって適用されるのが「病院会計準則」である。

元来、病院会計準則は病院が自主的に活用するものであって、強制されるものではない。そのため、医療法人を管轄する厚生労働省では、通知などで病院会計準則に沿って財務資料を作成することが望ましいとだけしているが、この会計準則を採用するか否かで病院の経営姿勢が外部関係者に知られることに留意したい。すなわち、病院事業の経営説明責任を果たそうとする姿勢の如何である。

ちなみに、病院会計準則は、病院の主務である医療・介護サービスの在り方が変遷するに従って改正を余儀なくされる。そしてまた、そのことが病院の財務諸表の在り方を変えていくこととなる。

2004（平成16）年には、じつに21年ぶりの全面改正となった病院会計準則が通知された。病院会計準則は、開設主体の異なる病院の財政状況を比較可能にするための施設会計でもあり、内部では経営効率化の管理資料として、外部には利害関係者への財務情報をわかりやすく説明することで、経営管理の説明責任を果たすことになる。

第１章で説明したように、わが国病院の収入の大部分が社会保険診療報酬に依存していることから、病院は開設者の如何によらず、収支構造が似通っていると考えられた。そこで、1965（昭和40）年に当時の厚生省医務局によって、病院における統一会計基準である「病院会計準則」が制定された。その後、一般企業における会計原則が改正されたり、病院経営の実情が変化したことから、1983（昭和58）年に改正された。

もともと、医療法には、医療法人が作成すべき書類の様式や作成方法について病院会計準則に従う旨の規定はなかったが、1995（平成７）年に厚生省が「医療法人制度検討委員会報告書」の提言に基づいて、医療法人における決算の届け出様式を具体的に定めたのを機会に、全国の医療法人（診療所開設の場合も含む）が同じ様式に則った決算を届け出ることになり、ようやく病院会計準則が意義あるものとなった。

その後も、病院は老健施設や訪問看護ステーションなどの経営ができるといったように附帯業務の範囲が広がり続け、また、2000（平成12）年からは介護保険制度の開始により介護報酬も入るようになったため、病院の経営実態を説明するための会計準則に改定することが求められ、04（平成16）年の全面改正に至った。

病院会計準則は、当初から施設会計の考え方に基づいていたが、04年の改正では開設主体が異なる場合でも経営比較がより可能になることが検討された。これに伴い、たとえば介護報酬のうち施設サービスに関わるものについては「入院診療収益」に、それ以外の介護報酬は「その他の医業収益」に入れることとなり、また、自費についても入院に関係するものは「入院医療収益」と、外来診療に関するものは「外来診療収益」とに整理することとなった。

また、以前とは違って、利益処分計算書が財務諸表から削除された一方で、企業会計と整合するようにキャッシュ・フロー計算書や退職給付会計などが導入された。

要は、病院経営の透明性・効率性を確保するための情報開示であり、経営分析の基本である「リンゴとミカンとで較べてはいけない」との教えの通り、そこには比較可能性が考えられているわけである。

なお、病院は病院会計準則、老健施設は介護老人保健施設会計経理準則、訪問看護ステーションは指定老人訪問看護・指定訪問看護の会計・経理準則に基づいて財務諸表を作成することが推奨されてきたが、2011年現在、これらの施設単位ごとの財務諸表を医療法人全体でまとめる会計基準がまだ存在せず、「医療法人会計基準」の導入が課題として残されている。

2004年に改正された病院会計準則の損益計算書、貸借対照表、キャッシュ・フロー計算書は付録1－(a)～(d)（p.271～285）のとおりである。

基本的には、一般企業の財務諸表と機能は同じであるが、病院事業に即した用語が使われている。なお、キャッシュ・フローの表示にあたっては、主要な取引ごとにキャッシュ・フローを総額表示する「直接法」、もしくは税引前当期純利益に非資金損益項目、営業活動に係わる資産および負債の増減、投資活動によるキャッシュ・フローおよび財務活動によるキャッシュ・フローのそれぞれの区分に含まれる損益項目を加減して表示する「間接法」のいずれかで表示することになっている。

まず、付録1－(a)の損益計算書にあるように、医業活動による収支（＝医業収益－医業費用）を計算し、次に医業外活動での収支を加えることで経常収支を計算する。最後に、毎年度あるわけではない臨時的な損益収支を加えることで、当期純利益を計算する。医業収益や医業費用については準則の勘定科目に沿って集計する（付録1－(d)参照）。

医業収支は、一般企業会計の営業利益に相当する。参考までにいうと、財務会計で扱われる利益は図表6－3のように五種類あり、業種によって注目すべき利益率の指標は異なる。たとえば、商社のような物品販売業においては利幅が小さいため、まずは粗利益率の管理が重要であり、また、業界を越えて収益性を比較するには業種による特殊性が少ない経常利益率を参考にするといった具合である。

次に、医業外の収支とは、受取利息配当金や補助金、患者外給食収入などの医業外で付帯的に得た収入から、支払利息や診療費減免などの医業外の付帯的費用を差し引いたものである。

また、臨時的な損益収支とは、その年度に臨時的に生じた営業上の得失のことで、たとえば、病院が所有する不動産を売却した結果として発生した得失の計上などが挙げられる。

以上のような病院会計準則に則った財務諸表とは別に、毎年度末、税務署に所得申告するための決算書の様式がある。ここでは、損益計算書は租税特別措置がある社会保険診療収入とそれ以外の診療、つまり自由診療収入とに分けて表記される。そして、一般企業の売上と同様の考え方から、医業収益ではなく「医業収入」と呼んで、社会保険診療収入、自由診療収入、そして駐車場収入などの雑収入とに分けて計上する。

　　売上高
－）売上原価
　　①［粗利益（売上総利益）］
－）販売費及び管理費
　　②［営業利益］
＋）営業外収支（＝営業外収益－営業外費用）
　　③［経常利益］
＋）特別収支（＝特別利益－特別損失）
　　④［税引前当期利益］
－）法人税等充当額
　　⑤［税引後利益（当期利益）］

図表6－3　損益計算書に現れる五種類の利益

ちなみに、自由診療収入とは、患者の自費による診療収入、生命保険会社・事業所・学校医・嘱託医収入、自動車損害賠償責任保険法（自賠責法）による診療収入、市町村から支払われる福祉医療の事務手数料、公害健康被害補償法による収入、労働者災害補償保険法（労災保険法）に基づく治療収入などをいう。

なお、医業費用については病院会計準則の場合と変わりはない。ただし、一般企業と同様に、費用の計上において重要なことは、税務署が認める規定に従って費用を計算し、費用勘定科目に仕訳することである。これは先に説明した図表6－3を見ればわかるように、経費の計上を事業所の勝手な判断に任せると、当期利益が操作され、公正な税納が為されなくなるためである。

第6節　病院事業の経営指標

病院事業では、経営主体に官民が混在しており、病床規模も20床から1,000床以上と幅広く、設けられている診療科も多様であるため、医師や看護師以外の専門職種の揃え方も大きく異なる。そのため、病院という事業の経営状態を単純な尺度で説明することは難しい。しかしながら、病院の経営担当者が抱える問題はよく似ている。たとえば、次のような問題である。

- 医業収支が年ごとに赤字と黒字を繰り返しているが、病院を続けていけるだろうか？
- 今の経営状態で、古くなった病院を建て替えても、やっていけるだろうか？
- 平均診療単価は同じ地域内で比べても低くないのに、自分の病院の経営が苦しいのは何故だろうか？
- 人件費比率が60%を超えているが、経営は大丈夫だろうか？
- 勤務医は自分が診る患者数が多いと不平をいうが、どう説明すれば納得してもらえるのだろうか？

これらの問いは、要するに病院の経営についての安定性、収益性、生産性、費用の適正性、機能性といった事項を尋ねているわけである。これらの問いに答えるために、各々の問題がいずれの事項に該当しているかを理解して適切な経営指標（インデックス）を選択して同業他院と比較する、つまり、経営分析を行うことになる。

ただし、病院経営で使われる経営指標には多くの種類があり、また、病院経営指標の研究は未だ途上であることに留意する必要がある。ここでは、かねてより病院の経営指標を扱っている厚生労働省の外郭団体であった社会福祉・医療事業団、現在の独立行政法人福祉医療機構（WAM）が毎年発刊する『病医院の経営分析参考指標』に説明される経営諸比率を許可を得て転載する（図表６－４）。そこには、検討目的別に⑴機能性、⑵費用の適正性、⑶生産性、⑷収益性、⑸安定性の五つに分けて経営指標が整理されており、随時、指標の妥当性について検討を繰り返していることから、著者は信頼を置いている。

個々に載る指標について、以下に少し説明を追加しておく。

⑴　機能性を診るために使われる指標について

病院という事業は相対的に固定費比率が高いため、施設や設備の利用度や、新規顧客と滞在顧客との回転率などが良好な経営の如何を診る目安となる。言い換えると、これは医療サービス機能とそれに相応した医業収益を診ることでもある。そこで、ここには病院事業に独特な指標が多く現れる。

［平均在院日数］　これによって、病床回転率のほかに、入院患者の種類もわかるため、病院経営者側よりも政策側が以前から注目しており、よく国際比較などが発表されている。ところが、このよく見かける病院経営指標も、じつは計算が簡単ではないため、次のように算出方法が幾通りもある。そのようなことから、［平均在院日数］の指標を用いるときには、何を検討するかによって採用すべき算定方法を決めなければならない。とりあえずのところ、わが国では算定が一番簡便な①の方法がよく使われるが、諸外国では必ずしも一般的というわけではないので、各国間の平均在院日数の比較に際しては算定式に留意する必要がある。

①　新入院患者数と退院患者数とを足して２で割ったもので、延入院患者数を除する方法（図表６－４の式を参照）。ただし、特異な例ではあるが、算定期間内に入退院する患者がいなければ分母がゼロになるため、平均在院日数は無限大になってしまう。

②　一定期間内に退院した患者の在院日数を合計し、これを退院患者数で除する方法。ただし、この方法だと、期間を超えて滞在する社会的入院などの問題となるケースが隠れてしまう。

③　特定の一日を調査して、患者の入院日からの日数を起算し、その平均値を求める方法。ただし、この方法だと、長期入院者の実態を把握できるとしても、当然のことながら、測定日によって結果にばらつきが生じることは避けられない。

［患者100人当たり従事者数］　わが国の場合、医療法や健保法の診療報酬体系などによって、医療施設の機能を測るための人員の配置基準が定められるので、この指標によって自院の機能整備具合を確認する目安になると同時に、同業他院と比較したときに人員投入効率の検討を行うこ

区分	経営指標	算式	説明
機能性	病床利用率	$\frac{1日平均入院患者数}{平均許可病床数}\times 100$	施設の機能によって望ましい比率は異なる。また、平均在院日数との関係からも検討することが大切である。
	平均在院日数	$\frac{延入院患者数}{(新入院患者数+退院患者数)\times 1/2}$	診療科目によってかなり異なるが、同じような診療科の病医院との比較では、これが短いほど機能が高いと推察される。
	入院外来比	$\frac{1日平均外来患者数}{1日平均入院患者数}$	病医院の性格を表すなど重要な意味を持っている。診療科目および病床規模によってかなり異なるが、同種・同規模の病医院との比較では、一般的に高いほどよいといえる。
	新患率	$\frac{新来患者数}{延外来患者数}\times 100$	外来の動向を見極める指標である。外来患者数が伸びており、かつこの率が高いほどよい。
	病床1床当たり医業収益	$\frac{医業収益}{平均許可病床数}$	病院の性格により、かなりバラツキがある。病床利用率、外来患者数や診療内容、サービスの程度との関連で判断する。
	入院患者1人1日当たり入院収益	$\frac{入院診療収益}{延入院患者数}$ ※延入院患者数には当日退院患者を含まない。	収益性の指標とも考えられるが、むしろ診療内容を判断するための指標で、看護レベル、手術件数などとの関連でその適否を判断する。また、診療行為別に分析してみることが大切である。
	外来患者1人1日当たり外来収益	$\frac{外来診療収益}{延外来患者数}$	診療行為別に分析し、院外処方の有無、投薬日数、1日平均外来患者数との関連もみながら検討する必要がある。
	患者規模100人当たり従業者数	$\frac{年間平均従事者数}{\left(\begin{array}{c}1日平均\\入院患者数\end{array}+\begin{array}{c}1日平均\\外来患者数\end{array}\times 1/3\right)}\times 100$ ※ただし、調理員及び栄養士については、 $\frac{年間平均従事者数}{1日平均入院患者数}\times 100$	取扱患者数に対する従業者数の適正性を判断する。診療機能、サービスの程度を勘案しながら職種別に検討する必要がある。
費用の適正性	人件費率	$\frac{人件費}{医業収益}\times 100$	職種別人員、賃金ベース、平均年齢等からその適否を判断する。 (注)　役員報酬は経費に含む。
	医療材料費率	$\frac{医療材料費}{医業収益}\times 100$	患者1人1日当たり医療材料費、医薬品と診療材料費との区分、診療科、診療機能、院外処方との有無等との関連で、その適否を判断する。
	給食材料費率	$\frac{給食材料費}{医業収益}\times 100$	入院患者1人1日当たり給食材料費との関連で、その適否を判断する。
	経費率	$\frac{経費}{医業収益}\times 100$	医業費用から人件費、材料費及び減価償却費を除いたもので、検査等の外注委託費、リース料、地代家賃等の適正性と人材育成等の研究研修費の継続性等からその適否を判断する。

図表6－4　病院の経営諸比率

出典：「病医院の経営分析参考指標」独立行政法人福祉医療機構

	減価償却費率	$\frac{\text{減価償却費}}{\text{医業収益}}\times 100$	建物、機械機具備品との構成割合、それぞれの経過年数からその適否を判断する。
	経常収益対支払利息率	$\frac{\text{支払利息}}{\text{経常収益}}\times 100$	借入残高、借入条件等から財務コストの適否を判断する。
	損益分岐点の収益	$\frac{\text{固定費}}{1-\frac{\text{変動費}}{\text{医業収益}}}$ （注）変動費＝材料費＋経費のうち変動要素のあるもの（検査外注費等） 固定費＝医業費用－変動費＋支払利息	利益と損失とが分かれるところの収益ポイントを算出する。損益分岐点はいわば採算点（費用回収点）のことで、実際の医業収益がその点からどのくらい上回っているかによって経営余力を知ることができる。 病医院経営の合理化や計画性が求められている現在、今後の医療費改定、人件費の増加、設備投資等の経営諸条件の変化を見込んでの採算性を予測するうえで、この損益分岐点手法は効果的である。
生産性	従業者１人当たり年間医業収益	$\frac{\text{医業収益}}{\text{年間平均従事者数}}$	病医院の種類、規模等によって異なるが、従事者１人当たりの年間給与費との比較分析も必要である。
	労働生産性	$\frac{\text{付加価値額}}{\text{年間平均従事者数}}$ ※付加価値額＝医業収益－（材料費＋経費＋減価償却費） 粗付加価値額＝医業収益－（材料費＋経費）	従事者１人がどれだけの付加価値を生み出したかをみる。労働生産性が高ければ、各々の従事者が効率よく価値を生み出し、円滑な運営管理が行われているといえる。
	従業者１人当たり人件費	$\frac{\text{人件費}}{\text{年間平均従事者数}}$	いわゆる給与水準であり、労働意欲やサービス内容に関係する一方、生産性に対応していなければ経営の安定性を損なうことになる。したがって、従事者１人当たり年間医業収益や労働生産性との関係において検討するとともに、給与ベースの他に、平均年齢、職種別従事者数等によっても異なることに留意する必要がある。
	労働分配率	$\frac{\text{人件費}}{\text{付加価値額}}\times 100$	付加価値が人件費にどれだけ分配されているかをみて、分配の適否を判断する。質と意欲に関係するので、低ければよいというものではない。また、人件費を支払原資（付加価値額）のなかで収めることは当然のことである。
	資本生産性（設備投資効率）	$\frac{\text{付加価値額}}{\text{総資本}}\times 100$	総資本がどれだけの付加価値額を生み出したかをみて、生産性と経営効率の良否を判断する。 なお、病医院経営の場合、建物の経過年数の違いや、いわゆる設備法人の所有となっている場合もあって減価償却費にバラツキがあるので、他と比較する場合には粗付加価値額を用いたほうが信頼性が高くなる。
	付加価値率	$\frac{\text{付加価値額}}{\text{医業収益}}\times 100$	医業収益がどれだけの付加価値を生み出したかをみる。付加価値率が低下傾向にある場合、経費増加によるものか材料費の増加によるものか、その要因を明確化し、低下傾向の良否を判断する必要がある。 ＊経費の増加…無駄によるものでなければサービスの向上につながるので、ある程度はやむを得ない。

			＊材料費の増加…医療内容の変化を意味する。限界利益率の変化、損益分岐点の変化とともに、その良否を十分に検討する必要がある。
	病床１床当たりの付加価値額	$\frac{付加価値額}{年間平均稼働病床数}$	稼動病床１床当たり付加価値額で病床の生産性を判断する。多いか少ないかは、医業収益、材料費、経費、病床利用率等との関連で判断する。
収益性	医業収益対医業利益率	$\frac{医業利益}{医業収益}\times100$	本業である医業活動そのものから得られた利益を表す指標である。
	経常収益対経常利益率	$\frac{経常利益}{経常収益}\times100$	医業利益に受取利息や支払利息その他の収入支出を加えた、病医院に通常発生している利益を表す指標である。施設の収益性を判断するうえで非常に重要である。
	収益率	$\left(1-\frac{総費用}{総収益}\right)\times100$	医業外収支、特別収支を含めた最終的な利益を表す指標である。一般的に黒字・赤字の判断基準となっている。
	総資本回転率	$\frac{医業収益}{総資本}$	資本の効率性を表す指標である。総資本回転率が低い場合は、一般的に過大投資（設備投資に対する医業収益額の不足）の状態を示していることになる。 また、医業利益率が平均的で回転率が高い場合は、施設設備の老朽化、陳腐化、あるいは設備法人からの賃借等を考慮して、その適正性を判断する必要がある。
	固定資産回転率	$\frac{医業収益}{固定資産}$	固定資産の利用度を表す指標である。総資本回転率に比べ、事業規模に対する設備投資額の妥当性や施設の老朽化の状況をより端的に表す。 ただし、負債額を反映した指標にはならない。
	建物回転率	$\frac{医業収益}{建物・附属設備}$	固定資産には土地が含まれるため、地価の高い都市部においては固定資産回転率に大きな影響を及ぼすことになる。 この指標は、固定資産回転率の算式から土地・機械備品・無形固定資産等の影響を排除したものである。
	総資本医業利益率	$\frac{医業利益}{総資本}\times100$ （注） $\frac{医業利益}{総資本}=\frac{医業利益}{医業収益}\times\frac{医業収益}{総資本}$ （医業収益対医業利益率）（総資本回転率）	この比率は、診療活動から生み出された利益と資本の割合を示すものであり、病医院の経営能率を測定する重要な比率である。
	自己資本比率	$\frac{自己資本}{総資本}\times100$	総資本は、自己資本と他人資本で構成されている。他人資本は返済しなければならず、なかでも借入金は利息を支払わねばならないので、自己資本比率が高いほど財政上の安定性が高い。 この比率は経過年数とともに高まる傾向があり、20%以上が望まれる。

安定性	固定長期適合率	$\frac{\text{固定資産}}{\text{自己資本＋固定負債}}\times100$	長期にわたって運用される固定資産は、自己資本や長期安定資金で賄うことが肝要である。 この比率は、100％以下であることが大切である。100％を超える場合は、固定資産への過大投資を示し、利益による返済が重荷となる。
	流動比率	$\frac{\text{流動資産}}{\text{流動負債}}\times100$	流動負債（買掛金、短期借入金等、原則として１年以内に支払う負債）の支払能力を示す。 この比率は高いほどよいとされるが、120％あればまず安全といえる。
	借入金比率	$\frac{\text{長期借入金}}{\text{医業収益}}\times100$	資金返済のもととなる医業活動の年間収益と借入金残高の関係を明らかにしたものである。 低いほど財務面は安定するが、100％を超えると危険域とされる。

とができる。もっとも、この指標では専門家人員数ではなく、全従事者数によって効率を診ているが、比較対象のデータが揃う場合には、患者100人当たりの医師数、看護職員数や事務員数などで測ることによって機能性のみならず、生産性の目安にすることもできる。ただし、薬剤や検査、清掃、寝具、給食、保守、医事などの業務の一部または全部を外部委託（アウトソーシング）するようになると、これらの指標の比較も意味を為さなくなる。これを是正して生産性を正しく診るためには、やはり付加価値に対する諸比率のほうが適している。なお、算定にあたっては、病院の患者が入院と外来に分かれており、患者の手数の掛かり方が違うので、外来患者３人が入院患者１人に相当するとして患者総数を概算するのが慣例である。

(2)　費用の適正性を診るために使われる指標について

ここでは「損益分岐点の収益」を除けば、指標の算式は簡単である。要するに、一定の期間内（通常は年度単位）に投入したヒト・モノ・カネの資源が適正な規模であったかどうかについて、それらが生んだ医業収益と比較して診ることになる。なお、損益分岐点については次章で詳しく説明する。

⑶　生産性を診るために使われる指標について

ここでは付加価値額の理解が重要となる。付加価値額とは、簡単に言えば、病院がヒト・モノ・カネの資源を投入して生み出した医療サービスの収益から、そのために外部から購入して消費した材料やサービスの金額を差し引いたものである。

外部から購入して消費した材料やサービスとは、①材料費（医薬品や衛生材料、給食材料など）や、②光熱費（ガス・水道・電気代など）、③外注委託費（清掃・給食・寝具など）、④減価償却費（建物・機械・設備について）などを指す。なお、付加価値額を用いた経営指標の比較に際しては、建物の築年数が違っていたり、建物・設備をリースしているため所有形態が異なっている場合には減価償却費の計上が違ってくるため、正しく比較できない場合があることに留意が必要である。また、付加価値額の計算については、いくつかの考え方がある。著者は、病院経営の持続性を考える場合に、付加価値なるものが重要な指標になると考えているので、第８章で詳しく取り上げる。

[職員１人当たり年間医業収益]　この指標を用いて同業他院と比較する場合には、両者の間で外注委託（アウトソーシング）の方針に違いがないかを注意する必要がある。なぜなら、外注が多いところでは職員数が少なくなるため、正しい経営比較にならないからである。しかし、付加価値額を使った指標を用いると、外注を多く使っている施設では、職員数が少なく済む代わりに、付加価値額も少なくなるため、外注の影響を相殺して、経営比較が正確になる。

[労働分配率]　この考え方は、付加価値を生み出すために参加している職員に対してどれだけ報いているかを調べようとするものであるが、見方を変えれば、病院が付加価値額を得るのにどれだけのヒト（＝人件費）を投入しているかという生産性を診るためにも使えることになる。ちなみに、労働分配率の算定では、分子に人件費ではなく、給与費を用いる場合がある。人件費とは、給与費のほかに福利厚生費や職員交通費など、ヒトを雇うために必要な費用全般を指すので、分子に人件費を使うほうが、当の生産性を得るためにヒトをどれくらい投入したかを診るのには、

より正確な指標になるといえよう。

⑷　収益性を診るために使われる指標について

損益計算書上で利益と名のつくものは、図表６－３で説明したように五種類もある。いわゆる、粗利益、営業利益（病医院の場合は医業利益）、経常利益、税引前利益、税引後利益である。また、収益についても総収益、医業収益、経常収益とに分けられる。これらの点からすれば、分母と分子の取り方によって様々な角度から収益性を診ることができることになる。

⑸　経営安定性を診るために使われる指標について

［自己資本比率］　貸借対照表（B/S）にある左右一対の表は、左が借方、右が貸方を記載しており、それぞれの合計額が同じ、つまりバランスしていることを表す。このとき、右側の貸方で、負債のことを他人資本、残りの資本を自己資本という。自己資本は自分のものなのに、なぜ貸していることになるのかと首を傾げるかもしれないが、これは「返済の義務こそないものの、事業継続中は会社が出資者などから預かっている金銭である」との解釈ゆえである。そのため、自己資本比率とは、総資本のうち返済義務のない資本の割合がどれくらいであるかを教えるものとなる。自己資本比率の数値が大きいほど、他人の資金を当てにしていないことを意味し、また、支払利息が少ないことも意味する。それゆえ、この比率が大きいときは経営継続に自信が持てるわけである。

以上のように、経営指標、すなわち経営比率は比較目的に応じていろいろと考えられるが、いずれにせよ経営管理の観点からすると、病院の機能が似ている同業他院との間で同一の算定方法により比較することで初めて意味のある分析となるので、これら指標について全国の病院の平均値と比較するのは、単なる「目安」とならざるを得ないことに留意したい。

第7節　経営状況の比較に用いるデータ

病院各自が様々な経営指標を算出する際に、自院の過去のデータと比較することで経営状態の改善が図れているかどうかを診ることができるが、同業他院との比較についても診ておかなければ、経営分析としては不十分となる。比較するには、「リンゴとミカンとで較べてはいけない」という経営分析の戒めが教えるように、できるかぎり条件を揃えて、同質のもので比べなければ意味がない。その意味では、病院の業績は似た規模、似た診療サービスのうえで、しかも、同一地域内の経営諸比率を手にして比較することが最も望ましい。

ところで、そのような適切な病院経営データについては、2000年代に入った頃から項目の見直しや整備が進められるようになった。

具体的には、定期的に発表される病医院の経営データとして、前節で紹介した独立行政法人福祉医療機構の『病医院の経営分析参考指標』や、中医協が実施する医療経済実態調査、株式会社TKCが近年になって刊行する「TKC医業経営指標（M-BAST）」などがある。ただし、いずれのデータも全数調査ではなく、サンプルレベルの集計分析であるから、対象となる病院に偏りがあることを留意する必要がある。

医療経済実態調査はサンプル数こそ多いものの、データは医療機関の自己申告によるもの、つまりアンケートと同様のものであるから、回答された業績値の正確さは定かではない。また、TKC医業経営指標（M-BAST）は、TKCの会計処理プログラムを使用する会計士・税理士が顧客とする全国の病院や診療所の税務申告のための決算書作成を請け負う中での副産物として集計したものであるため、財務データの仕分けや元データの信ぴょう性は期待できるものの、中堅以上の病院では院内に自前の情報処理部門を持っているため、M-BASTの対象となる病院は比較的規模の小さいところとなる。

一方、福祉医療機構が病院経営指標を調査している目的は、主業務の一つとして民間の医療施設や福祉施設への政策融資を実施しているためである。融資にあたっては、医療や福祉事業の振興のために貸付を行うとはいえ、当然のことながら、返済能力を調べる与信審査を厳格に行わなければならない。そのため、前身の社会福祉・医療事業団あるいはそのまた前身の医療金融公庫・社会福祉事業振興会以来、長年にわたって病医院事業の経営分析を行っており、病院経営が苦しいという声が出始めた80年代半ばからは、病院を中心とした医療施設に向けて経営診断や経営指導を行うようになった。そのようなことから、福祉医療機構が刊行する病医院の経営分析データは、融資対象となった医療機関の実データが中心であるため、経営が比較的順当な施設に限られることを理解したうえで、経営比較に使うのは妥当であろう。

なお、介護保険制度が開始され、福祉施設の経営を担う社会福祉法人の改革が進み出した2000年代からは介護福祉施設の経営分析も公表しており、昨今では『病医院の経営分析参考指標』のほかに、『介護老人保健施設の経営分析参考指標』、『特別養護老人ホームの経営分析参考指標』、『ケアハウスの経営分析参考指標』が刊行されている。福祉医療機構の許可を得て以下にこれら医療・介護施設の経営指標データを一部転載、紹介する（付録２/p.286〜315）。

エピソード15
医療制度と病院経営指標

本章で検討した病院経営業績を判別するための経営指標は、現行の医療制度下での目安である。たとえば、第８章のところで著者が検証するように、「病床当たり収益」はあまり適切な病院経営指標とならない。現行の制度では、医療法が定める病院施設基準があり、また、診療報酬体系つまり医療サービス単価が全国一律であることを考えれば、当然の帰納かもしれない。そのため、現行では病院経営管理の自由度の多くは費用管理にしかない。将来、診療報酬体系の管理が都道府県保険者に委嘱され、都道府県で特色のある診療報酬を決めることが実現すれば、地域間で「病床当たり収益」に差異が現れることが考えられ、この経営指標もベンチマークの一つとなり得るだろう。あるいはまた、現行の制度下でも、機能で区別された病院群について「病床当たり収益」の平均値が公表される仕組みがあれば、「病床当たり収益」は病院経営分析の重要な指標となろう。

なお、同様の理由により、制度の異なる米国など他国で使われる病院経営指標が、そのままわが国で使えるとは限らないことも再認識しなくてはならない。

すなわち、病院経営指標というものは、病院を取り巻く制度経営の変化とともに見直されなければならず、恒久的に使用できる約束がないことに留意が必要となる。

第7章

医療・介護事業の管理会計と経営分析

第1節　医療・介護事業の採算管理

事業への投下資金（＝費用）を上回る資金回収（＝収益）がなければ、その事業は長期的に存続することはできない。その点からすると、固定費型事業である病院は、変動費型事業の診療所とはリスクの大きさが根本的に異なる。病院事業では損益分岐点のハードルは高く、また、将来の建て替えや機器の更新といった再投資のための資金は、蓄えた剰余金（＝内部留保）、つまり利益の蓄えから賄う目処がなければ、事業存続の保証はない。

そのため、医療や介護事業においても、投下した資金の回収見込みを立てることや資金繰りの管理といった、財務のリスクマネジメントは不可欠である。これを疎かにして施設の経営が立ち行かなくなり閉鎖に至ることがあれば、病院関係者だけでなく、施設の利用者、とくに入院患者や入所者たちもが行き場を失うことになる。

本章では、これまでに説明した財務会計や経営分析の基礎となる財務分析を念頭に置いて、財務リスクを管理するための分析方法について、先行して研究が進む病院経営を取り上げて説明するが、その発想やアプローチは診療所や介護保険適用事業でも応用することができるはずである。なお、本章で取り扱う経営分析は内部のために行われるものであり、公表を前提とするものではない。つまり、管理会計の範疇のものである。

わが国の医療業や介護業において、真剣に経営に取り組むための動機が高まらなかった背景には、国民皆保険制度と表裏一体の関係にある行政主導による価格管理、すなわち診療報酬制度が大きく影響していたことは、これまでにも触れた。一般的な経済活動においては、価格の設定主体は事業責任者側にある。そのことからすると、わが国が採用する社会保険方式による医療や介護の保険事業の主体者である保険者は実質的に政府であり、政府が医療・介護のサービス価格である診療報酬・介護報酬の決定権を有しているのは当然ともいえる。医療業や介護業の事業者側が主体的に価格を決められるのは自由診療の枠内に限られるが、現実には第１章の冒頭でも説明したように、わが国医療機関の収益の９割近くが保険診療によるものであり、介護事業においてもやはり収益のほとんどが介護保険によるものである。そのため、わが国の医療・介護事業の経営努力の自由度は、収益（＝資金回収）を増やすために、サービス量を増やすか、または、利益を増やすために費用を抑えるしかない。

前者は、医療・介護機関が従来から行ってきたような診療報酬請求の仕組みを詳しく調べることを指すが、請求漏れをなくすための努力を行うことは当然だとしても、ルールに違反していないからといって多量の薬剤処方や検査漬けに象徴される、かつてのような顧客を無視したサービスを提供すれば、事業者としての信用を失うことになる。結局のところ、診療報酬体系の解釈は保険者との協議事項であるため、事業者側でサービス量を増やすという自由度はあまりない。また、今後、本格的な包括払い制度が進展して、出来高払いの枠が減少していった場合には、なおさらサービス量を増やすという経営の自由度は小さくなる。その代わりに診療科を増やすなどのサービス内容を拡充することで収益全体を伸ばすことも考えられるが、利益確保という点では検討課題が多い。

一方、後者はいわゆる費用管理であり、採算性の管理である。一般的な費用管理については前章で説明したので、次節以降では採算性管理のための原価管理と損益分岐点分析などについて説明する。

第２節　医療費の原価管理

医療費の原価管理については、半世紀近く前の国民皆保険制度の成立に合わせて導入された新医療費体系の準備段階では盛んに研究され議論された。しかし、その後の診療報酬改定では、原価による議論よりも、むしろ政治的決着による解決が繰り返されたため、次第に診療報酬の根拠が科学的ではなくなり、つぎはぎだらけの経験的な数値となっていった。

1993（平成５）年の中医協診療報酬基本問題小委員会報告書の中で、診療報酬体系改定にあたって関係者間での納得を得るためには、医療サービスの原価に対応した診療報酬体系の構築が重要であるとの認識が示され、これを契機に再び医療費の原価管理の研究が注目されるようになった。しかし、実際のところは、医師の技術料や間接費配分方法の難しさを再認識するにとどまり、関係者や研究者間で合意が得られる原価計算法はいまだ存在しないといえる。

わが国の医療費原価管理の研究背景からもわかるように、診療報酬体系の議論は、医療保険制度の保険者が自分たちの立場から価格決定することが目的であって、医療機関側の費用管理を目的とするものではなかった。もっとも、個々の医療機関の費用管理を目的とした場合でも、原価管理自体は容易ではない。このことについて理解しておくことは、経営者側の管理コストを節約するうえでも大切である。

原価管理は、もともと事業組織個別の問題である。元来、原価計算の一番の効用は「価格の決定」にある。その次が「費用の管理」であり、そのほかにも「予算管理の資料作成」や「投資計画の資料作成」など、大きく分けて四つの用途がある。しかし、わが国の医療業や介護業では保険診療による収入が大半を占めており、自由診療の機会は限られるため、原価管理による「価格の決定」の効用はほとんどなく、主にそれぞれの施設における費用の管理が目的となる。

なお、一般にいわれる原価管理手法は製造業に始まったものである。他方、医療業や介護業はサービス業であることから、原価管理にあたって製造業と同様に扱うことはできない。その理由については、本書の前

	製造業（%）	サービス業（%）	一般病院（%）	診療所（%）	
				有　床	無　床
売上原価	78	60	61	44	39
商品売上原価	9	37	4	6	4
労務費	14	9	26	14	9
材料費	33	5	22	19	22
減価償却費	2	1	1	1	1
外注加工費	13	5	3	2	2
その他	7	4	5	3	2
売上総利益	22	40	40	56	61
販管費	17	35	33	45	50
人件費	9	19	18	26	33
営業利益	5	5	6	11	12
経常利益	4.2	4.8	5.3	10.7	11.9
対売上総人件費注1	23	28	44	40	42

資料：TKC経常指標（1993年版…1992年１月から12月期まで）
注１：人件費＝労務費＋給料手当＋福利厚生費
注２：サンプル数は製造業21,839社、サービス業22,691社、一般病院491、診療所（有床）417、診療所（無床）877。
注３：TKC経営指標は、約21万社のデータの中から黒字企業約12万社強について、産業別に平均の経常指標を出している。このデータの中から製造業とサービス業とで経常指標からみた特徴を比較。さらにサービス業に含まれる病院、診療所についても同様に比較した。

図表７－１　対売上比率の比較

身である「医療・福祉の経営学」(2001年）の中で説明したが、年次を経ても原理原則に変わりはないので、ここに紹介する。

前章で紹介した株式会社TKCの会計処理システムを使用する会計士や税理士はもともと全産業の顧客を対象にして税務会計処理サービスを行っていることから、毎年「TKC経営指標（BAST)」を刊行している。そこで、TKC経営指標（1993年版）を見たところ、図表７－１と図表７－２にあるように、製造業（21,839件）とサービス業（22,691件）とでは、売上に対する原価は直接費と間接費とで２割近くの開きがあった。製造

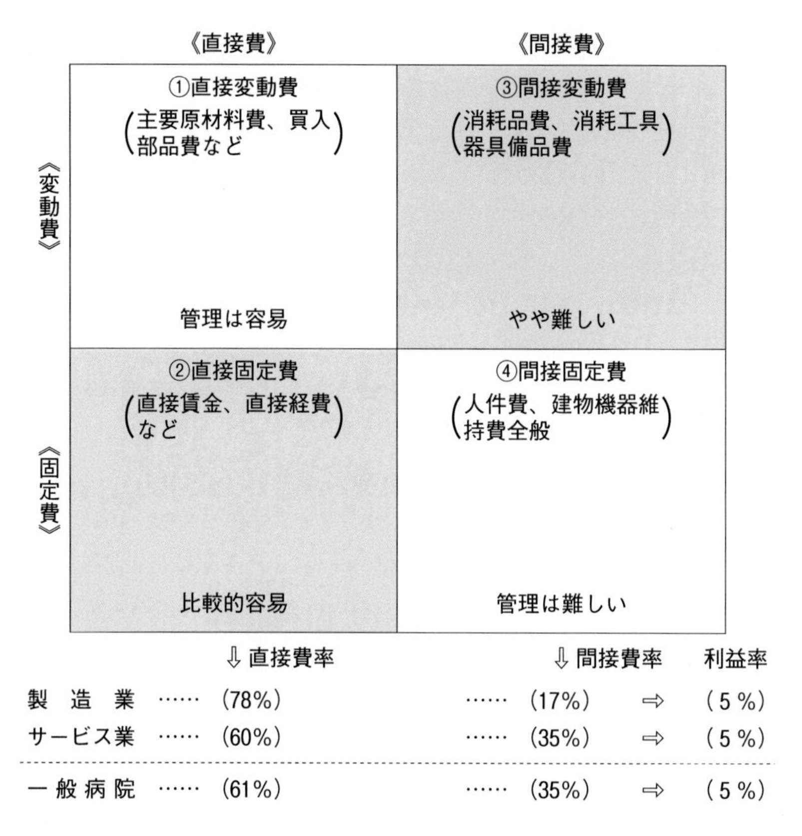

図表７－２　原価管理の難易度をみる直間・固変の費用のマトリックス
参考：無床診療所の場合は直接費39％、間接費49％、利益12％となる。

業で行われている従来の原価計算手法では、全社の間接費を部門人数に比例させて各部門費用に配分したり、部門人数比率ではなく製品の売上比率や前年度実績などを考慮して配賦する計算を行っている。そのため、間接費がその他費用程度の業種であるならばともかく、サービス業のように間接費部分が大きい場合には、その原価を正しく測ることは非常に難しい。

参考までにいうと、原価とは「原価計算基準」という会計上の基準によって「製品を生産するために消費された財や用役を貨幣価値で表したもの」である。それゆえ、製造業以外の業種の場合には、正式には原価とはいえない。しかし、業種を問わず、費用の管理は重要であり、原価相当のものを割り出して、管理する試みが行われている。そのため、決算書の中の損益計算書に現れる売上原価は、製造業では製造原価、販売業では仕入原価、建設業では工事原価などとなる。なお、原価の分類は、管理する側の必要に応じて、次のように呼び方が変わる。

⑴　形態別

（材料費）…主要材料/買入部品/燃料/工場消耗品/消耗工具器具備品

（労務費）…賃金/給料/雑給/賞与・手当/退職給与引当繰入額/福利費

（経　費）…支払経費/測定経費/月割経費/発生経費

⑵　製品別

（直接費）…特定の製品の原価であることが明確にわかっている費用

（間接費）…複数の製品にまたがって使用されており、区分が難しい費用

⑶　操業度別

（変動費）…商品の製造や販売量、または提供するサービス量など営業量に比例して増える費用。主に材料費などが該当する。

（固定費）…営業量に関係なく、毎時かかる費用。主に賃金・人件費や機器リース料や工場・建物の維持費などが該当する。

これらの分類のうち、とくに三番目の変動費と固定費の仕分け（固変分解）を精密に行うことは難しい。そのため、正確を期すためには、次のように製品別、形態別に再分類したものを参考にして、実際の現場事情を考慮しながら固変分解を行うことになる。

［直接費］　（直接材料費）…主要原材料費、買入部品費
（直接労務費）…直接賃金
（直 接 経 費）…外注加工費、特許使用料
［間接費］　（間接材料費）…補助材料費、工場消耗品費、消耗工具器具備品費
（間接労務費）…間接作業賃金、間接工賃金、手待賃金、休業賃金、給料、従業員賞与手当、福利費、退職給与引当金繰入額
（間 接 経 費）…福利施設負担額、厚生費、減価償却費、賃借料、保険料、修繕費、電力料、ガス代、水道料、租税公課、旅費交通費、通信費、保管料、棚卸減耗費、雑費

第３節　損益分岐点分析

損益分岐点とは、収益と費用が等しくなるとき、すなわち利益がゼロのときの売上高を意味する。損益分岐点を巡る分析は、事業の収益構造を検討したり、利益計画を立てたりする場合に使われる。

財務分析の主な役割は事業の収益構造を掴むことであるが、損益分岐点分析はそのような分析の一つとして、原価と営業量と利益との関係を明らかにすることによって収益構造を把握するものである。営業量を端的に表す「売上高」が増減しても、全ての原価や費用が比例して増減することはまずありえない。なぜなら、原価や費用の中に固定費が存在するからである。固定費とは、売上高の増減に関係なく、毎月一定額を必要とする費用であり、典型的な例として人件費などが挙げられる。これに対して、変動費とは、売上高に比例して増減する費用であり、原材料費などが相当する。そして、売上高から変動費を差し引いた金額が、限界利益（marginal profit）である。損益分岐点分析で用いられる指標として以下の三つが挙げられる（図表７－３）。

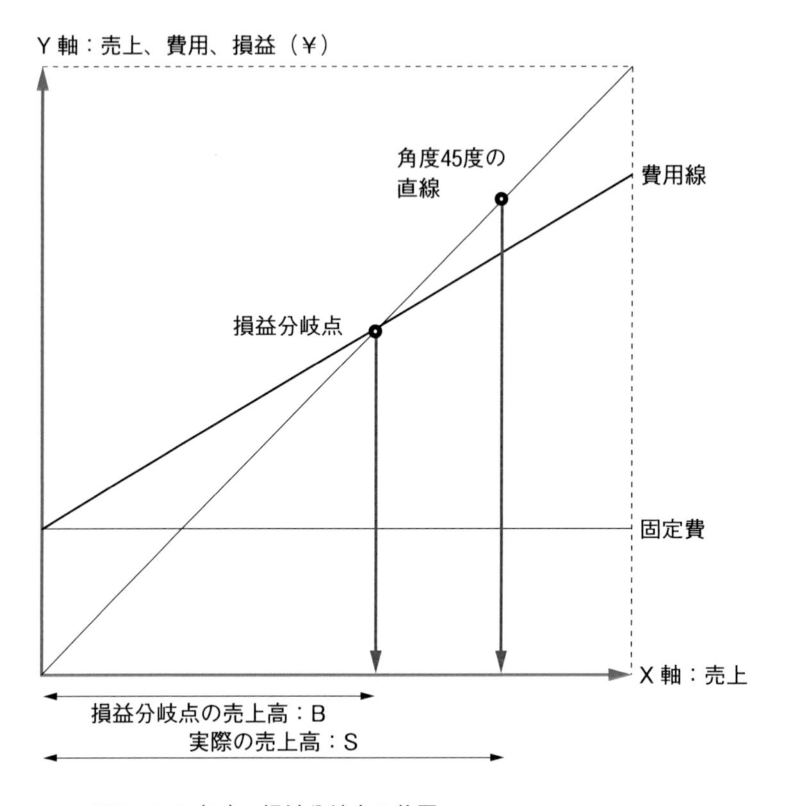

図表7－3　損益分岐点のチャート

・損益分岐点売上高＝(固定費)÷{1－(変動費/売上高)}
　＝(固定費)÷(限界利益/売上高)
・損益分岐点の位置＝(損益分岐点売上高)÷(売上高)〔%〕
・経営安全率＝(1－損益分岐点の位置)〔%〕

損益分岐点は簡単に算出できるように見えるが、いざ算出しようとすると、実際に生じた費用を固定費と変動費とに振り分ける、いわゆる固変分解が必要となるため、医療業に限らず、どの業界であっても正確に行うことはたいへん難しい。それだけに、個々の事業組織の実態を考慮せずに、産業別に集められた会計データから機械的に固変分解して業界の損益分岐点なる指標を見せられても、どれほどの目安になるかは不確かである。

それでも、経営責任者ならば、できれば同業他所と比べて、自分たちの事業の採算点がいかなるものかを知りたいところであろう。次節に紹介するのは、まさにそういった要望があるなかで取り組まれた地域の病院経営研究会が、病院経営の「損益分岐点の位置」を簡便に算定する方法を偶然に発見し、その地域の平均値（ただし、近似値）を割り出した事例である。

第4節　病院の損益分岐点分析の試み：K点分析

1994（平成6）年、当時の厚生省による医業経営改善支援事業の委託を受けた北海道私的病院協会は、道内660の全病院を対象としたアンケート調査によって集計したデータを使って、新しい病院経営指標を探すべく試行錯誤していたところ、偶然、ある興味深い指標を見つけた。

たまたま別の研究プロジェクトでご一緒していた縁で、著者は同協会の関係者から、その新しい経営指標の理論的根拠について教えて欲しいと頼まれた。その新しい経営指標なるものについては、当時、北海道私的病院協会病院経営改善支援事業推進員だった西田憲策氏と、同協会員の竹内實氏の両氏が、「病院経営の新しい指標…中小病院の経営のために」（月刊「病院」55巻11号、pp78-80、医学書院、1996年）と題してすでに発表していた。その内容を以下に要約する。

「…中小病院のほとんどは収支ぎりぎりのところで必死に経営に取り組んでいることがアンケートの結果明らかとなった。そこで、経営の収支の細目を求めたアンケート調査より各々の病院の経営安全度を示す何かの指標が得られないかと考えた。」そして、中小病院といってもその診療内容は様々であって、経費率も異なるので、「…従来の売上高との比率だけでは経営を比較検討できないことが判明した。」として、このとき試行錯誤のうえで見出した「K点」なる経営指標を提示した。その定義は次の通りである。

K＝P＋C〔%〕
P＝(総人件費)÷(総収益－医療原価)〔%〕
C＝(キャピタル的コスト)÷(総収益－医療原価)〔%〕
ただし、
総人件費：全従業員の法定福利費や退職給与引当金を含む人件費総額。
個人病院の場合は院長給与相当額を加算している。
キャピタル的コスト：投資的コストの総額を意味し、支払利息、減価償却、リース料、固定資産税、賃貸料などを合計している。
医療原価：収入のうち直ちに支払わなければならない費用の総額を意味し、医薬品費、医療材料費、検査委託費、給食委託費や給食材料費などを合計している。

1994年度のアンケート調査の結果、横軸にP、縦軸にCを取り、各病院の値をプロットしたところ、Kが90を超える病院はほとんどが赤字であることが判明した（図表7－4）。その後、1996年に入手した新しいデータで検分すると、94年にK点が90を大きく超えていた病院では経営改善がほとんど進んでおらず、他方で90以下の病院は平均的にポイントを下げて経営改善が進んでいたことが明らかになった。さらに分析を進めた結果、経営優良な病院のK点が87以下のとき、「P点が70前後、C点が17以下」あるいは「P点が67前後、C点が20以下」が理想的であるという経験的結論が披露された。

病院経営を持続させる観点からみたとき、K点分析はたいへん興味深いものである。つまり、K点やP点、C点は、どの病院でも自らの手で簡単に計算することができ、同じ地域内でデータを持ち寄ってできる図表をもとに、病院が経営を持続するための「安全圏トライアングル」の内か外かというポジショニングを経営者自らが確認することができる。その結果、病院経営者自身で経営持続の意思を自問できるのである。

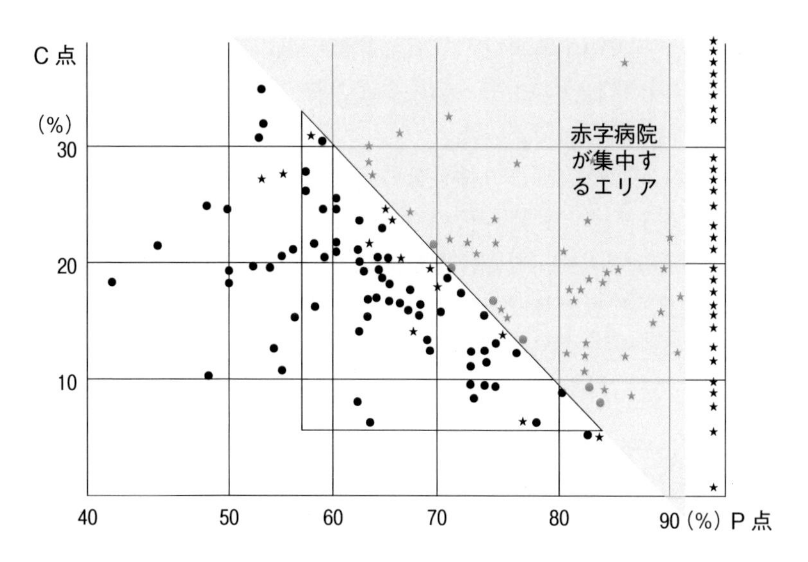

図表7-4　K点分析のチャート

経営は「(経営する) 意思」があって初めて行える。そのため、経営責任者は毎日が意思決定の連続であり、それを避けていては経営者は務まらない。このことは病院業であっても例外ではない。そのため、自院の経営持続性を確認できるツールがあれば心強いはずだ。また、経営責任者は自分自身だけでなく、従業員やその家族の生活も考えなければならない。そのためには、病院事業の持続性の如何によって事業の縮小や清算をも念頭に置かねばならず、その意味からも経営持続の意思を自問自答できるツールは、経営責任者や経営陣にとって必要となる。

第5節　K点分析の意味と分析の実際

K点なる病院経営の新指標は、長年に渡って病院経営に携わった病院の理事長や事務長が集まって経験に基づく直感から重要だと指摘した点で、たいへん貴重な病院経営指標といえた。しかし、これはけっして未知・未発見の経営指標ではなかった。じつのところ、K点は「損益分岐点分析」の一つにほかならなかった。

もっとも、厳密な意味での損益分岐点分析にはなっていなかった。しかし、これから説明するように、K点指標の試みは、研究の遅れていたわが国病院の経営科学の中で、病院事業の特殊性を鑑みた独特の損益分岐点分析といえるものであった。

第3節で説明したように、損益分岐点とは収益と費用とが等しくなるときの営業量をいう。K点分析の総人件費やキャピタル的コストなどは典型的な固定費であり、また、医療原価としたものはほぼ変動費に相当する。そこで、K点の算式を整理すると次のようになる。

K＝P＋C＝(総人件費＋キャピタル的コスト)÷(総収益－医療原価)〔%〕
＝(ほぼ固定費)÷(ほぼ限界利益)〔%〕
＝{(ほぼ固定費)÷(ほぼ限界利益/売上高)}÷(売上高)〔%〕
＝(ほぼ損益分岐点売上高)÷(売上高)〔%〕
＝(ほぼ損益分岐点の位置)〔%〕

つまり、北海道の私立病院の経営研究会が現場の経験と勘で見出した病院経営の新指標とは、病院事業の収益構造を教える「近似的な損益分岐点の位置」だったのである。

先に説明したように、実際に生じた費用を厳密に固定費と変動費とに振り分けることは容易ではない。それゆえ、固変分解の作業を伴う損益分岐点分析はもともと正確を期すことが難しく、また、たいへん手間が掛かるものである。

一方、K点は近似的な損益分岐点の位置を教えるとともに、固定費を人的固定費と設備施設固定費の二つに分けて検討するため、図表7-4のようにPC平面上に標本データを展開したことで、病院の経営者や経営陣の視覚に訴えた分析に持ち込めたことはたいへん評価できる。

結果としては、「K点が90を超えると、ほとんどの病院が赤字となる」ことを見出した。このことから、当時の北海道地域の病院事業においては、K＝90となる病院群がほぼ収支ゼロ相当ということである。本来ならば、「損益分岐点の位置」は指数100において収支ゼロとなるので、K

点がどの程度の「近似値」なのかも想像がつく。いうまでもなく、このような近似値で示される理由は、費用項目の総てを扱ったわけではないからである。

経営においては、管理コストの検討も重要である。その点からすると、この事例のように、わざわざ手間暇をかけて正確な損益分岐点を求めなくとも、「近似的な損益分岐点の位置」である各病院のＫ点と収支結果（赤字・黒字の如何）の情報を集めてPC平面上に標本データを展開すれば、その地域での病院経営の採算性や警戒域を論じることができる。

さらに、この研究会が導き出した「経営優良な病院のＫ点が87以下とすると『Ｐ点が70前後、Ｃ点が17以下』あるいは『Ｐ点が67前後、Ｃ点が20以下』が理想的である」という経験的結論から、病院事業における人的投入と設備機器投入との間のトレード・オフが成立することが示唆される。つまり、人を増やすか、機器設備を増やすかの選択が可能だという示唆も目新しいものであった。

なお、この研究会が見つけようとした「病院経営の安全度を示す何かの指標」は、先に説明した経営安全率の定義と見比べれば、（１－Ｋ）をもって論じることができる（図表７－５）。ちなみに、経営安全率は、仮に売上高が目標に達せずとも、収支がトントンになるまでにどの程度の余裕があるかを診るものであり、収支均衡に至る売上高がやっとという病院業のような事業の経営指標として、どの程度役に立つものであるのかは疑問である。むしろ、近似的な損益分岐点の位置を教えるＫ点のほうが、わが国病院事業の経営指標として有用だと思われる。

後日、著者が関西地域の病院研究会と諮り、会員病院のデータ提供を受けてＫ点分析を実施したところ、北海道の研究事例と同じように「安全圏トライアングル」が現れることを確認できた。一方、最近試みた公的病院が集まる経営研究の場で試したところ、「安全圏トライアングル」は現れなかった。これは公立病院の会計が特殊であることに起因している。しかし、将来、公立病院も一般の医療法人立病院と同じく病院会計準則をもって運営されるようになれば、Ｋ点分析が役立つものになると思う。

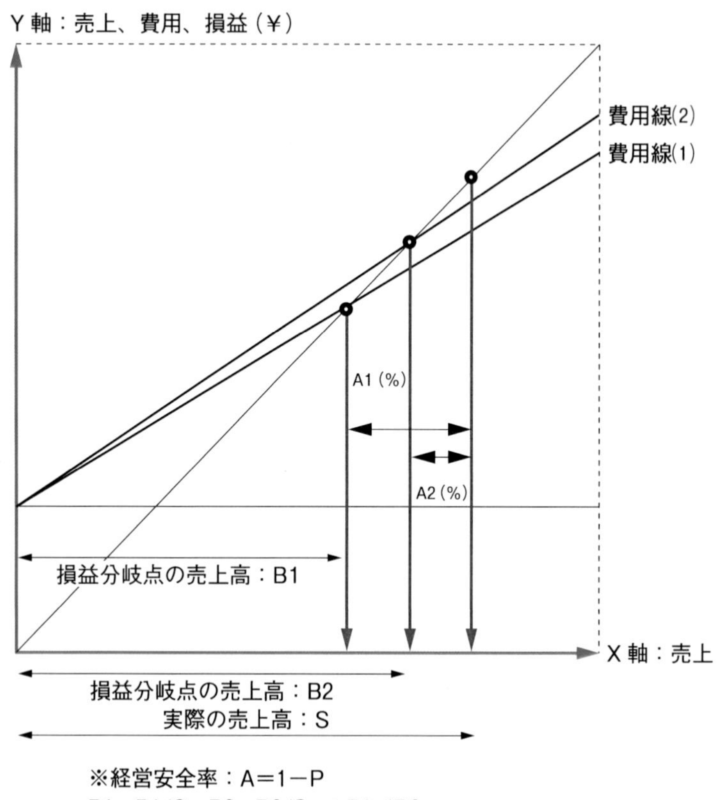

図表7-5　経営の安全度を示す指標

K点分析の難しさは、同じ地域の病院について同じ年次でP、C値を多数集めねばならないことにある。病院のP、C値を計算すること自体は容易であるが、これらは病院の内部データであるだけに、地域内で競い合うような環境でデータを開示してもらうことは難しいものである。それゆえに、K点分析が地域の病院関係者の利益を図るという目的が理解されることや、データを集約して分析する者は慎重にデータを管理することを周知してもらい、そのうえでデータが集約者の手元に届けられる際には匿名で良いことを理解してもらうことが肝要である。

第６節　病院事業経営のための独自の経営指標

損益分岐点の位置や経営安全率といった指標は、一定の時点での経営安全度を教えてくれるものの、けっして病院事業の「経営安定性」を教えるものではない。その年々を無事に収支均衡とする、もしくは黒字による剰余金を積むことができれば、それらの経営努力が累積された成果が貸借対照表（B/S）に記され、たとえば自己資本比率などによって、同業他所や業界平均値と比較した経営安定性を診ることができる。

そのようなことから、損益計算書（P/L）を基本にした財務分析は、あくまでも終了した年度の業績結果を診る、つまり事業を長く続ける中での瞬間風速を診るようなもので、経営安定性を管理するためには貸借対照表（B/S）に記される業績の累積を診なければならない。加えて、当該事業の特性や特徴、そして社会的な存在意義を考えた経営指標も研究される必要があるが、わが国病院事業の経営研究が遅れていたことから、病院業独自の経営指標については研究が進む米国で使われる指標、たとえば平均在院日数や病床回転率などを受け売りで使っていた。

（エピソード15）で触れたように、医療制度は国によってずいぶんと異なるため、各国の制度下で展開される病院事業の収益や費用の構造も違ってくる。たとえば、米国の病院は原則としてわが国のように勤務医を雇用することはない。個々に開業する医師たちが診察を受けにくる患者の検査や手術、そして入院が必要になったときに利用する施設が病院である。また、医療サービスの料金は原則として病院が自由に設定することができる。そのため、米国の病院で示される人件費比率の中に占める医師人件費は、患者を検査するときに読影する放射線医や手術のときの麻酔医といったわずかな専門医の分で、多くは入院患者のための看護関係者の人件費である。しかも、人材のコストが高いことが当然とされる米国では、自由料金設定のもとで人件費比率が70～80％を超えていても病院事業を続けることができる。

一方、わが国の医療制度のもとでは、病院は医療法によって決められた人員基準で一定数以上の勤務医を揃え、また、公定料金制度である診療報酬体系のもとで一定数の看護師を揃えなければ収入を確保することができない。このように、病院経営といっても、国によって経営環境がずいぶんと違うわけである。

そのようなことからも、わが国の医療制度下で病院の経営管理に役立つ経営指標を研究することは必須の課題である。さらには、わが国病院事業の社会的な存在意義を考えた経営指標についても検討が必要である。これについては、研究者それぞれに見方が異なるものと思うが、わが国病院の整理が進む中で著者が長年関心を置く視座は、病院事業が持続できるか否かを経営責任者自らが判断するのに供する経営指標、すなわち病院経営持続性を診る指標である。

従来からの病院事業の損益計算書（P/L）や貸借対照表（B/S）の経営分析では、持続的に病院経営をやっていけるかどうかを診ることは叶わなかった。しかし、K点分析のように病院事業の特性をよく示す経営指標を用いることで、損益計算書（P/L）や貸借対照表（B/S）に限らず、そのほかの病院経営データについても検討することが可能になる。しかも、積極的な業績拡大を図るためだけでなく、病院経営の均衡維持にも着眼して総括する経営指標群を研究することによって、民間病院の経営責任者である医師は自らの病院事業のリスクを確かめながら事業を継続することができる。さらに、公的病院にあっては設置者が地域に必要な病院事業を持続する難易を確かめて、地域住民への説明責任を果たすことができる経営指標の開発へとつながることを期待している。

このような病院経営のための管理指標は、これからのわが国の医療提供者側と医療費支払者側の双方にとって共通となる重要な指標になるものと考えており、著者はそのことを「病院経営持続性の研究」と呼んで、1990年代半ばから調べ続けている。無論、介護保険制度が始まった2000年代からは、医療業のみならず、介護業においても、この種の研究が求められるだろうが、まずは病院で先行して研究してきた事柄が参考になるはずである。次章では、これまでの病院経営持続性の研究の中からいくつかを紹介する。

エピソード16
進展する米国の医療経営研究の背景

米国で医療経営の研究が活発な背景として、事業あるいは起業の自由な発想を縛る規制が少ないことが挙げられる。かつて米国では、医師が業務を独占する医業はコテッジ・インダストリ（cottage industry/家内産業）と呼ばれていた。これは米国の医業が他の産業とつながりがほとんどなく、独立した別個の小さな産業だったことを意味した。そして、その医師が独占する医療サービス市場に、病院が後から参入してきた。当時の病院は専門家によって経営されていなかったこともあり、医師と病院との間には利害衝突は少なかったといわれる。つまり、診療サービスと入院施設サービスとはお互いに補完し合う関係だった。しかしながら、1960年代に入って患者による訴訟が目立ち始め、医師だけでなく、治療の場を提供した病院にも管理責任が問われるようになり、その頃を境に、病院は医師の管理に深く関与するようになったという。

こうして医師と病院との関係は複雑さを増していったため、医師と病院の間のマネジメントを専門的に行うMSO（Management Service Organization）などの第三者が現れた。MSOは従前から会計士や税理士などのいわゆる簿記の専門家が始めたといわれるが、ここで説明するような経緯によって、病院が積極的にMSOを所有するようになった。そして、病院は、医師たちを従属させることを目的に、MSOを使って医師のプラクティスを買う、つまり医師が持つ顧客や名声などの営業権を取得して患者を確保しようとした。一方、医師たちはPPMC（Physician Practice Management Company）を起業して、これに対抗した。第三者組織の中には、クリニカル・プロトコル、いわゆる標準診療を開発してマニュアルを販売するようになったところもあるという。

米国のHMOなどは、もともとは政府が病院などの医療機関に健康保険業務の引き受けを促すために政策誘導したものといえる。このような複合事業を進めることによって、病院にとって顧客となり得る医療保険加入者を自院に引きつけておくことができるため、病院間競争が激化する環境下で、病院経営者の目にはたいへん魅力的な事業に映ったはずである。結果的には、資金力に勝る保険会社が、医療保険事業を拡大する中で、中小のHMOを次々と吸収していき、医療サービスの管理ノウハウを内部に取り込んでいった。そして、80年代のマネジドケア保険会社となっていった。

こうした米国の医療経営研究が進展する経緯を知ることで、わが国に類するものがないために理解が難しかった自由市場における民営医療業の姿が理解しやすくなる。すなわち、MSOにしてもPPMCにしても、あるいはHMOにしても、これらの機関は営利組織であれば民間投資家や保険会社へ容易に売却することが可能であり、それゆえ、この過程で医療サービスの管理ノウハウ、つまり医療事業の「ブラックボックス」部分が外部に開示されるようになったのである。

ちなみに、米国では高齢者社会保険医療であるメディケアと、貧困者福祉医療のメディケイドの対象者を合わせると1億人近くになるが、その受給者を管理するメディケア・メディケイドサービスセンター（CMS/Center for Medicare and Medicaid Services、かつての医療財政庁HCFA/Health Care Financing Administration）が、医療機関あるいは代行する医療保険機関と行う支払い交渉の厳しさは、わが国とは比べものにならない。そのような環境下で培われた米国の医療経営研究は参考に値するはずである。

ただし、制度の違いを考えずに日米の医療経営の善し悪しを論ずることは意味がないことはいうまでもない。

第8章

医療・介護事業の経営持続性の研究

第1節　医療・介護事業の経営持続性

少子高齢化時代においては、医療・介護サービスはわが国の人的資源を支える要になる産業だと考えられるため、それらサービスの持続可能性（Sustainability）の検討こそが、医療・介護システムに関わるもの全ての重要課題となろう。

医療・介護サービスの持続可能性を考えるにあたって、その全体像を把握するために、第5章図表5－7に示した「医療提供システムの基本五分担」を思い出していただきたい。そこでは、支払者、仲介者、医療関連提供者、医師、患者（＝医療消費者）の五者に分かれているが、これら五者すべてが医療サービスの持続を支えている。

前編で詳述したとおり、わが国の場合には、源泉徴収制度や国民皆保険制度が完成しており、政府による行政管理も進んでいるため、支払者と仲介者の役割は、実質的に行政の管理となっている。一方、明治維新以降の近代国家となってからの政府の医療政策は、医療施設数や開業医数といった医療のアクセス・ポイントの量的整備に力点を置いたものであったため、医師という職業に対する様々なインセンティブが用意された。その結果、診断や処置、処方といった医業のほかに、基本五分担中の医療関連提供者の範疇にあるはずの病院の開設権や管理権についても、主として医師に任せることになったものと考える。

このような特徴を持つわが国の医療提供システムにおいては、基本五分担のうち、中心的な役割を果たすのは、支払者と仲介者の実権を握る行政側（ペイヤー）と、病院や診療所といった医療資源の中核の管理権限を持つ医師側（プロバイダー）の二者である。この二者が診療報酬の支払側と受取側のそれぞれの代表となって、中医協で診療報酬の改定を打ち合わせることによって、日本の医療供給体制の持続を図ってきた。

しかし、医療技術の発達による医療費の増加や、低経済成長下で繰り返される不況による社会経済の不振から、医療財政の運営が非常に困難になってきた昨今、あらためて一国の医療供給体制の持続可能性を念頭に置いた医療政策の見直しが迫られている。

そこでは、医療・介護提供者側がサービスを持続的に提供でき、医療保険者側が国民への給付を持続できるための経営技術の検討、すなわち、「医療・介護の経営持続性の研究（Study for Health Care Services Management Sustainability)」が重要になるものと考えている。これについては当面は概念研究よりも、具体的な対象に絞って論理を取りまとめる研究が必要と思われ、とくに、わが国の医療サービス提供の中核を成し、国民医療費の半分以上を占める「病院業」についての研究が急がれると考えている。すなわち、前章の終わりに述べた「病院経営持続性(Hospital Management Sustainability）の研究」である。

第2節　事業経営持続の失敗、つまり倒産について

病院や有床診療所が減少している一方で、当分の間、国民医療費が減少するとは考えられていない。結果として、事業を続けることができた病院や有床診療所は必然的に収益規模が大きくなっていくはずである。そうなると月々の決済額も大きくなり、資金繰りに窮するリスク、つまり、倒産リスクが高まることになる。

ちなみに、「倒産」は経済用語ではあるが、経済学用語ではない。経済学では同様の事象を「市場からの退出」という。このことからもわかるように、経済学が目指すのは経済事象を普遍的、かつ厳密に説明することにある。他方、経営学では同じく経済を扱うものの、経済学ほどに

は時間軸の普遍性を求めず、時々刻々と変化、変容する経済を説明することに関心を持っている。

余談だが、1980年代初めに一世を風靡したトヨタ自動車の「カンバン・システム」なる部品在庫の適時管理は、読み・書き・暗算が当たり前のようにできる日本人従業員だからこそ実現したものである。自動車王国の米国では、一般的に工場従業員といえば教育レベルが低く、しかも移民者も多いため英語のみならずスペイン語など多様な言語を使わざるを得ないため、「カンバン・システム」の実施は到底不可能であった。ところが、1990年代になってコンピュータ・ネットワークが普及して廉価に使えるようになると、米国の自動車会社は契約する部品納入業者に自社の部品在庫のデータベースにアクセスすることを許し、在庫の過不足を随時に管理させたところ、結果として「カンバン・システム」と同等のジャスト・イン・タイムの在庫管理を行えるようになり、コスト競争力の差を縮めることに成功した。「在庫の適時管理」は経営学の普遍的な命題の一つであるが、このようなお題目を掲げたからといって何も問題は解決しない。すなわち、時代背景に応じて「だからどうするのか」というソリューション（問題解決策）の説明に努めるところに、経営学の存在意義が見えてくるのである。

さて、経営学では失敗の研究も重要とされる。それゆえ、病院や診療所の倒産の研究を通じて、医療施設の経営行き詰まりを回避し、医療提供を続けていくための経済的条件や経営資源管理の方策を明らかにできると考えられる。

たとえば、病院は固定費型事業、診療所は変動費型事業に区別でき、それゆえ、経営管理の要点は同じではない。診療所、とくに無床診療所の経営の強みは軽装備で済ませられるところにあり、このことを理解せずに高額な検査機器を導入していては、月々の資金繰りに行き詰まって「倒産」する恐れがある。実際のところ、病院よりも診療所のほうが倒産件数ははるかに多い（図表8－1）※。しかも、昨今の倒産状況を全産業と比較すると、医療業では開業から20年を超えたところほど倒産可能性が高まるという特徴が見て取れる（図表8－2）。このことからも、医

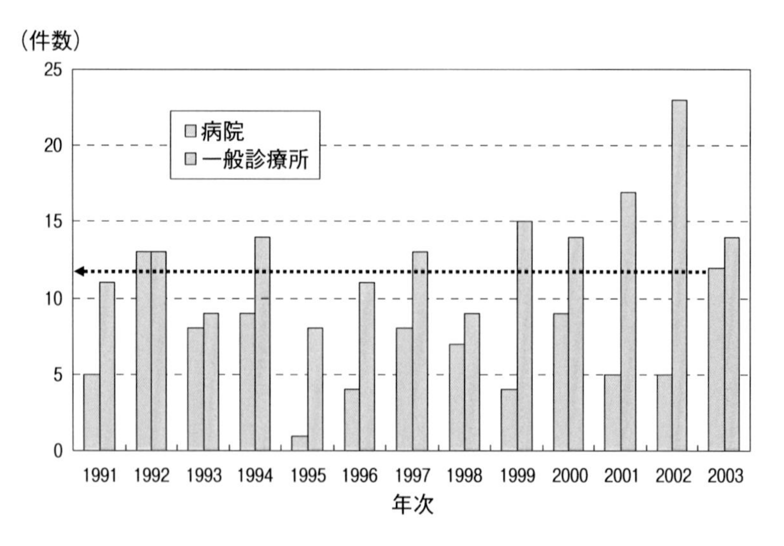

図表 8－1　医療機関倒産の倒産件数の年次推移
資料：帝国データバンク企業倒産統計（負債額1,000万円以上の倒産を集計）

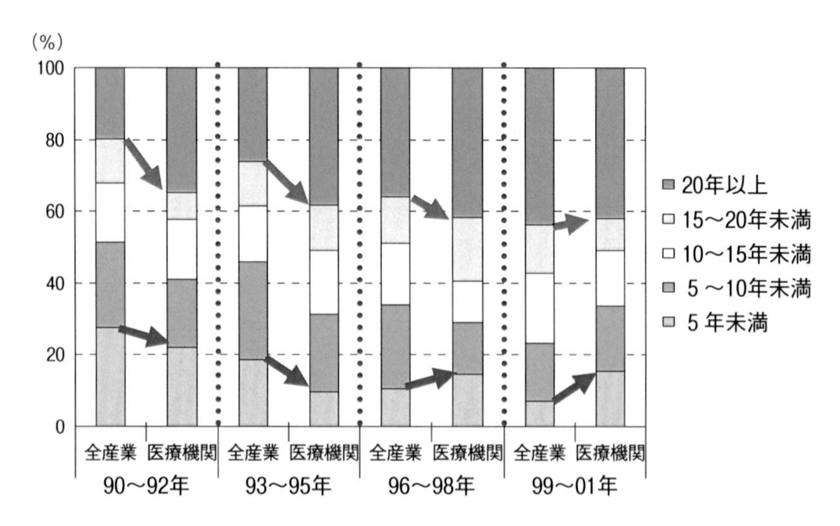

図表 8－2　業歴でみた倒産の動向（全産業 vs. 医療機関）
資料：帝国データバンク企業倒産統計（負債1,000万円以上の倒産を集計）
作成：武田浩二

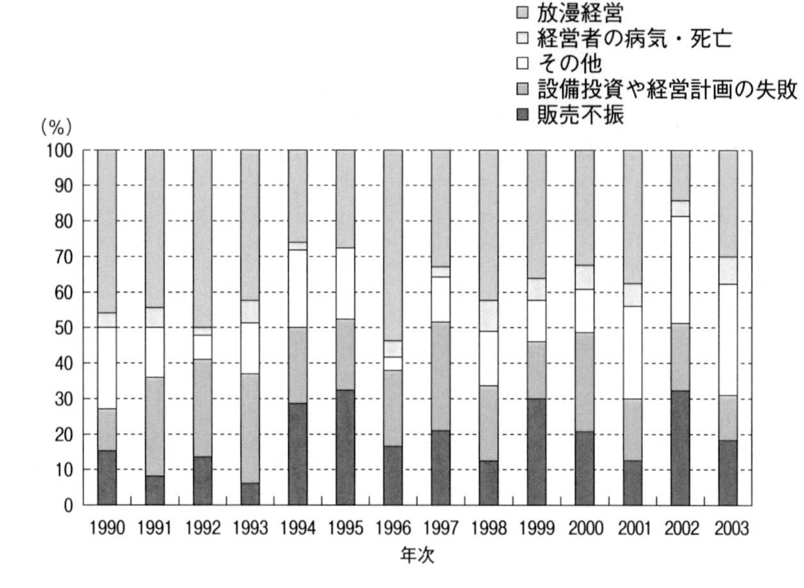

図表8－3　医療機関の倒産原因別割合年次推移

資料：帝国データバンク企業倒産統計（負債額1,000万円以上の倒産を集計）

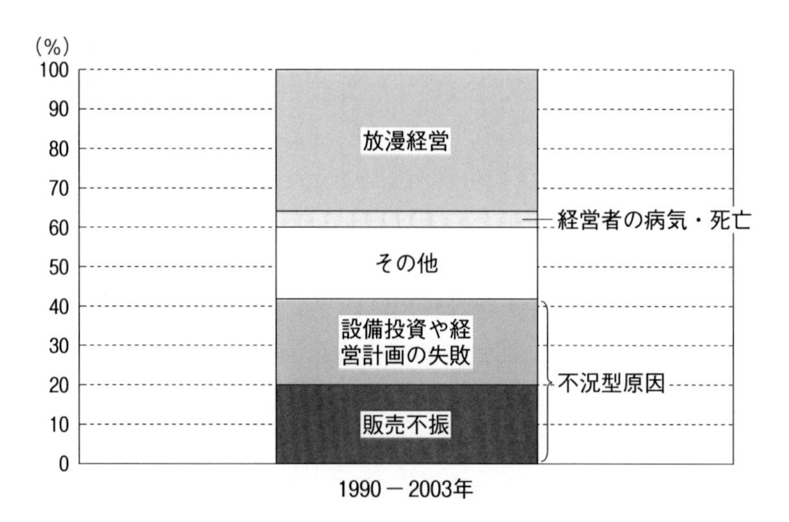

図表8－4　医療機関倒産の原因別割合

業の持続を念頭に置いた経営の在り方の研究が急がれるものと考える。かつては医療機関の倒産というと、ほとんどが放漫経営の結果であった。ところが、近年は不況型倒産が目立っており、放漫経営による倒産とほぼ同じ割合にまで増加した（図表８－３、４）。

※病院倒産の統計というのは公のものはなく、民間の株式会社帝国データバンクや株式会社東京商工リサーチが発表するものを参考にしている。なお、両社が発表する年間倒産件数については一致しないことが多いが、これは先に説明したように「倒産」は厳密な学術的定義によるものではないことも理由の一つである。そのため、同じ会社が発表する倒産件数であっても、「法的整理」のみを集計していることがある。この他に、東京商工リサーチによると、倒産原因については、後日になって当事者などから異議申し立てがあった場合にも変更しないということで、これは事態と深く関わる銀行・金融業が採っている方針と同じであるという。また、帝国データバンクなど他社の企業倒産統計との間で件数の差が現れることがあるのは、主として年度をまたいだ倒産の場合に、どちらの時期にカウントするかによるものだという。いずれにしても社会経済事象の動向把握には有用であるので、年次比較などのときに注意して使いたい。

エピソード17
「倒産」という用語

じつは、倒産という言葉は、厳密に概念規定された法律的な用語でもなければ、経済学の用語でもない。じつは、信用調査会社の東京商工リサーチが1952年に倒産統計を開始して以来、頻繁に使われるようになった言葉である。そのため時代の変遷とともに定義の見直しがあり、とくに2000年４月に事業再生の法律が施行されてからは、それまでの和議法・特別和議法は廃止となり、2011年現在のところ、次の七つのいずれかに該当した時点をもって、「倒産」としている。

1．不渡りで生じる銀行取引停止処分
2．会社更生法手続き開始…規模の大きい株式会社倒産の場合が該当
3．商法に基づく会社整理…裁判所の監督下で再建を図る
4．民事再生法手続き開始
5．破産申請…事業の解体が前提
6．特別清算開始…通常清算より厳格な手続き
7．内整理（私的整理）開始…裁判所の監督外で債権債務処理、また

は清算

東京商工リサーチの企業倒産統計の中で、倒産原因を特定するにあたっては、調査現場の担当者の経験則に一任しているため、不正確、あるいは恣意的ではないかとの批判もある。しかしながら、何十年にもわたって、全産業の企業倒産を扱っていることなどから、一概にその経験則を不正確などと断ずることもできない。そして、科学と実学の両面を持つ経営学にとっては、問題点に留意しつつ、倒産統計から経営事象の分析を行うことは意義深いと考える。

第3節　病院経営持続性の指標

前章で紹介したK点分析に取り組んだ当時、著者の脳裏には、繰り返される医療制度改革のもとでも一向に増加の伸びが止まらぬ国民医療費と1991年以降から病院数が急減する状況を目の当たりにして、わが国の医療提供体制が破たんするのではないかとの危惧の念があった。その危惧は今も変わらない。

病院事業者に限らず、事業経営者が年度計画を立てたり、その年の業績目標を想定するときには、前年度までの収益動向を参考にするのが一般的だ。そこで、当時の病院事業者の心理をマクロ的に見たときには、図表8-5のように病院一施設当たりの平均的な収益が増加傾向であるとの感覚を抱いていたものと思う。そのような中で、突然ブレーキがかかったりすると、見込みが外れて資金繰りに問題を生じることが懸念される。資金繰りの行き詰まりは、いわゆる倒産を意味することから、2002年度に行われた診療報酬の実質マイナス改定のときには病院倒産の増加が懸念された。実際のところ、その後の年次では病院倒産が増えた。

なお、介護保険制度がかつて高齢者医療費とされた支出の一部を肩代わりしたため、単純に国民医療費の動向だけで病院事業者収益の不振を断じることはできないが、介護保険へ転嫁した分を考慮しても、2002年度には医療費増加傾向が頭打ちとなったものとみられる。参考までに、介護保険に転嫁した従前の高齢者医療費分と合わせた「調整国民医療費」

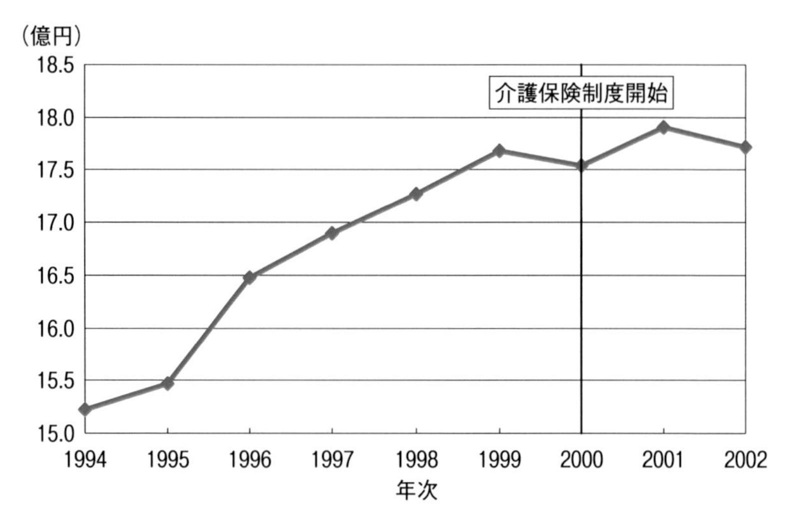

図表８－５　病院一施設当たりの平均収益の動向
注：国民医療費中の病院医療費を全病院数で割った。

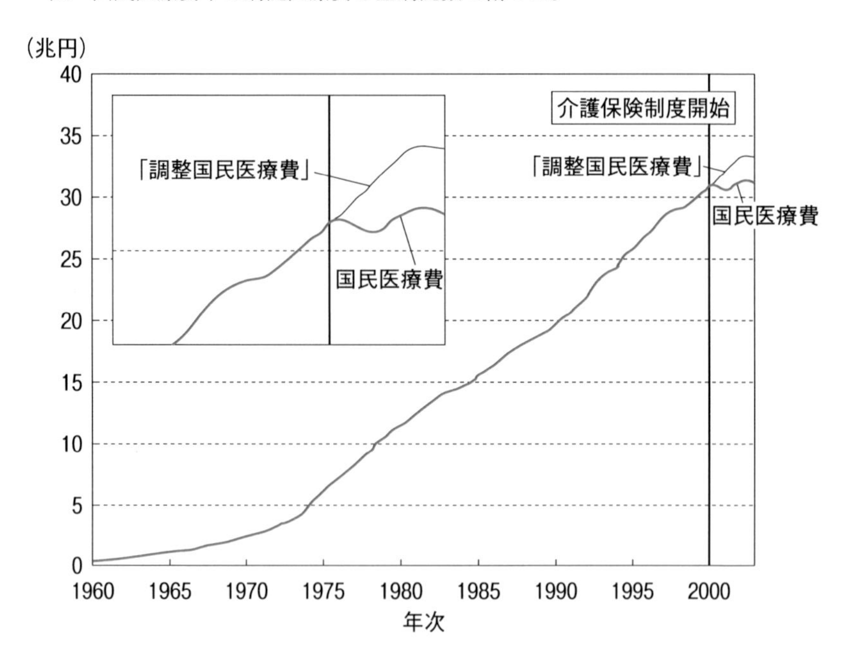

図表８－６　国民医療費に介護保険転嫁分を調整した総額の動向
注：2003年度は推計額

を図表８−６に示す。

「調整国民医療費」の動向で観測すると、行政の制度経営側が2002年度に急ブレーキを踏んだことが確認され、また、2003年度には慌ててブレーキから足を離したかのように見える。医療費の増加傾向に歯止めが利かなくなれば、いうまでもなく国民に対して医療提供を保障する国民皆保険制度は破たんするが、他方で、資金繰りに窮した病医院が数多く倒産や閉鎖に追い込まれても、やはり国民皆保険制度は破たんする。なぜならば、医療提供施設が極端に減少すれば、介護保険制度の施行時に議論となった「制度あってサービスなし」の事態に陥りかねないからである。

一般的には、資金繰りの見込み違いがあっても、即時に支払いに窮して倒産することはなく、たいていは資金繰りの悪化が続いた挙句に倒産となる。その意味では、病医院の場合も、何年も続けて急ブレーキを踏まれたならば倒産は目に見えて増えることが予想されるため、制度経営側の舵取りの難しさが増している。

このような事態は、昨日今日になって初めてわかったことではない。80年代半ばのいわゆる第１次医療制度改革から数えても四半世紀が過ぎている。この間、病医院の経営責任者たちは多くの制度上の変革を経験してきた。とくに、事業規模が診療所よりも平均で20倍近くとなる病院の経営責任者たちは、本格的な事業経営術を採り入れる必要性に気付いていた。しかし、事業規模が大きいとはいえ、平均で20億円程度の収益というのは、一般産業界からすれば中小企業の水準であるため、経営を人任せにすることはできず、責任者である理事長、院長自らが経営を理解して、責任を持って手掛けることが求められる。

そのため、病院経営持続性の経営指標の要件として「どこの病院でも自らで容易に計算ができること」や「病院経営者自らが理解して、その結果、病院経営持続の意思を自問自答できること」が挙げられる。

第４節　病院経営持続性を診る取り組み

わが国では20人以上の患者を収容する医療施設を病院と定義している。そのため、下限は20床と決められながらも上限はなく、大規模なところでは優に1,000床を超え、これら全てが「病院」と一括りにされる。

病床規模は病院の経済規模の違いに直結するため、50倍以上も差がある組織を同列に比較することは、経営管理学的には無意味といえる。たとえば、一般的な経営指標である流動比率（＝流動資産÷流動負債）は支払能力、つまり財務の安定性を診るものであるが、実際にこの比率の改善を促すとなったときに、分子も分母も小さい20床規模の病院とその数十倍の規模を持つ病院とでは、キャッシュ・フロー管理や組織体制が違ってくるのは当然である。

そのようなことを念頭に置きながら、病院の経営指標においては、事業規模の影響を除いた比較ができるように検討しなくてはならない。事業規模の相殺にあたっては、病床当たりの値を用いるほか、常勤換算された医師や看護師１人当たりなど、いくつかの調整方法が考えられるが、要するに、病院の施設や機能の情報を取り込んだ経営指標を探すことになる。

もっとも、第６章でも触れたとおり、既存の統計ではこのことがかなわなかった。たとえば、「医療経済実態調査」には病院の財務資料が載っており、「医療施設調査」には病院の施設や機能の資料が載っているものの、両者を統合した統計資料はない。また、既存の統計が公表するのは、あくまでも加工された平均値であり、個票データに遡った分析を手掛けることはまず不可能であった。

1996年頃のことだが、著者は「医療経済実態調査」と「医療施設調査」の項目を同一病院から得たデータを分析できれば、病院業を続けようとするときの事業者側の経営条件が見つけられるのではないかとの期待感を持ったことがある。そこで、研究プランをもって関係各機関に折衝を試みたが、「医療経済実態調査」の目的外使用は許されないとの堅固な姿勢があったため、どうにもならずプランが頓挫したという経験がある。

しかし、2002、2003年に医療経済研究機構が行った「病院機能に応じた経営指標に関する実証的研究」では、病院機能や施設の情報を取り込んだ経営指標を探索するために、「医療経済実態調査」と「医療施設調査」の両方の項目を備えたアンケート調査を全国の民間病院を対象に独自に実施した。

この研究に参加した著者は、かつて医療経済研究機構の研究主幹として1996〜97年に手掛けた「病院経営持続性研究」の中で限られたデータを使って試みた病院経営持続性を診る経営指標の探索結果について、あらためて検証するとともに、他にもそのような経営指標がないかを調べてみた。

ちなみに、「病院経営持続性研究」の報告書冒頭で、著者は、減少傾向が止まらないわが国病院の今後の経営を念頭に置き、「病院業の行き詰まりを回避して医療提供を続けるための条件を明らかにする必要」があり、そのために病院経営持続性の研究が必要になると記した。そして、著者はこの報告書にある五つの分担研究のうちの四つに関わり、そのうちの一つで、単独で手掛けた「TKC データを参照した経営業績別病院群分析」では、新たに定義したいくつかの経営指標が、赤字病院と経営限界病院（赤字病院の中でも特に経営状態の悪い病院を指す）とを峻別するのに有効であると見ていた。

しかしながら、税理士や会計士の事務所が集まる TKC の組織が集める当時の病院経営データは、その性格上、税申告書を作成するための財務データのみが載せられており、病院施設機能に関するものは皆無であった。そこで、別途に協力を得た24の民間病院の「許可病床数と病院収益との間の高い相関関係」を使って、TKC データに現れる四種類の業績群（経営優良、黒字、赤字、経営限界）の平均収益からそれぞれの群の平均病床規模を推定し、この推定病床数をもとに規模を相殺した病院業績群の経営比較を試みた。その結果、病床当たりの流動負債や固定負債が各病院群の業績の違いを顕著に表すことが見て取れた。しかし、これは TKC が収集する670病院についての加工値を参照したうえでの仮説にすぎず、また、TKC の顧客は小規模病院に偏るため、全国の病院について説明するものではなかった。詳しく知りたい方は、本書の前身版である「医療・福祉の経営学」（薬事日報社、2001年）の「第６章　経営持続性と財務のリスクマネジメント」を参照していただくとして、ここでは病院経営持続性を診る指標を探索する経緯についての紹介にとどめる。

第５節　全国の民間病院の経営データの分析

医療経済研究機構の独自の病院経営アンケート調査は、まず2002年10月から2003年３月にかけて行われ（以下、「2001年度データ」と呼ぶ）、全国の民間病院7,763施設を対象として1,277施設から有効回答を得た（有効回答率16.5％）。このうち財務データが揃うのは1,011施設であったが、その中には開設主体として医療法人病院、個人病院、公的・社会保険病院、学校法人病院などが含まれていた。

民間病院の括りとはいえ、開設主体による経営行動は大きく異なると考えられるため、著者が担当する分析では、対象を医療法人立の病院に限った。2001年度データでは、そのサンプル数は全部で603施設あり、黒字病院と赤字病院の比率は83：17となった。ちなみに、1,011病院全体での黒字病院と赤字病院の比率は81：19で、医療法人病院群と大差なかった。なお、2000年６月の医療経済実態調査において、有効な回答を寄せた医療法人病院の数は597施設であったから、分析サンプル数603病院というのは、ほぼこれに匹敵した。

かつての研究に倣い、病院事業経営の優劣について「おおよそ上、あるいは下」の目安、つまりベンチマークを定めるにあたり、図表８–７のような基準を設けた。今回は病院の個票データを揃えているため、TKCの業績分類のときとは異なる経営指標を採用し、また、経営指標だけでは「経営限界」というほどのクリティカルな判別は難しいと考え、呼称を「経営劣悪」に変えた。

このようにして得られた四つの業績別病院群、すなわち経営優良病院、黒字病院、赤字病院、経営劣悪病院についてそれぞれの群の間で、様々な指標を比較し、どの指標が群の違いを際立たせるかを調べた。ちなみ

経営優良病院は、黒字病院509施設のうち下記条件ごとに上位80％を選び、結果、黒字病院中のトップ4割を抽出する	経営劣悪病院は、赤字病院94施設のうち下記条件ごとに下位80％を選び、結果、赤字病院中のワースト4割を抽出する
◇簡便式付加価値当たりの人件費比率＝人件費÷(経常利益＋人件費)で上位80％　⇒509件中の407番目まで ◇自己資本比率＝資本合計÷総資本で上位80％　⇒407件中の326番目まで ◇総資本回転率＝総収益（医業収益＋医業外収益)÷総資本で上位80％　⇒326件中の261番目まで ◇流動比率＝流動資産÷流動負債で上位80％　⇒261件中の208番目まで	◇簡便式付加価値当たりの人件費比率＝人件費÷(経常利益＋人件費)で下位80％　⇒94件中のワースト76番目まで ◇自己資本比率＝資本合計÷総資本で下位80％　⇒ワースト76件中のワースト61番目まで ◇総資本回転率＝総収益（医業収益＋医業外収益)÷総資本で下位80％　⇒ワースト61件中のワースト48番目まで ◇流動比率＝流動資産÷流動負債で下位80％　⇒ワースト48件中のワースト38番目まで

図表8－7　「経営優良病院」と「経営劣悪病院」の抽出

に、2001年度データにおける、各業績別病院群のサンプル数は図表8－8のとおりである。

病院規模の調整を行っていないことを断ったうえで群間の比較をすると、収支差額（経常利益相当）の平均値は±1億円程度であったが、経営劣悪病院において群内の分散が大きかった。さらに、病床数（ただし、許可病床数）の平均をみると、各群の平均値は156床から178床ほどの幅があり（図表8－9）、病床数が多いところほど業績が悪いかのように見える。しかし、各病院群における病床規模別病院数の分布は非常に幅広く（図表8－10)、また、黒字病院の中の経営優良病院も、そして赤字病院の中の経営劣悪病院もともに病床規模別分布は似ており、大きな違いは見受けられなかった。

ちなみに、この頃のわが国病院の病床規模別分布は図表8－11のような連続性のある分布をしている。このことからすると、200床後半から

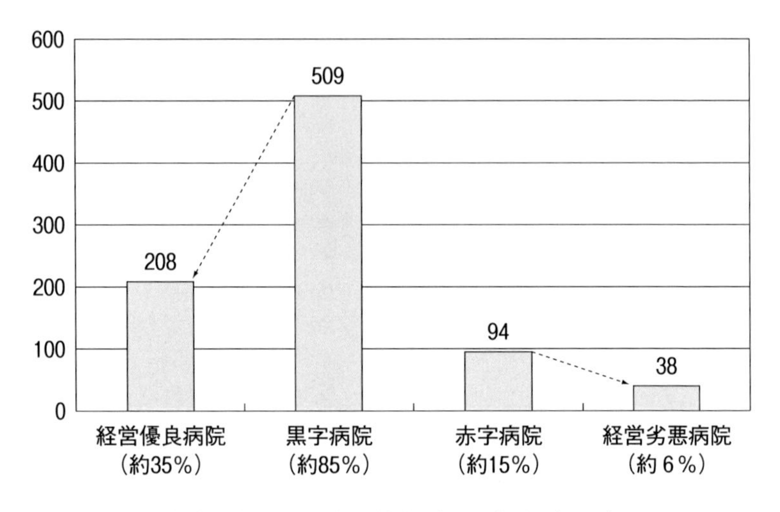

図表８－８　病院経営業績別施設件数（2001年度データ）

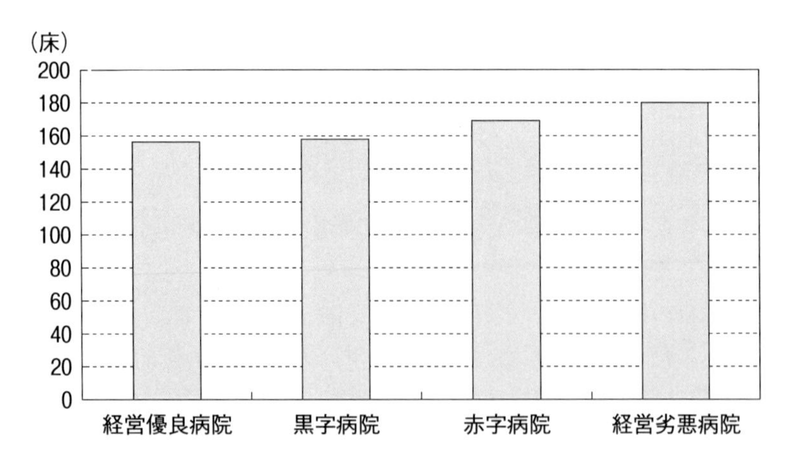

図表８－９　業績別病院群の平均病床数

300床未満や500床当たりの規模のところに赤字病院が現れていないことが目についたが、その理由としては診療報酬政策の影響が色濃く現れたからだと思う。診療報酬政策は医療保険制度改革に連動しており、昨今はダイナミックに変わる。それだけに、政府、すなわち制度経営側の動きを常に観察することが、わが国の医療経営においては欠かせないこと

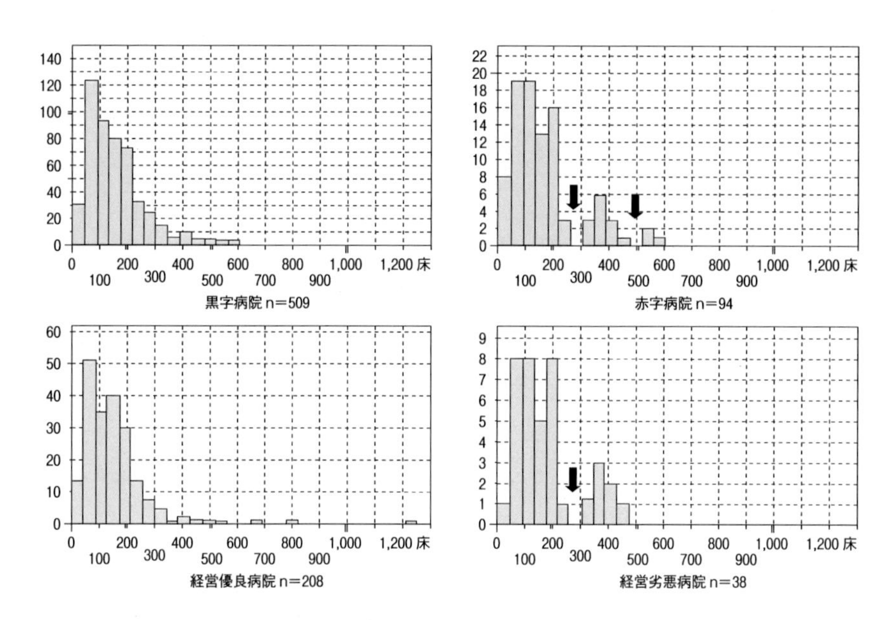

図表8-10　業績別病院群の病床規模分布

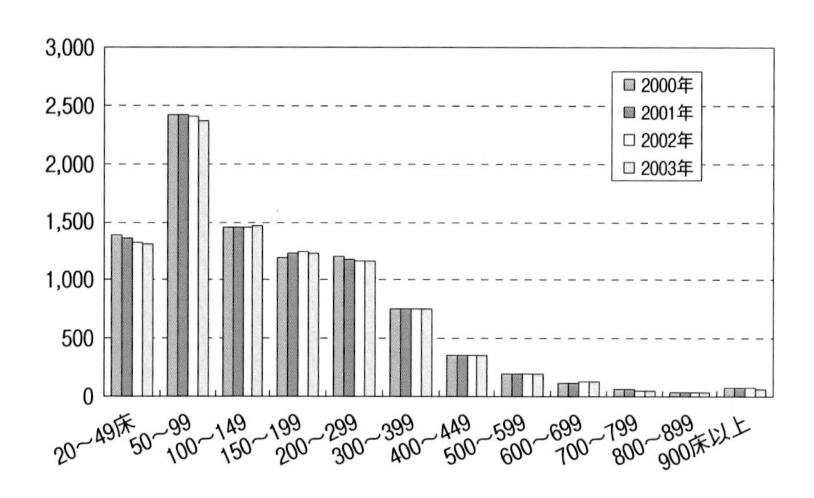

図表8-11　病床規模別病院数分布（2000-2003年）

が、このときの分析で確認できた。

病院経営では人件費管理が難しいとよくいわれるので、ここでも初段

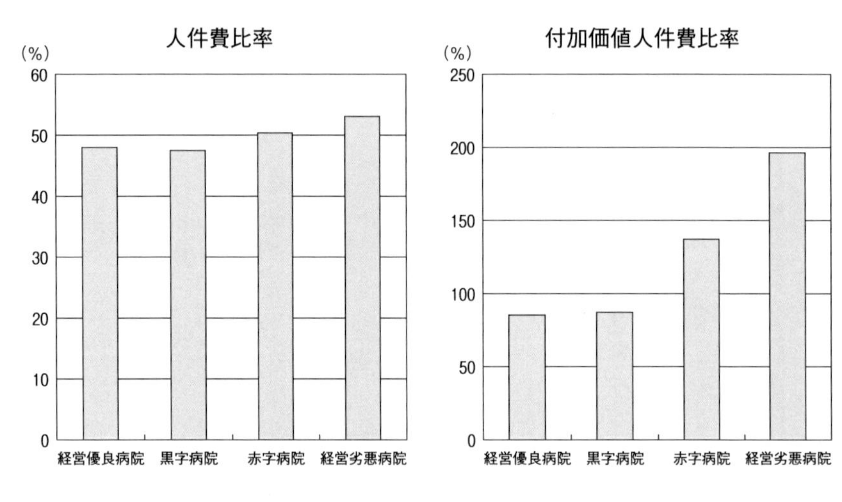

図表 8－12　業績別病院間の人件費比率

の業績振り分けにあたって費用効率を診るために人件費比率を採用した。ただし、一口に人件費比率といっても、その分母の取り方は多様である。この場合の「人件費比率」は、分母に総収益を取らずに、付加価値（今回は簡易式の付加価値＝経常利益＋人件費を採用）に対する人件費の比率をみた。念のために、一般的に使われる総収益当たりと付加価値当たりの人件費をそれぞれ並べたものが図表 8－12である。これを見てわかるように、付加価値当たりの人件費比率のほうが、業績別病院群間の差異が顕著であった。また、付加価値当たり人件費比率の分散が小さかったところから、より信頼性の高いベンチマークになると考えられる。

なお、業績別病院群を分類するために使った財務安定性を診る自己資本比率、資本効率性を診る総資本回転率、財務安全性を診る流動比率のそれぞれについて、各病院群の平均値をみると、自己資本比率は黒字と赤字の病院とで違いが目立つが、後の二つについてはそれほどではない。しかし、いずれの指標も、経営劣悪病院では他の三群と際立って低くなっていた（図表 8－13）。

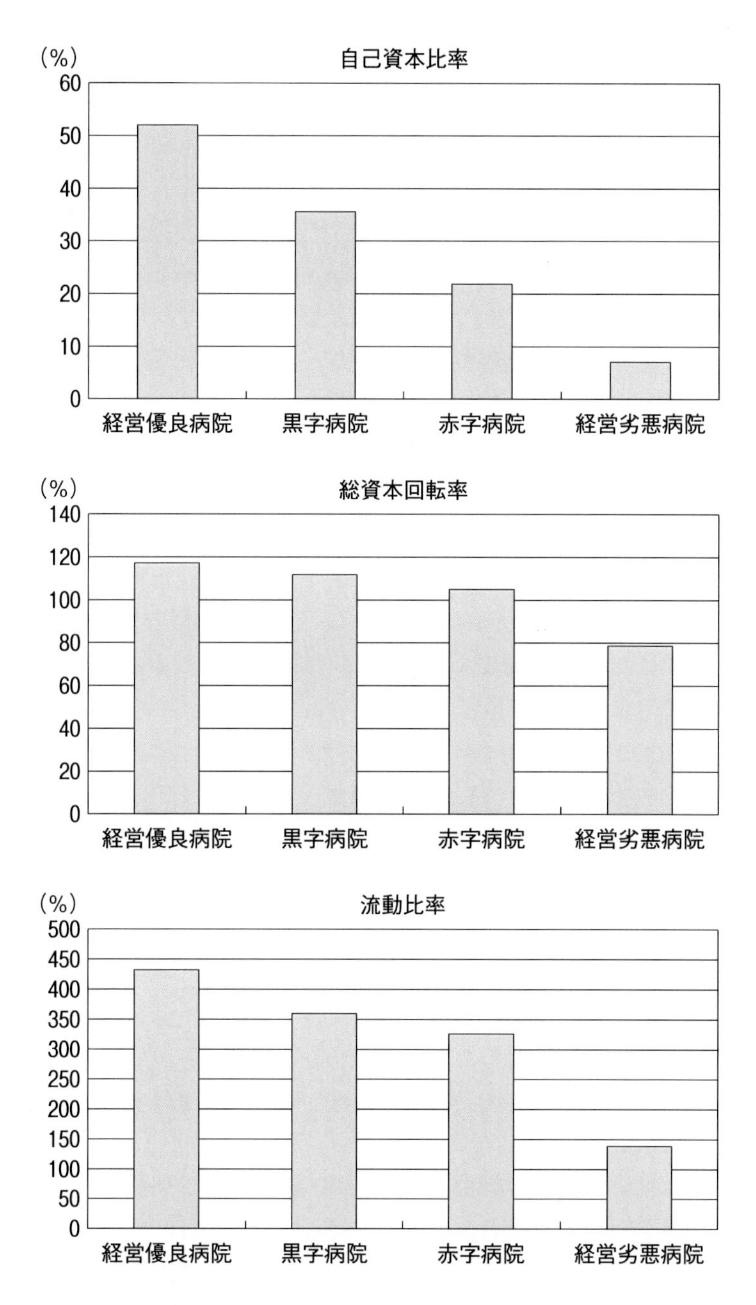

図表 8 -13　業績区別のために採用した経営指標

エピソード18
ベンチマークの原義

昨今、経営分析でいわれるベンチマークとは、そもそも「測量で、高低の基準となる水準点」を意味する英語“bench mark”に由来している。これは1980年代末から90年代半ばにかけて米国企業の経営復活ぶりを研究したリエンジニアリング（reengineering）の説明の中で、その意味が多少とも変化したと考えられる。リエンジニアリングは1990年代前半にわが国に紹介され、業務の抜本的改革などと訳されたが、具体的には「事業の再設計」ともいうべきものであった。そこでは経営改革の比較対照を同業以外にも拡げた成功事例をベストプラクティス（best practice）と呼び、その秀でた面を示す指標を探り当てて、その水準を目指すことを指してベンチマーキング（benchmarking）といったりした。

このような経緯を振り返り、本章に紹介する病院経営持続性のためのベンチマークの探索では、原義に戻った「高低の基準となる水準点」の有無を見出すために、視覚に訴えた単純な棒グラフによる相対的差異を検討することに終始してみている。

第６節　従来の病院経営指標の検証

第４節の始めに述べたように、病院の規模を考慮せずに業績値を比較することは、もともと無理がある。そこで、病床数で規模調整した指標を使って分析を進めた。

病床当たり収益については、黒字病院と赤字病院との差異は総収益、医業収益とも１％程度であり、しかも経営優良病院と経営劣悪病院との間でもほとんど差はなかった（図表８-14）。サンプルデータの分散がかなり小さい点からも、病床当たり収益は、病院業績を説明する指標にはならないと思われる。

一方、以前の研究でも指摘していたが、経営業績が悪化するほど病床当たりの流動負債や固定負債は大きくなっている（図表８-15）。ただし、病床当たり固定負債は、以前の分析結果同様、経営劣悪病院は他よりも目立って多いものの、そのサンプルデータの分散はかなり大きかった。

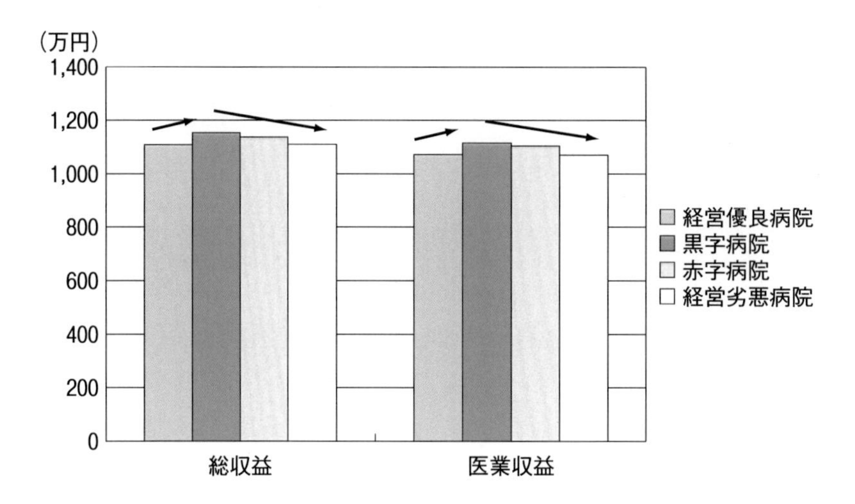

図表８－14　業績別病院群の病床当たり収益

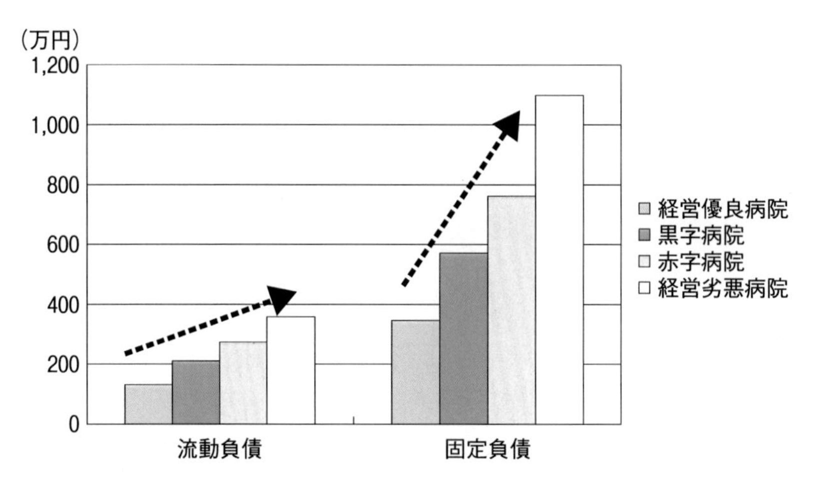

図表８－15　業績別病院群の病床当たりの流動負債と固定負債

このことから、両者とも病院業績を説明する有力な指標候補であることがあらためて確認できたが、病床当たりの流動負債のほうがより信頼性が高いと考えられる。

　このほかにも規模相殺の方法として、病院が揃える専門職１人当たり

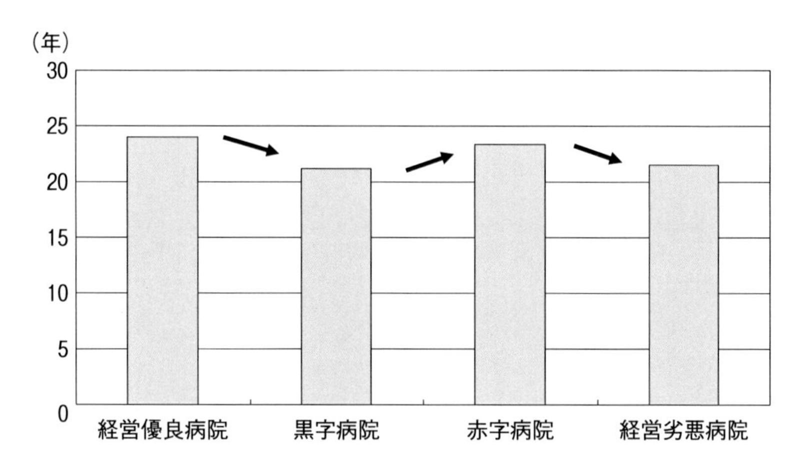

図表 8-16　業績群別病院業暦年数

病床数を採り、これが投入費用当たり効率を診る代替指標になり得るかを調べてみた。つまり、病院に勤務する医師、看護師、薬剤師などの専門職の投入効率が一様か否かを確かめてみたが、業績別病院群の間には特段の差異は現れなかった。その理由として、これら病院の専門職は、もともと医療法によって人員配置基準が定められていることから、この指標では病院の経営業績を診るのには特段の説明力がないためだと考えられた。

このとき収集した病院データでは、一般的な財務データのほかに病院施設運営内容についても回答協力が得られており、それらの項目についても四つの業績別病院群間での差異を調べた。

まず、主な病棟の建築年をもとに、2001年までの経過年を業暦と想定して、各群の平均年数を見たところ、いずれもが20年以上で、しかも業績間の差異は見られなかった（図表 8-16）。外来患者数については、どちらかというと少ない病院のほうが業績は良いが、赤字病院に限れば、より業績が悪い経営劣悪病院の外来患者数は少なかった（図表 8-17）。これは病院の外来機能を縮小し、本来の入院業務に専念させようとする行政による政策誘導の影響とも見て取れる。ただし、経営劣悪病院の外来患者数が少ない原因については、集客能力の問題などの別の理由が考

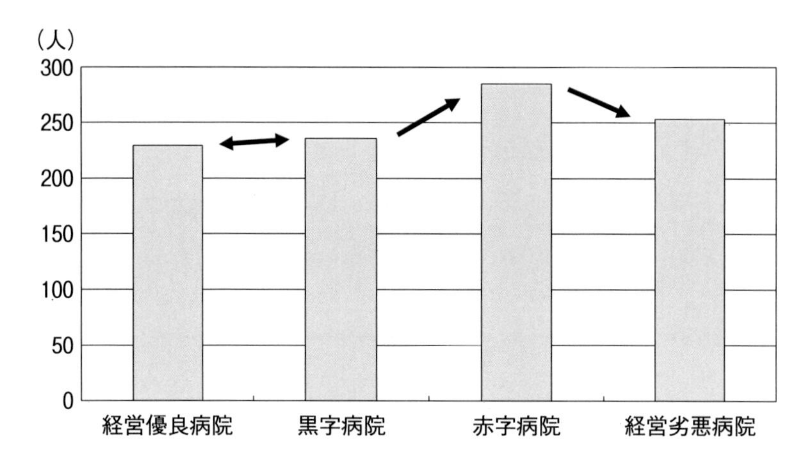

図表８-17　業績別病院群の外来患者数

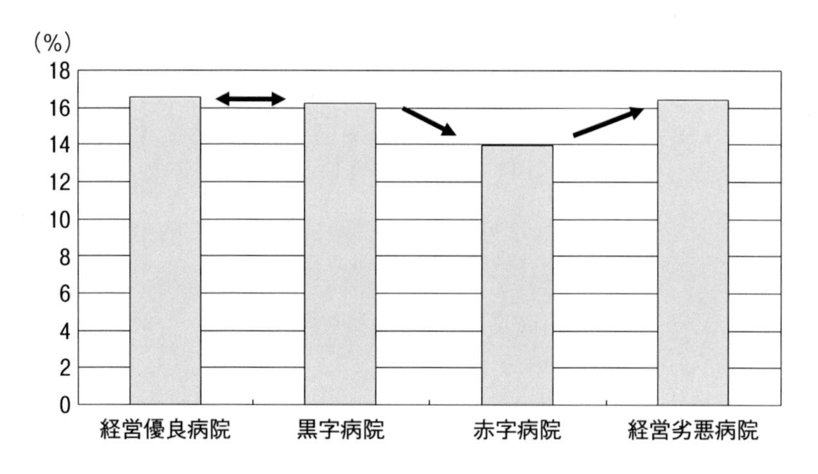

図表８-18　業績別病院群の紹介率

えられるため、この指標で業績を単純に比較するのは無理があるように思える。このほかにも、紹介率の平均値は２％程度の違いしかなく、また、業績群間での法則性も見られなかった（図表８-18）。

病床利用率については、一般病床では約８％の差があるが、療養病床ではせいぜい３％ほどである。また、精神病床では病床利用率による業績差異に法則性はなかった（図表８-19）。これまで病院経営良好の目安

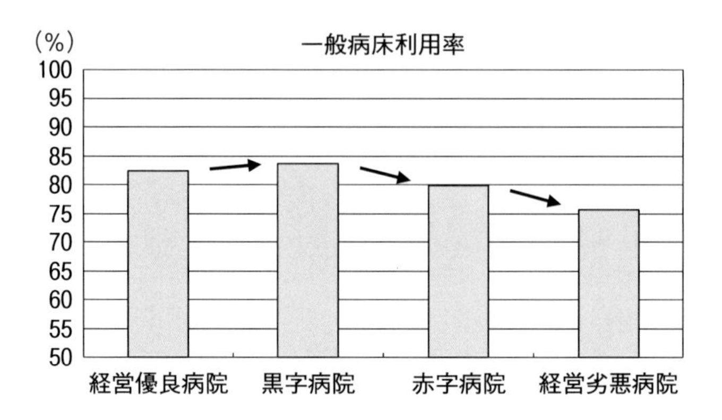

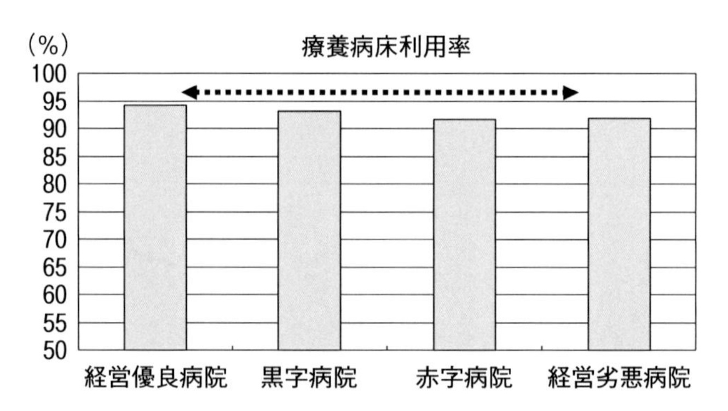

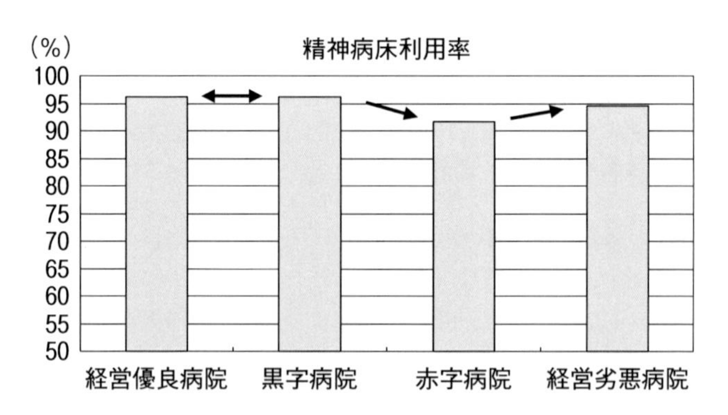

図表8-19　業績別病院群の病床利用率

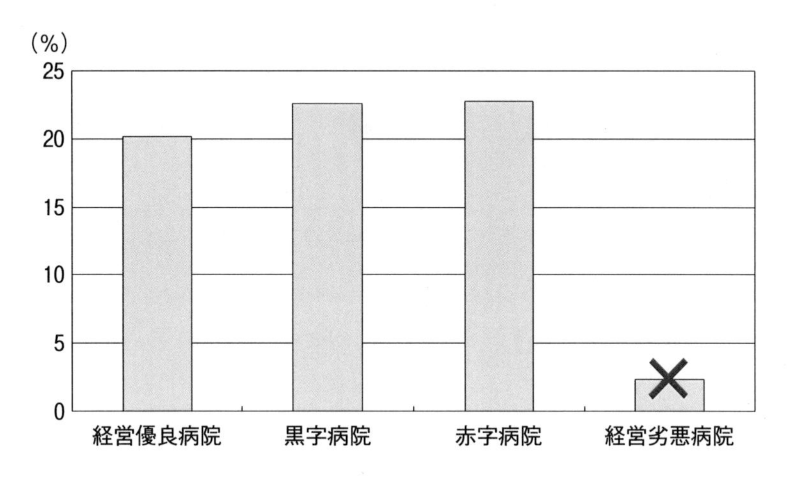

図表8-20　業績別病院群の外来入院比率

とされてきた病床利用率ではあるが、一般病床はともかくとして、療養病床や精神病床では必ずしも業績の良否の目安にならないことが示唆された。

外来入院比率については、黒字と赤字の病院群の間にほとんど差異はなかった。もっとも、赤字病院の群においてこの比率を回答する施設が少なく、とくに経営劣悪病院の群では3施設の回答しか得られなかったため、実際のところ、この群についての比較検討は不可能であった（図表8-20）。

この病院アンケート調査の初年度に収集した2001年度分データベースには、研究委員会から医療経済研究機構のスタッフに要請して、病床過剰率データを後から外挿してもらった。これは当の病院の所在地を参照して、その立地の二次医療圏ごとの必要病床数に対する既存病床数の割合を表示したものである。この病床過剰率について業績別病院群の平均値をみると、赤字病院のほうが黒字病院よりも病床過剰率が高い、すなわち病床過剰地域では経営が難しいという予想どおりの傾向を示した（図表8-21）。ただし、ともに平均して過剰地域に立地しており、過剰率にも大差はない。しかも、経営の優良病院と劣悪病院ではそれが逆転して、経営優良病院は赤字病院と同程度の病床過剰地域で良い業績を上

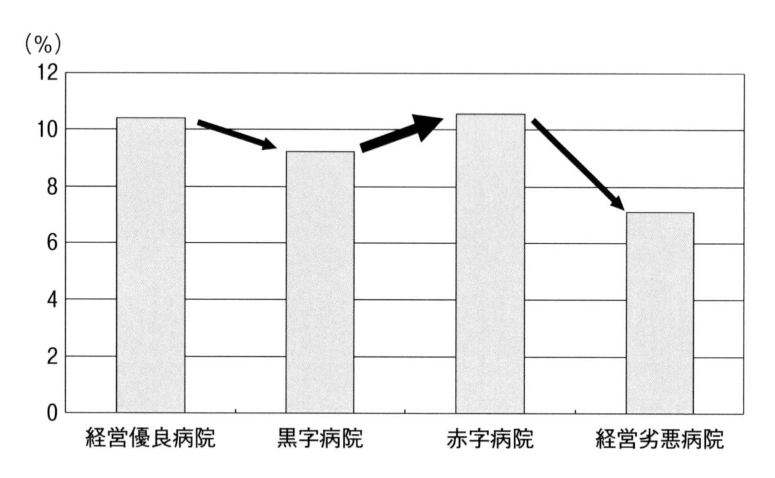

図表 8 -21　業績群別病院の病床過剰率平均

げているかに見える。さらに、経営劣悪病院は黒字病院よりも低い病床過剰率の地域で運営しながら、最も悪い業績になっている。詰まるところ、病床過剰率の指標では、病院業績の良否を一概に断じることはできなかった。

このように、財務以外の諸々の事柄を測るとされる一般的な病院の経営指標といっても、必ずしも病院業績の良し悪しを判ずるには十分ではないとの結果であった。

2000年代に入ってようやく進み始めたわが国の病院経営の研究ではあるが、あらためて振り返ってみると、従来使われてきた各種の病院経営指標は、じつのところ、十分に検証されていなかったのではないかとの感想を持ったのが、このときの研究結果であった。

ここで紹介した、医療経済研究機構の独自収集による病院経営データに基づく分析研究の報告書が公表されたのは2004年暮れのことで、また、著者が行った分析を専門誌において一般に公表したのは2005年のことであった。その後、各所で病院経営指標の検証に関心が持たれるようになったと聞いているが、それでも検証が不十分なままの従来の病院経営指標を使って病院の経営ぶりをランク付けしようとする団体や組織が現れている。そのような団体の目的は、主として融資や投資の対象となる病院の経営の良し悪しを判じることにあるようだが、社会のために急がれるのは病院と金融機関の双方でコミュニケーションを図って信頼関係を高める努力をすることであり、そのための共通用語としての適切な病院経営指標を探すことが重要だと考える。

第７節　医療法人病院の費用バランスと経営持続性

2003年度に引続き行われた医療経済研究機構による次年度調査では、2002（平成14）年度分の民間病院の経営データが集められた。2002年度は、国民皆保険の達成以来初めてとなる診療報酬の実質マイナス改定が行われ、さらに年度途中の10月には70歳以上高齢者の自己負担の完全定率化が実施されていた。そこで、医療法人病院の経営状況について、2001年と2002年の両年度を比較した病院経営持続性を診る指標について検証してみた。

2003年度の病院アンケート調査結果（以下、「2002年度データ」と呼ぶ）では、前年同様に全国の民間病院を調査対象とし、1,179施設から有効回答を得た。そして、著者は前年度と同じく、経営行動が近似していると考えられる医療法人立の病院に限った分析を行った。この2002年度データのサンプル数は695施設である。黒字病院と赤字病院の比率は76：24となり、予想されたとおり、赤字病院の割合が前年度より９ポイントも上がっていた（図表８-22）。

前回と同じ方式により、黒字病院の中のトップ４割の層を「経営優良」な病院とし、赤字病院の中のワースト４割の層を「経営劣悪」な病院とした。そして、四つの業績別病院群、すなわち、経営優良病院、黒字病院、赤字病院、経営劣悪病院の各群の間で、先の分析で有力と目された病院経営持続性を診る経営指標についてあらためて検証した。

2002年度データでは、不備なく揃う医療法人病院のサンプル数は前年度よりも92増え、病院経営業績に優劣を付けたデータ件数の分布は図表８-23のようになった。

病床規模（ただし、許可病床数）は、黒字病院、経営優良病院ともに20床から1,051床まであるが、各群の平均病床数は162床と157床となっ

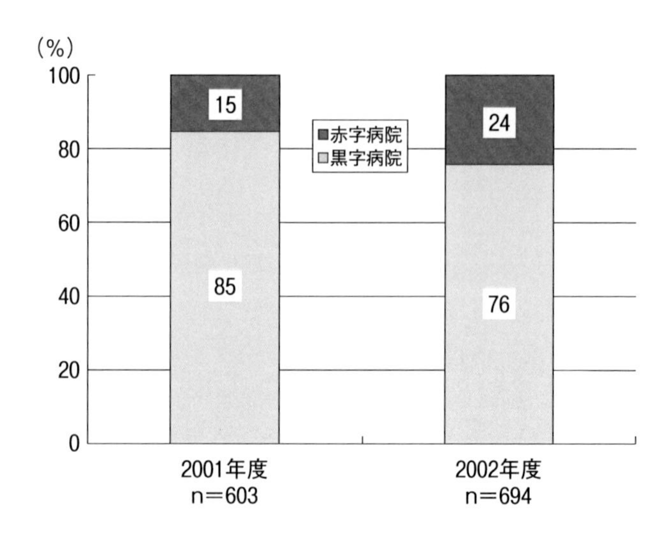

図表８−22　医療法人病院の黒字・赤字割合の変化

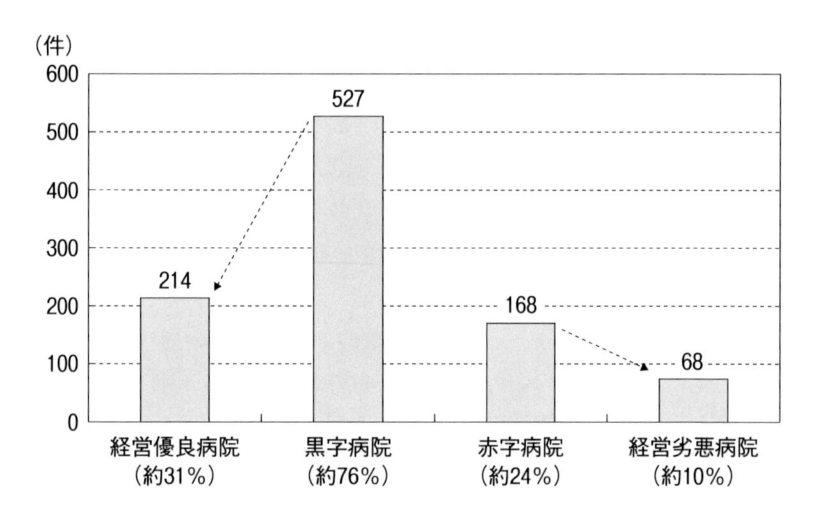

図表８−23　2002年度の病院業績分類のデータ件数

ている。また、赤字病院と経営劣悪病院については、前者が20床から668床、後者が20床から579床となっており、それぞれの平均病床数は148床と152床となっている。このように、病床規模の分布が幅広いこと

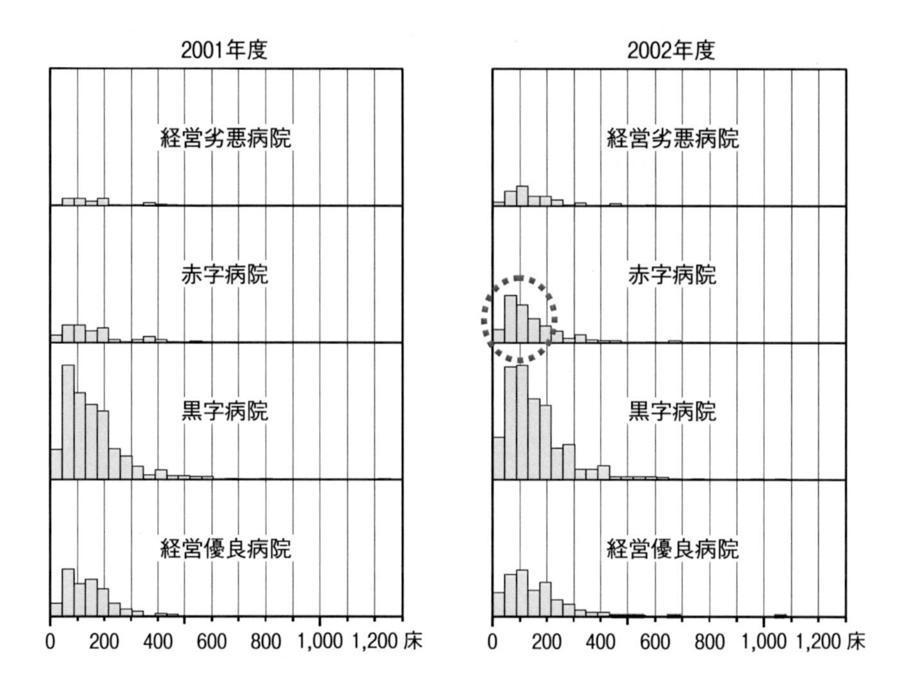

図表8-24　業績群別病院の病床規模分布

からも、やはり病床規模を調整せずには病院経営業績の優劣を論ずることはできそうにない。なお、業績別病院群内の病床規模分布を年度間で比較すると、経営が厳しくなった2002年度には100床前後で赤字病院の数が膨れ上がっていることが観察できる（図表8-24）。このことは診療報酬改定の影響を強く受けたのがこの辺りの規模の病院であることを示しており、医療提供を持続させるための努力を払わねばならない制度経営側、すなわち政府政策側が慎重に観察しなければならないセグメントであることが示唆された。

業績別病院群の平均収支差額、いわゆる経常利益は前年度同様に±1億円程度であった（図表8-25）。ただし、年度間で比較すると、群間の平均収支差が縮小しており、このことは制度経営側の大きな処断であった診療報酬実質マイナス改定や高齢者の自己負担完全定率化に対して、事業経営側である病院が情報収集などの何らかの備えをしていた結果と

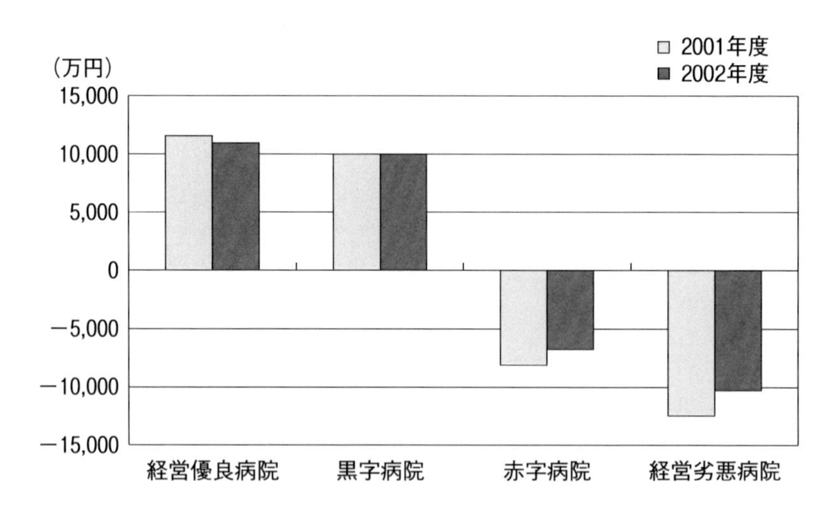

図表 8 -25　年度間業績別病院群の平均収支の比較

も考えられた。ちなみに、群内の経常利益の分散も小さくなっている。

2001年度データの分析から、経営持続性を診る有望なベンチマークと考えられた病床当たりの流動負債と固定負債について、2002年度データを用いて確かめてみた。その結果、経営業績が悪化するほどこれらの指標は大きくなっていた（図表 8 -26)。病床当たり固定負債は、これまでの分析結果どおり、経営劣悪病院は他よりもかなり大きい。ただし、年度間で比較すると、2002年度は赤字病院も大きな数値を示している。

参考のために、これら指標の分散をみると、病床当たりの流動負債の分散は小さく、他方、病床当たり固定負債の分散は大きかった（図表 8 -27 a、b)。つまり、前者のほうが後者よりも経営指標としての信頼性は高いと考えられる。いずれにしても、民間病院の経営行動をかなり純粋に示すと思われる医療法人病院の経営が安全・安心の域にあるか否かを診るときに、これら二つの指標は有効であると考えられる。

ところで、2002年度データを分析している際に、業績別病院群の振るい分けに採用した四つの経営指標のうち、総資本回転率については再検討の余地があることに気付いた。つまり、合法の範囲内とはいえ、意図的に赤字決算を謀ろうとする病院があった場合、それなりの収益（売上)

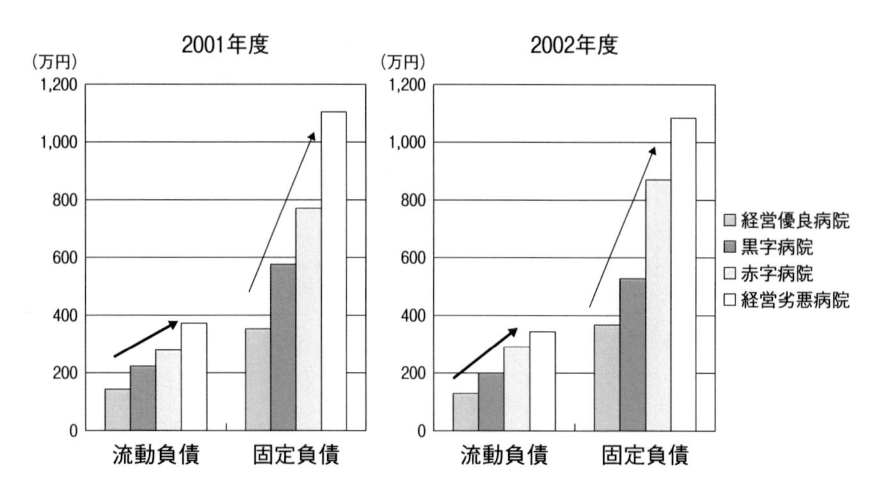

図表8-26　業績別病院群の「病床当たり」の流動負債と固定負債

を上げたにもかかわらず、結果としてその期の損益で資本を減らすために総資本回転率の分母が小さくなり、この比率が赤字病院の中で不自然に大きくなるからである。

具体例を挙げると、2002年度データの中にあった50床規模の病院の場合、総収益が7億6,000万円、経常利益が2,900万円の赤字となっていた。ところが、費用項目をみると、対売上高人件費比率は黒字病院の平均値よりも良好であることが目についた。そこで、この病院を赤字病院の中で業績の振るいにかけると、付加価値人件費比率は良好であったが、赤字分が資本を減らすために自己資本比率が極端に悪く、その一方で、次の振るいである総資本回転率が極端に大きな数値となっていた。その原因を探った結果、赤字となった理由として、減価償却費の3,300万円と役員報酬の3,200万円という二つの経費項目が浮かび上がった。

これらの費用項目で（とくに役員が親族である場合）まず外部への支払い上は問題が生じないと思われるが、事業規模の割に大きな赤字を計上したことで自己資本がマイナスに転じ、その結果、総資本額が6,900万円にまで減少している。そのため、総資本に対する収益高を診る総資本回転率が異常に大きくなったわけである。最後の振るいとなる流動比

a．流動負債

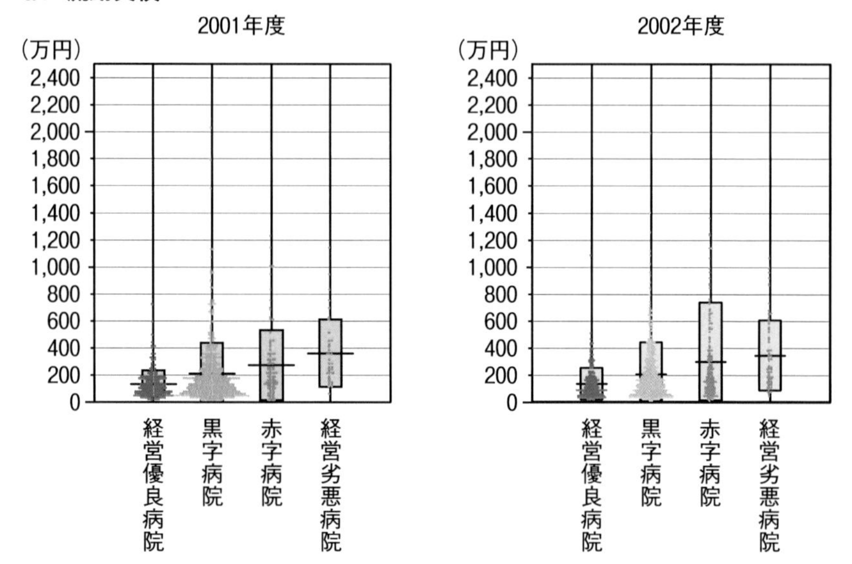

b．固定負債

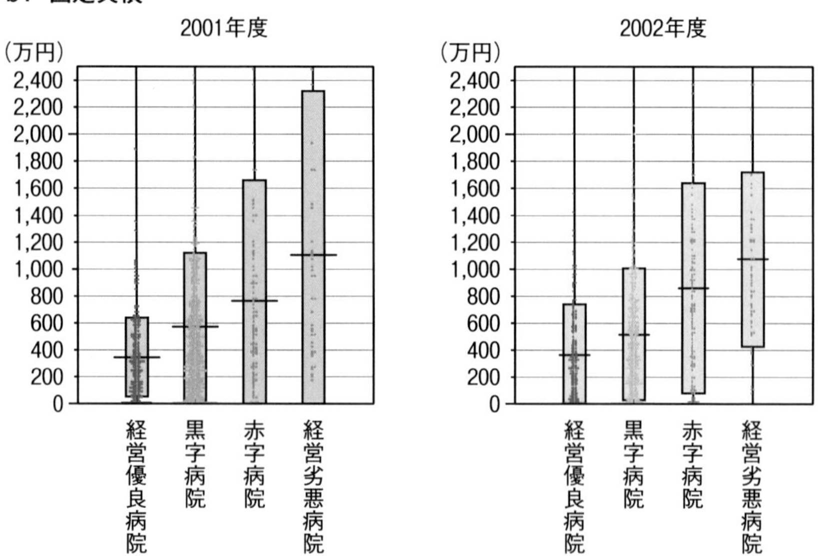

図表 8-27　病床当たり流動負債、固定負債のデータの分散の様子

率は324％となっているが、これは赤字病院群と黒字病院群の平均値の中間的な数値であり、結局、この病院の場合には、赤字病院の総資本回転率の平均値を嵩上げしたうえで、経営劣悪病院の群からは外れた。

ちなみに、この病院の場合、資金繰りあるいは給与経費上の問題点はなく、むしろ意図的に赤字決算を行ったとも考えられる。これが金融機関などから与信を得て借入する必要性に迫られているようならば、このような見栄えの悪い財務決算書を作成しなかったであろう。そのように考えると、おおよそ金融機関の助けを求めていないという意味では、経営劣悪病院相当ではなく、スクリーニングはできていたことになる。

以上のことから、税務上合法的に行われた赤字決算の事例が赤字病院群に混入する可能性があるため、業績別病院群の平均財務指標は、この場合の総資本回転率のように嵩上げされて現れる場合があり得ることに注意が必要である。より正確に病院経営の実際像を映し出すためには、キャッシュ・フロー分析の要素を業績群分けの指標に採用することなどを検討しなくてはならないだろう。もっとも、そのときに算定が複雑すぎて、目的とする理事長や院長による自己診断の指標には使えないというジレンマもある。

さて、2001年度データを分析していたときにも気付いていたのだが、2002年度データでも同様な傾向が現れたので、以下に紹介しておく。

図表８-28に示すように、業績群を問わず、医業費用に占める主な費用項目の割合にはほとんど差異がない。それどころか、病院経営でよく注目される人件費（給与、法定福利費、退職給与引当金繰入のほか、ここでは役員報酬を含む）については、業績の悪い群のほうが、対医業費用割合が低い。とくに2002年度データではその傾向が顕著である。ちなみに、委託費割合についてはほとんど差がない。一方、材料費割合については明らかに業績の良い病院群のほうが小さい。

いうまでもなく、赤字病院とは費用が収入を上回る病院であり、同種同規模の黒字病院よりも費用を多く支出している。赤字病院の費用支出のバランスを探ると、経営管理の基本ともいうべき在庫管理ができておらず、そのうえで人材が大きな鍵を握る病院サービスに対する資金投入

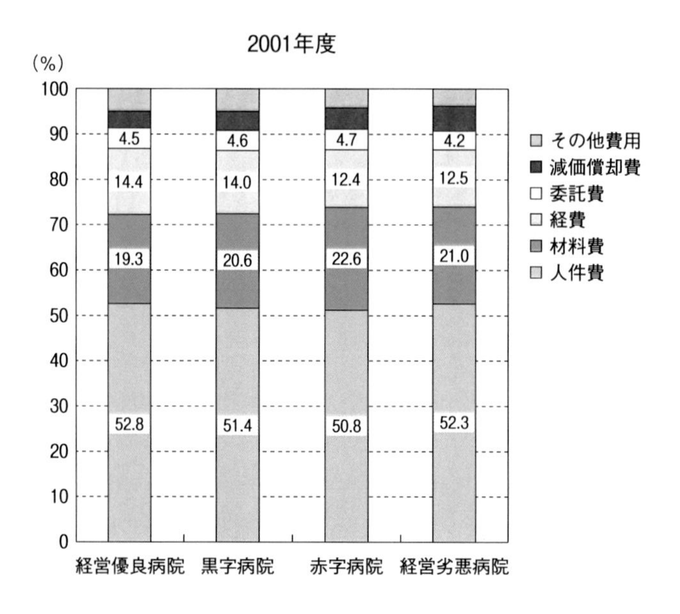

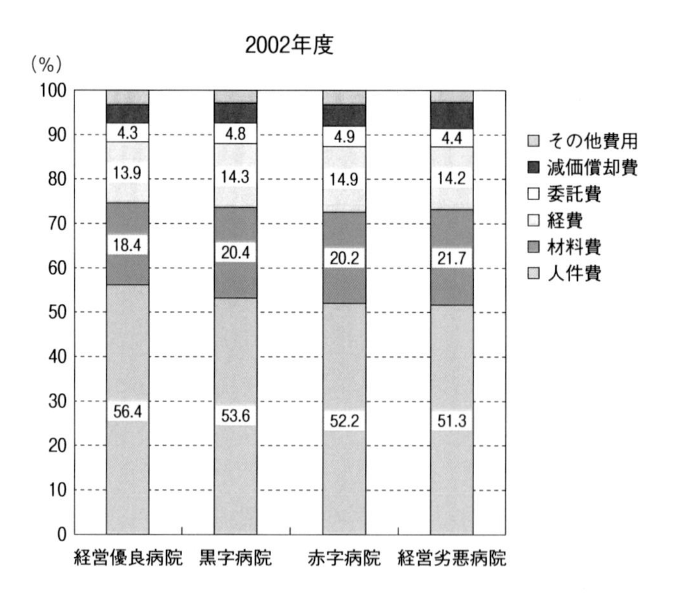

図表 8-28　医業費用の中に占める主な項目割合の比較

に問題があるように見受けられる。とくに2002年度にはその傾向が顕著であった。

第8節　急性期病院の経営持続性を診る

2003年4月から、全国の特定機能病院などを対象に、日本版診断群分類（DPC）を使った社会保険診療報酬の包括払い制度が実施された。続いて、手上げ方式ではあるが、制度経営側の政府厚生労働省が任意に病院を選ぶことで、DPCに基づく包括払い適用病院が増加していることについては第3章第5節で説明したとおりである。ちなみに、ここで選ばれる病院は、いわゆる「急性期病院」である。

急性期病院とは何かと尋ねると、おそらく急性期入院医療を提供する施設だとの答えが返ると思うが、実際には急性期入院医療なるものの厳密な定義はない。たとえ疾病別に分類したとしても、医学・薬学の革新が目覚しく、医療の対応も速いテンポで変わる。その一方で、新たな疾病の脅威が出現する今日においては、疾病分類を次々に更改しては、分類に該当する疾病に対応することを急性期入院医療と呼ぶことになるのだろうか。

学術的な観点からの定義はともかくとして、極めて実際的な意味において、診療報酬体系の中で「急性期入院加算」あるいは「急性期特定入院加算」を算定できる病院がいわゆる「急性期病院」であると納得されている。ところが、それら加算の要件は診療報酬体系の改定時に変わることがある。つまり、「急性期病院」なるものは、対保険者との報酬支払い交渉上の便宜だといえる。

前編の始めのところで説明したように、現代社会では、患者・保険者・医師という大きく三者に分けて構成される医療資金のリスク分担関係があり、医師は患者の側だけを見て生計を立てることは適わず、同時に保険者の側も見なければならない。国民皆保険制度を敷くわが国の場合には、国民（＝患者）と政府（＝保険者）、そして医師（＝医療提供者）との間の医療資金のリスク分担が合理的に運営されるためにも、コストに対応した患者分類に基づく支払い方式である「包括払い」の普及は避

2002年度データ：民間の医療法人695施設

【黒字病院】
527施設中……22施設
　⇒　平均在院日数17日以内……57件
　　⇒　紹介率30％以上……22件

【赤字病院】
168施設中……７施設
　⇒　平均在院日数17日以内……29件
　　⇒　紹介率30％以上……７件

図表８-29　急性期病院スクリーニング結果

けて通れない。このことは、20年前に米国の高齢者医療社会保険メディケアに始まった包括払い方式DRG/PPSが、その後、民間医療保険、すなわちマネジドケア保険でも模倣されて一気に普及したことからも確信できる。同時に、DRG/PPSだけではメディケアの財政管理に不十分であったことから、さらに複雑な医療制度経営が検討され続けている米国では、それに対抗する米国内の医療事業者たちの経営研究が注目されるところである。そのような他山の石を横目に見つつ、足元のわが国急性期病院の経営持続性を診るための要件を調べてみた。

ここでの経営分析についても、前節と同じく医療経済研究機構による病院アンケート調査に基づいており、2002年度データの中から医療法人695施設のデータを使った。ここには平均在院日数と紹介率のデータが揃うので、まずは収支結果によって黒字病院と赤字病院とに分け、次に当時の「急性期入院加算」の要件である、①平均在院日数17日以内、②紹介率30％以上の順にスクリーニングを行った（図表８-29）。

これを見てわかるとおり、サンプル数は両者を合わせても29施設に過ぎない。2004年秋時点でも一般病床病院6,485施設中の急性期入院加算算定病院は437施設と７％にも満たないことを考えると、それより２年も前ではこれらの要件を満たす病院数が少ないのもやむを得なかった。このように、サンプル数が少ないことから、ここでの経営分析は黒字と赤字の二群での比較にとどめた。

これまでと同様に、単純な棒グラフによる比較、つまりベンチマークの原義である高低の水準の目安を診た。まず、サンプルの黒字病院群は許可病床数、総収益とも赤字病院群よりも若干規模が大きいが、病床当たり収益は両者ともほぼ同じであった（図表８-30）。

また、図表８-31に見るように、平均在院日数や外来入院比率もほぼ同じであり、これらの指標はとりあえずのところ、業績差異を診るベンチマークとしては使えそうになかった。ところが、業暦（主な病棟が建設されてから最近までの経過年で算定）と紹介率では10～20％ほどの差異がみられた。つまり、黒字病院は赤字病院よりも業暦が長く、紹介率は高かった。このことから、急性期病院では知名度やブランドの高さがより有利に働くものと考えられた。

著者が調べたところでは、これまでのところ病院、一般診療所、歯科診療所などの医療機関では、一般産業と比べて業暦が長いほど倒産の危険性が高いという特徴があった（前出の図表８-２参照)。一般的には、設立されたばかりの会社は社会的信用も低く、資金力も乏しいために、多くが比較的短い年数で倒産や清算に陥って消滅していく。しかし、医療機関の場合には、医療サービスの需要や報酬債権の回収が確かなこともあって、いったん開業・開院を果たすと、比較的長い期間に渡って安定した経営を続けることができた。ところが、地域での知名度も得られたと思われる20年を過ぎてからの倒産確率が高まるところに、病院を始めとする医療事業の経営持続性をあらためて考える必要があろうかと思う。すなわち、単純に業暦が長いだけの知名度やブランドは病院経営持続性を診る指標とはならず、やはり優良な収支を維持するためのプロフェッショナルな経営管理が必要不可欠ということになろう。

ところで、当然のことながら、図表８-32のとおり赤字病院のほうが医業費用が多いが、その費用項目の割合をみると給与費（ここには給与のほかに退職給与引当や法定福利を含む）や経費が占める割合は黒字病院のほうが大きい（図表８-33)。そこで、両者について100床当たりの医師、看護師の数で比較したところ、赤字病院では常勤の看護師数が目

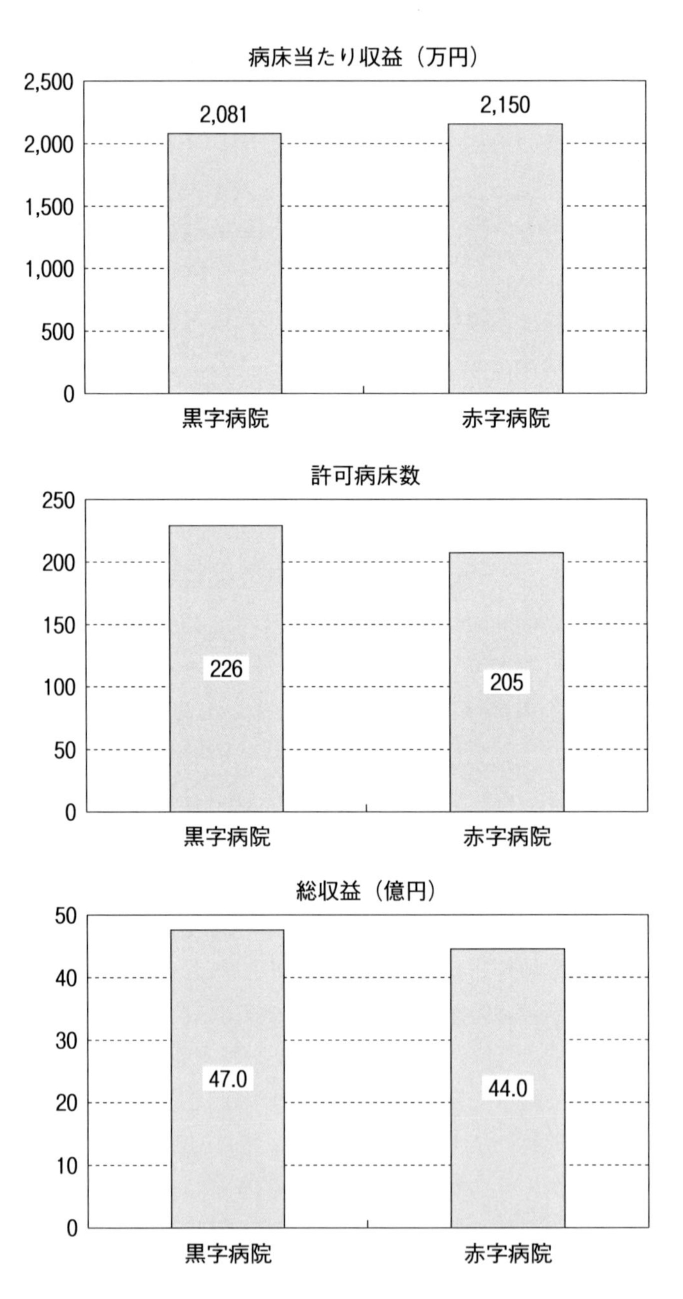

図表 8 -30　サンプル急性期病院の経営業績プロフィール(1)

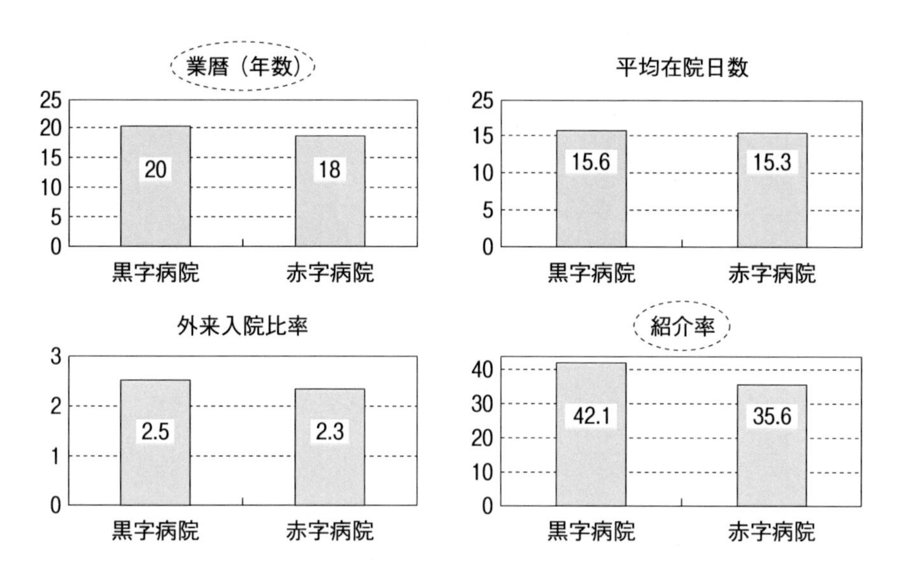

図表8-31　サンプル急性期病院の経営業績プロフィール(2)

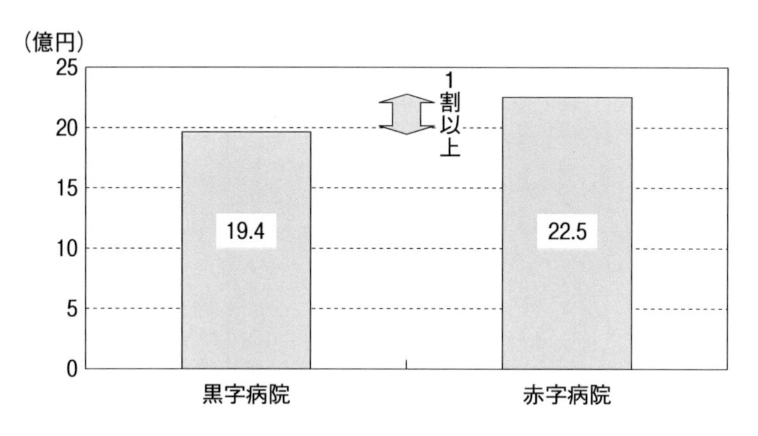

図表8-32　急性期病院の100床当たり医業費用

立って多かった（図表8-34）。さらに、給与の平均をみると、赤字病院は常勤の看護師に限らず、常勤の医師についても黒字病院よりも低かった（図表8-35）。

この結果から推察すると、急性期病院の経営持続に欠かせないブランド力は、単に業暦の長さだけでなく、とくに技術力が問われており、そ

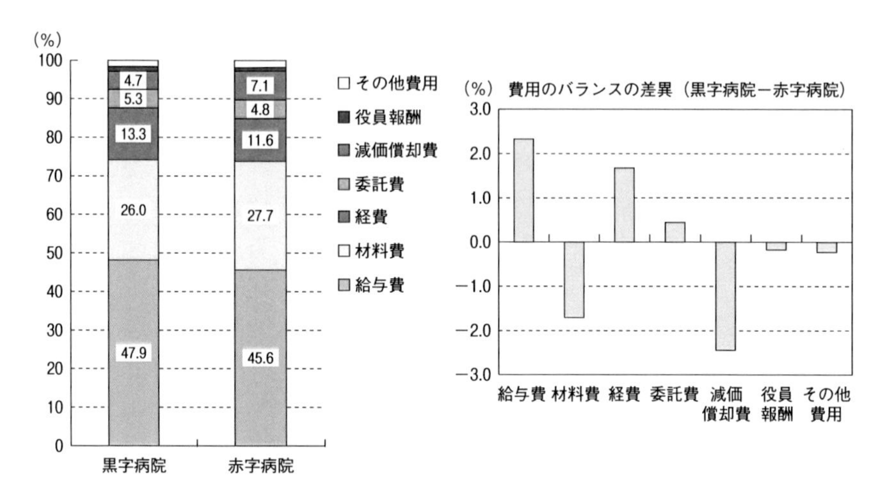

図表 8 -33　急性期病院の医業費用バランス

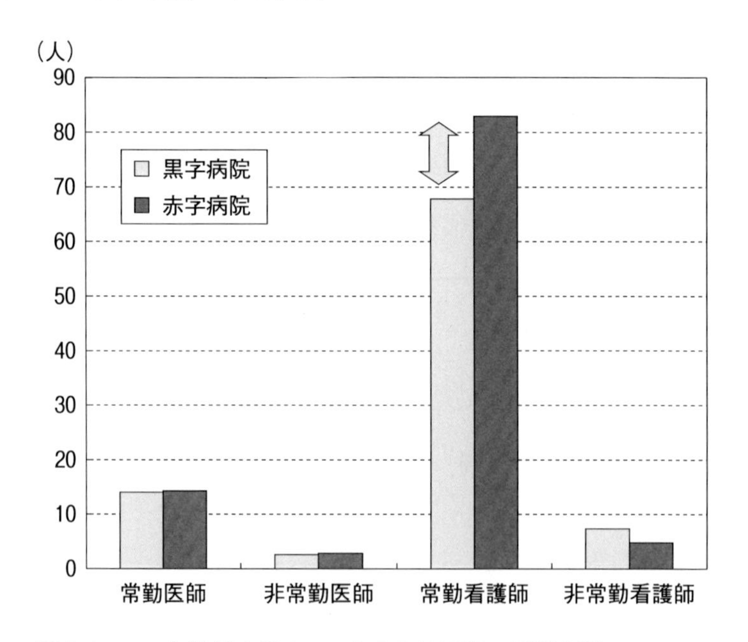

図表 8 -34　急性期病院の100床当たり医師・看護師数

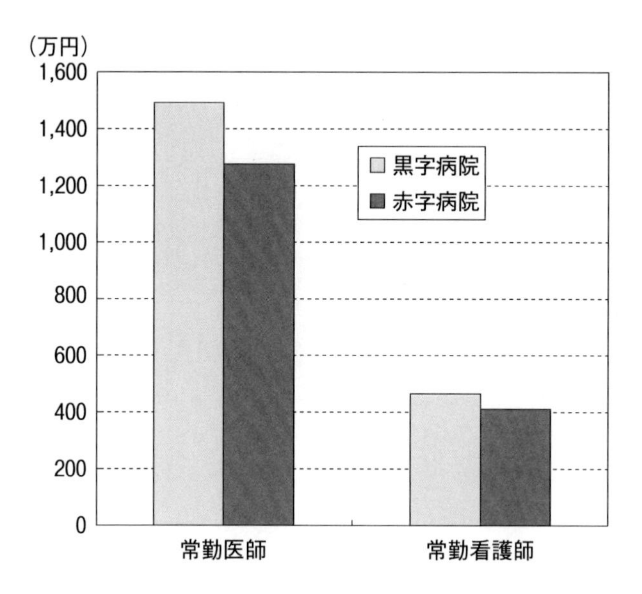

図表8-35　急性期病院の医師・看護師の平均給与

のためには常勤の医師、看護師の労働意欲の維持と向上が利用者である患者を惹きつける重要な鍵になることは想像に難くない。そのためにも、この人たちに対する適切な評価と処遇が不可欠となる。

先述したように、国民皆保険制度を敷くわが国では、「急性期病院」の実際は対政府保険者との報酬支払い交渉上の便宜でもある。そのような政府保険者に対して、急性期病院に勤める医師や看護師の評価を求めることは可能だろうか。開業医の場合には、その代表者が社会的役割の評価について政府保険者と交渉することはあながち無理ではなかった。すなわち、従来からの中医協の場がそうであり、支払い側と診療報酬の改定交渉を行っている日本医師会の姿である。ところが、病院、その中でも如実に技術力が問われる急性期病院では、そこに働く医師、看護師たちの評価を政府保険者に求めることが難しかった。

話を戻すと、ここで指摘する人事評価システムというのは、分業が進む米国では専門のコンサルティング会社が活躍する分野の一つである。人事評価システムの鍵は「平等」ではなく「公正」な扱いである。それだけに、人事という個人のプライバシーにも関わるデリケートな内容を、情報公開が可能な公正な仕組みとして担保することは容易ではなく、専門家や経験者の知恵が求められる。しかし、わが国の病院事業者の多くは中小零細企業の経済規模であることから、腕の立つ高額なコンサルタントを使うことは負担が大きい。

第１次医療法改正と前後して病院関係者たちが経営の自立を求められるようになってからすでに四半世紀以上が過ぎても、わが国の病院経営の近代化はいまだ途についたばかりとの感想を持つ反面、一部の病院では経営革新がかなり進んでいることも実感する。そして、これらの経営革新が進む病院では、人事評価システムでもすでに進んでいるところが目に付く。これまでのところ、病院管理の研究ではこの課題についてあまり取り上げていないが、急性期病院においてこそ、スタッフの人事評価体制が経営持続の要になると考えている。

エピソード19
病院経営持続性を診る指標の要件

「病院の経営持続性を診る指標群（IMS/Indices of Management Sustainability)」の研究に挑んだときには、病院経営責任者自らの手で自院のIMS値の算定を行える簡便な指標を探すことが肝心だという考えが脳裏にあった。それができてこそ、病院経営責任者は、将来公表が可能となるかもしれないIMSの全国および地域の平均値と自院の値とを見比べ、自らの病院事業の舵取りを果たせるものと考えた。また、経営持続性を高めるためには病院経営責任者自らが「経営する意思」を確認することが欠かせないとの考えもあって、なおさら、自らIMS値の算定を行える簡便な指標であることに固執した。

そのようなことから、捜し求めるべき指標は簡便に算出できる、病院の持続的経営の目安となるベンチマークであった。これら病院経営持続性を診る指標群が整備された暁には、医療制度経営の役割を果たす政府行政側は、従来のように微に入り細を穿ったような診療報酬体系を定めるのではなく、極力、医療事業者側に自立した経営を促すような包括的な診療報酬体系を提示することに努めることが期待されるものと思う。

第9節　経営持続性から見た病院適正利潤

病院に限らず、一般的に事業への投下資本を上回る資金を回収できなければ、事業の継続は無理となる。ちなみに、投下資本とは会計上に現れる費用のことであり、資金回収とは収益を上げることを意味する。収益と費用の差額が利益であるから、要するに、利益を確保できないと、事業の存続はないというのが原則である。

赤字が続けば、内部に留保した金銭もやがては底を尽く。寄付や補助金が得られれば資金繰りはつくものの、これらは経常利益ではない。そのため、病院事業の場合も黒字を目標にすることが経営持続のための基本的な条件である。

しかしながら、非営利を原則とするわが国の病院経営の場合には、一般企業のような利益追求の経営とは一線を画さねばならない。そこで考えなければならないのが、病院事業の適正な利益水準というものである。

著者が考える病院経営持続性のコンセプトからすると、将来の病院建替資金を準備することは必須の経営方針となる。建替資金の源泉となる経常利益の水準を考えるにあたり、病院事業の付加価値のあり方について注目してみたい。

付加価値分析というと、「事業の生産性」あるいは「経営効率性」を診るためといったステレオタイプの説明をよく耳にする。あるいはまた、付加価値当たりの人件費比率は、労働分配率と称される一般的な経営指標でもある。

「付加価値（added value）」の原意に戻れば、「付け加えられた」価値であり、一般的には個人や組織が固有の技能によって新しく生み出す価値を指す。その意味からすると、病院事業において付加価値を生むのは、入院を中心とした医療サービスの提供にほかならない。なぜならば、病院と診療所の違いは入院施設の有無にあるからだ。このような角度から病院事業を見ると、付加価値分析とは単に生産性を診るだけでなく、病院事業を支え得る経営の目安、つまり病院経営持続性を診るベンチマークとしても使うことができるはずだ。

ちなみに、様々な段階での生産者の付加価値の総和が「価格」となる。各々の仕入れ価格は、それ自体が前の生産者の付加価値の総和である。そして、付加価値の総和に新たな付加価値を加えて、別の生産者に売り渡すと、いわゆる「供給の連鎖（サプライチェーン）」となる。このように、商品やサービスが消費者に売られる連鎖のプロセスを考えたときの付加価値の統計処理では次の三つの見方それぞれによるアプローチが可能となる。

一つは、生産者がどれだけ付加価値を積み重ねてきたかという生産面からの見方であり、もう一つは、生み出された付加価値は誰の収入になるかという分配面からの見方である。そして三つ目は、商品を買う人は何か別の仕事をして分配された収入を使うという支出面からの見方である。このように付加価値をマクロ経済的に捉えて、国家全体の会計を考え、１年間に生産した付加価値の総和（生産面）と、１年間に分配された付加価値の総和（分配面）、そして、１年間に支出された総和（支出面）の三者が等しくなることが、国民総生産における三面等価の原則として説明される。

その一方で、ミクロ経済で捉えた企業会計における付加価値の分析も行われる。要するに、付加価値分析が生産性や労働分配性を診るのは、付加価値の捉え方が複数できるからにほかならない。

後の（エピソード20）で紹介する「付加価値算定の種類」を参考にして、病院経営持続性の観点から見たときに妥当な付加価値の計算方法について考えてみたい。

まず、控除法による付加価値の算定方式を病院事業に当てはめると、総収入（医業収入と医業外収入）から材料費（医薬品費、医療材料費など）や委託費（検査委託費、給食委託費、リネン委託費、清掃委託費など）や支払経費などを差し引いて算出することになる。すなわち、購買費用の項目に注目した算定であり、事業者内部の生産性や効率性を診る目安になる。

もっとも、医療法により営利を目的とした開設が許されていない病院は、広い意味での社会的共通資本であり、国民生活に不可欠な医療サービスを提供する存在である。そのような病院の事業は、一般産業の経営指標の解釈が必ずしも当てはまるとは限らない。一般産業では、労働集約型産業や資本集約型産業といった分類によって、産業の特徴を説明することがあるが、第5章第2節で説明したように、医療業とそれ以外のいくつかの典型的な労働集約ないしは資本集約の業種をポジショニングしてみると、医療業は資本と労働の両方の資源を高いレベルで求められる特異な業種であることがわかる（図表5－5参照）。

一方、加算法にもいろいろな計算式があるが、TKCが「国民経済と個別企業経済とでは観点を異にする」として採用しなかった日本銀行方式では、「人件費」「金融費用」「賃借料」「租税公課」「減価償却費」「経常利益」の六項目を足し合わせることになる。ここでは配分先が念頭に置かれるため、「人件費」はもちろんヒト資源に向けられた分であり、「金融費用」「賃借料」「租税公課」「減価償却費」はモノ資源に向けられた分である。そして、「経常利益」は将来への備えに向けられた分と解釈できる。

病院事業の経営持続性を念頭に置いたときには、病院を続けるための「病院建替」資金の準備は不可欠であり、その資金を金融機関などから調達した場合に生じる「金融費用」や、借入金返済の原資となる「減価償却費」や「経常利益」の管理が重要となる。そのため、病院事業で採用する付加価値計算には、日銀方式による加算法が相応しいと思われる。

このように整理することで、病院事業ではこれまでのような収益（＝売上）当たりの指標を用いた管理のほかに、然るべく付加価値を生み出しているか否かをチェックしたうえで、付加価値額の各構成項目がバランス良く生み出されているか否かを診ようとするのが「付加価値基準の病院経営」の発想である。

エピソード20
付加価値算定の種類

企業会計における付加価値の算定方法には「控除法」と「加算法」の大きく二つがある。控除法とは、企業など組織の総生産高から他組織が生み出した価値を差し引いて付加価値を算出するものである。ただし、図表8-36のように、同じ控除法とはいえ、たとえば、社会経済生産性本部の「付加価値分析」における計算式①と、中小企業庁の「中小企業の経営指標」における計算式②は異なる。

また、加算法とは、付加価値構成項目を加算して付加価値を求めるもので、算定が容易なため実務においてよく使われるが、やはり計算式が統一されていない。例を挙げると、同じく図表8-36に掲げた、経済産業省の「わが国企業の経営分析」における計算式③と、三菱総合研究所の「企業経営の分析」における計算式④、日本銀行の「主要企業経営分析」における計算式⑤は異なる。

このように、算定方法が同じでも計算式に取り上げる項目が同じでな

① 社会生産性本部「付加価値分析」の場合（控除法）
　＝純売上高－{(原材料費＋支払経費＋減価償却費)＋期首棚卸高－期末棚卸高±付加価値調整額}
② 中小企業庁「中小企業の経営指標」の場合（控除法）
　＝生産高－(直接材料費＋買入部品費＋外注加工費＋間接材料費)
　※但し、生産高＝売上高－製品仕入高
③ 経済産業省「わが国企業の経営分析」の場合（加算法）
　＝実質金融費用（金融費用－金融収益)＋税引後当期純利益＋人件費＋租税公課＋当期減価償却費
④ 三菱総合研究所「企業経営の分析」の場合（加算法）
　＝人件費（福利厚生費、退職給与引当金繰入額を含む)＋賃借料＋金融費用＋租税公課＋法人税等充当額＋当期純利益＋減価償却費
⑤ 日本銀行「主要企業経営分析」の場合（加算法）
　＝経常利益＋人件費＋金融費用＋賃借料＋租税公課＋減価償却費

図表8-36　付加価値の算定方法の例

付加価値は、企業内部の生産努力の結果創り出された価値であり、個別企業の産出した付加価値の合計が原則として国民総生産（GNP）と一致するところから、個別経済の国民経済への貢献度をあらわすものといわれる。

一方、個別企業においては、付加価値は生産性分析の指標として認識され、かつ成果配分基準としての重要性が強調されてきている。

しかしながら、付加価値の範囲については統一的な見解がなく、各統計資料のすべてがその算出方法を異にする状態である。

一般に付加価値は、国民経済統計などで、国民経済全体の付加価値額を計算するために、分配国民所得の要素項目を加算して求める。その分配国民所得の構成要素に着目して、企業内で発生した、または、支出したそれらの要素項目を加算して、経営分析項目としての付加価値額を求めるのが、加算方式（日銀方式）とよばれるものである。

しかし、それを企業経営内部の生産性を計る指標として利用するには、問題点があり、国民経済と個別企業経済とでは観点を異にするものなので、なじみがたい部分が多いと考えられる。

そこで、『TKC 経営指標』においては、実現した収益から、それに必要とした外部から購入した資材等の直接原価を控除したものをもって、企業の生産活動で稼得した付加価値額とする、控除方式の考え方を採用している。

図表8-37　『TKC 経営指標』の「付加価値計算書」の説明
出典：『BAST/TKC 経営指標』利用手引き（平成18年指標版）25ページから抜粋。
下線は筆者による。

いため、同じ算定方法の同じ項目選定による付加価値額によって比較しなければ意味がない。

付加価値分析の複雑な事情については、これまでにもたびたび紹介した、会計士や税理士のコンピュータ会計システムを提供する老舗的存在であるTKC が図表8-37のように説明している。

「TKC 経営指標（BAST）」は、TKC のコンピュータ会計システムを利用する会計士や税理士から寄せられた顧客の企業や事業者の財務データを包蔵するデータベースを用いて、産業分類ごとに算出した経営指標一覧であり、平成18年度版では約22万6,000社のデータに依っている。しかし、全産業を対象としていることから、掲載する経営指標の解釈も一般的とならざるを得ないため、付加価値についても「企業経営内部の生産性を計る」ことを目的とするとして、控除法の採用を明記しているわけである。

第10節　付加価値基準の病院経営：病院の適正利潤の仮説

2005（平成17）年のことだが、著者に研究指導を求めてきた社会人大学院生が、一般・療養型・精神などの病院種別ごとに付加価値額構成項目のバランスを調べたところ、黒字病院と赤字病院との間で差異があることが見て取れた。さらに、病院建替資金を準備するためには、ある利益水準が保たれなければならないことも示唆された。

あらためて病院の経営持続性を担保する付加価値を考えてみると、大きく二つに整理できると思う。一つは、医療サービスを質の面からみた付加価値であり、もう一つは企業会計で扱われる経済上の付加価値である。前者は医療の質の評価を求められるため、客観的で定量的な指標とするのは非常に難しい。一方、後者の経済上の付加価値は、先述したとおり、医療事業者が外部から購入したモノやサービスに新たに付加した価値であり、付加価値が多いことが社会における存在価値を計る目安の一つになると考えられる。

病院を社会的共通資本として見たときに、分析に相応しいと考えられる日銀方式の加算法による付加価値の構成要素は、「人件費」「金融費用」「賃借料」「租税公課」「減価償却費」「経常利益」の六項目である。「経常利益」以外はいわゆるコスト項目であるため、単純に膨れ上がることは望ましくない。また、営利目的での開設が許されていないわが国の病院にあっては、経常利益の追求を経営方針にすることは望ましくない。

そこで注目したのが、然るべく付加価値を生み出しているか否か（付加価値率＝付加価値÷医業収益）をチェックしたうえで、付加価値額を構成する各項目のバランス（付加価値配分率＝付加価値額構成項目÷付加価値額）を診ることであった。

実際に、付加価値額の各構成項目のバランスが病院の業績にどのような影響を与えるかを診るために、福祉医療機構の『病医院の経営分析参考指標2005』のデータを使って、一般・療養型・精神などの病院種別ご

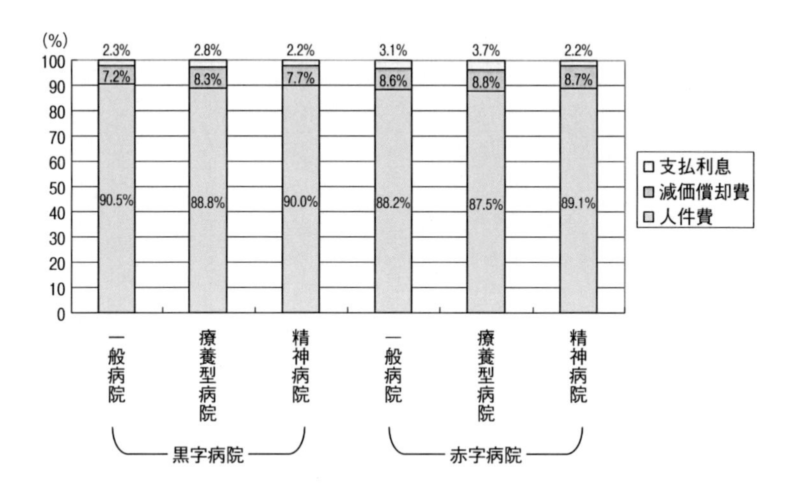

図表８-38　病院種別の付加価値を構成する主な費用分配比率
資料：福祉医療機構「病医院の経営分析参考指標2005」

とに調べてみたところ、黒字病院や赤字病院のそれぞれのグループ内では差異がないが、種別ごとの黒字病院と赤字病院との間では差異がみられた。すなわち、いずれの種別においても、黒字病院のほうが赤字病院よりも人件費に対する投入割合が大きいという特徴が表れた（図表８-38）。

なお、『病医院の経営分析参考指標2005』では、「賃借料」や「租税公課」の項目が分けられていないため、黒字病院や赤字病院でのバランス比較では、「経常利益」項目を除いた「人件費」「金融費用」「減価償却費」の三項目での配分率を診ている。ちなみに、第７節で紹介した医療経済研究機構による病院アンケート調査から経営行動が近似していると考えられる694の医療法人立の病院だけを抽出したデータを使って検証したところ、やはり同様の傾向が確認された（図表８-39）。このことから、わが国の病院が黒字を達成するためには、付加価値額各構成項目で診たときに望ましいバランスを求められることが予想された。

ちなみに、当の社会人院生は中堅ゼネコンの医療福祉部計画課に勤務していたことから、病院建替資金の問題に詳しかった。すなわち、病院

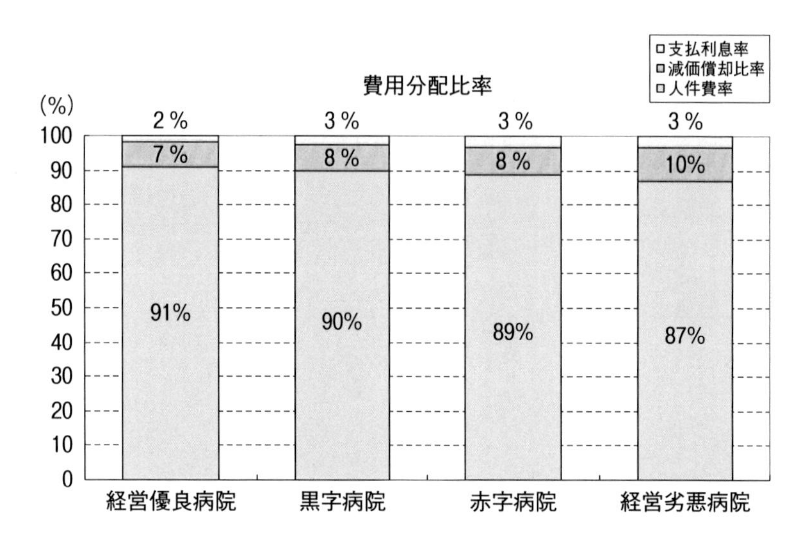

図表8－39　医療法人立病院の決算データで検証した付加価値構成項目のバランスと病院業績

※「2003年度実施の医療経済研究機構による病院アンケート調査」のデータから、医療法人立病院だけを抽出して筆者が分析した。

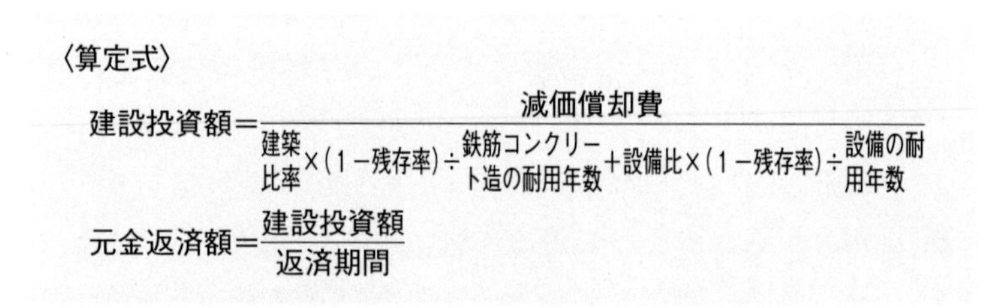

・適正な減価償却費相当額をもとに病院建設投資額を推計
・全額を20年の長期借入（元金均等払い）で調達する
・減価償却費の全額が建物関係とする
・建物は鉄筋コンクリート造、償却年数は39年、設備は15年
・建物工事費の建築対設備比については一般的な比率を仮定
・償却方法は定額法による

図表8－40　病院建設投資額の推計値算定と仮定条件

※宮林政好作成

の経常利益が様々な借入金の元本返済の原資になると同時に、病院建替の準備資金としても内部留保されることが妥当と考えられ、病院の経営持続性を担保する基礎的条件として経常利益が適切に確保される、つまり黒字であることが必要だと説明できるわけである。

そこで、『病医院の経営分析参考指標2005』の黒字病院の財務データを使って、図表8-40のような条件と算定式によって、100床規模の病院における建替資金の準備と建設投資のバランスを調べた。その結果、「経常利益」「人件費」「金融費用」「減価償却費」の四項目で計算した［付加価値額］の中で経常利益が占める割合（7.8～12.4％）で見るかぎり、借入金の元本返済を減価償却費と経常利益の一部で賄うことが可能であるように見えた（図表8-41）。

しかし、定期的な大規模修繕費用の準備や借入金利の変動への対応についても考えておかねばならず、さらに、仮にそれらの出費がなかったとして内部留保金を全て次の建替資金として蓄えたとしても、20年間で蓄えられる金額はせいぜい6億円ほどでしかない。他方、建設会社の経験的知識からすると、100床規模の病院建設に必要な資金は、機能次第で幅があるとはいえ8～15億円程度と見積もられるため、20年間の留保金では不十分と見られた。

以上のことから、建替費用の源泉となる経常利益について、付加価値額に占める割合（「経常利益」「人件費」「金融費用」「減価償却費」の四項目で計算した付加価値額に対する比率であり、総付加価値額や総収益に対する比率ではない）を10％程度確保できなければ、20～30年後の建替えを前提とした病院の持続的経営は容易ではないとの仮説を得た。

ここでは病院建設費だけを取り上げているが、実際には医療機器の更新も大きな額になる。それらも考慮に入れた、より精緻な試算が必要であることはいうまでもない。

これまで「非営利」の経営原則のもとで、議論が避けられてきた感のある、わが国病院の適正利潤について、病院経営持続性の観点からは必須となる病院建替えの課題を念頭に置いた考察を紹介した。ここでは研究ということで一般論の展開をしたわけで、まだ検証が必要である。し

	1床当たり医業収入	1床当たり付加価値額	付加価値の分配比率			
			人件費	減価償却費	支払利息	経常利益
一般病院	1,489万円	863.5万円	83.4%	6.6%	2.1%	7.8%
療養型病院	820万円	539.7万円	77.8%	7.3%	2.5%	12.4%
精神病院	528万円	377.2万円	81.4%	7.0%	2.0%	9.6%

上のデータの減価償却費をもとにして、図表 8 -40の算定式により病院種別毎の100床当たりの借入金返済額を推測する。

	付加価値額	減価償却費	建築：設備比	投資額	返済期間	元金返済額/年
一般病院	85,350万円	5,658万円	60：40	13.3億円	20年	6,638万円
療養型病院	53,974万円	3,937万円	65：35	9.6億円	20年	4,782万円
精神病院	37,721万円	2,638万円	65：35	6.4億円	20年	3,204万円

上で推測された年間の元本返済額をもとに経常利益の使われ方と対付加価値額比率の確認

	対付加価値額経常利益割合	付加価値額	経常利益	経常利益の内訳		
				内部留保金	実質返済額	法人税
一般病院	7.8%	85,350万円	6,693万円	3,036万円	980万円	2,677万円
療養型病院	12.4%	53,974万円	6,698万円	3,174万円	844万円	2,679万円
精神病院	9.6%	37,721万円	3,610万円	1,601万円	566万円	1,444万円

※実質返済額＝年間の元本返済額－減価償却費
※法人税等の実質負担を経常利益の40％と想定

建設会社の経験的数値から予想される病院種別毎の100床当たり建設投資額

	1床当たり面積	延べ床面積	建築単価	建設投資額
一般病院	65m^2/床	6,500m^2	23万円 /m^2	15.0億円
療養型病院	55m^2/床	5,500m^2	18万円 /m^2	9.9億円
精神病院	45m^2/床	4,500m^2	18万円 /m^2	8.1億円

図表 8 -41　対付加価値額経常利益比率から見た病院建替資金準備のバランス
※宮林政好の修士論文「医療・福祉施設における経営持続性の研究－病院建設の資金調達におけるアセット・ファイナンスの課題」から著者が整理した

かし、個々の病院においては具体的な数値や条件を手にしているので、ここに紹介した付加価値額ベースでの経営管理、そして将来の病院建替えに備えた経営計画作りの参考にできるものと思う。

第9章

医療経営のための戦略的発想

第1節　医療・介護事業の戦略的経営の時代

わが国では長きにわたって「倫理」の名のもとで医療業あるいは介護などの社会福祉業の間で競い合いがあってはならないとして、これらのサービス競争を認める雰囲気はなかった。また、戦後の復興期のように、あらゆる面で物資が不足した時代には、行政の指導・監督による、いわゆる護送船団方式のほうが、競争方式をとるよりも資源の効率的な管理ができた。

しかし、戦後四半世紀が過ぎ、高度経済成長にも成功した70年代になると、国民の生活にも余裕が出てきて、次第にモノではなく、サービスの消費に関心が移った。医療サービスも例外ではなく、その提供体制について改善を求める傾向が顕著となった。この傾向は経済成長が鈍化した80年代になっても変わらず、わが国健康保険制度のアクセス管理の緩さを利用して、病医院をいくつも試すドクターショッピングをする患者も目立ち始めた。

他方で、70年代には政府による日本列島改造論の勢いで医師養成校が倍増し、毎年輩出する医師数も倍加した。その結果、90年代には患者による医師や医療機関の選別が可能となり、2000年代に入ってからは消費者である患者に選ばれなかった病医院の閉鎖も目立つようになった。そのような状況において、病医院関係者の間に「経営戦略」なる用語が流行したが企業競争の実際が理解されないまま使われたものと思われる。もっとも、今後の経営方針といったくらいの軽い意味合いで使われたようではあった。

著者はもともと病医院が「経営戦略」という用語を使うことに違和感を持っていた。さらにいうと、病医院における経営戦略立案、あるいは戦略的経営という表現に複雑な思いを持っていた。その理由は、かつて勤めたマッキンゼー社での経験に基づく。米国で創立された1926年当時はともかくとして、著者が入社した1979年時点のマッキンゼー社は戦略的経営のコンサルティング会社として国際的に名声を確立していた。そのコンサルティングの仕事に加わって目の当たりにしたのは、市場における競合他社との比較調査から、クライアント（依頼主）の強みと弱みを分析し、限られた経営資源を活かして強みをさらに強化するか、弱みを補てんするかの意思決定に供する提案を行う姿であった。最終的にはクライアント自らの責任で戦略を選ぶわけだが、このようなプロセスの繰り返しは、合理的な経営を促進する一方で、同業他社との競争を激化させることになる。

結局のところ、一般の企業経営における「戦略立案」とは、同業他社との「差別化（Differentiation）」を図ることであり、差別化は原則として「競争」を促すことになる。つまり、病医院関係者が経営戦略を口にし始めたということは、医療業における競争を是認したことにほかならない。一方、海外の医療保険制度の比較研究を行うほどに、わが国の皆保険制度が、国民に格差なく医療を提供するという点では、先進国の中でも自慢できる完成度の高いものだと確信するようになった。そのことからも、著者はわが国の病医院の間で経営戦略なるコトバが安易に語られることによって競争を促進した結果、医療サービスの過剰な消費が進むことになり、せっかくの皆保険制度を危うくするのではないかとの複雑な思いを持った次第である。

それでなくとも、急速に進歩する医学を背景にした医療の発達は、治癒可能な範囲を拡げるため、医療に投じられる費用もうなぎ登りに増加する。これを国民皆保険制度でカバーし続けようとすると、医療保険財源も増やさざるを得ない。そして、利害関係者間での政治的な駆け引きが医療制度改革の場に歴然と現れ、近年は新聞やマスコミで頻繁に報道される時代となった。ここに至っては、病医院長が経営の素人で済まされるわけにはいかないであろう。それゆえ、医療制度改革の動向を注視し、自院の遣り繰りを果たすことも、医療機関の長としての社会的責務となる。そのように考えて医療・介護の事業経営に立ち向かうことは、すなわち医療機関の「戦略的経営」にほかならない。

第２節　医療・介護機関の経営戦略と経営戦術

2000年に入るまでのわが国の医療制度改革、つまり医療保険制度改革は、財政面での成果が芳しくなく、主として患者負担を増やすことで遣り繰りしてきたため、サービス消費者である患者の目は厳しくなった。しかし、医療費や介護費の財源に限界があることは誰の目にも明らかであり、2002年の診療報酬の実質マイナス改定によって、いよいよ医療機関との痛み分けが始まり、介護機関においてもマイナス改定を経験している。そのため、今後は経営改善を果たせた医療・介護機関だけが生き残れることになる。その意味では、これらの経営責任者にとっての事業差別化においては、経営改善のための立案が先決であり、そのために経営戦略なるものの基本を理解しておく必要があろう。

医療・介護機関の経営戦略立案であっても、その基本は2000年余り前の中国、孫子の兵法にいう『彼を知り、己を知れば、百戦して危うからず』に尽きる。しかしながら、医療・介護事業においては「知るべき彼」が二つあるため、「知るべき己」についても二つの点検が必要となる。

まず、「知るべき彼」を、ありていに近隣のライバルである病医院や介護施設とすれば、「知るべき己」は、自らの経営資源と経営能力ということになろう。しかし、もう一つの「知るべき彼」として、行政の医療・介護政策がある。このとき、「知るべき己」は当の政策との一致と乖離の点検である。

このように、医療・介護事業の規模の大小零細を問わず、常時、行政の政策動向まで気にかけなければならない点に、ほかの事業とは違った医療・介護経営の難しさがある。

そのうえで、「百戦して危うからず」である。つまり、医療・介護事業における経営戦略立案は、けっして百戦百勝を企てるものではなく、競争の結果を、勝者、引き分け、敗者の三つに分けたときに、引き分けをどのように考えるかの示唆を与えてくれるものである。すなわち、勝者側にカウントするか、あるいはゼロ・カウントか、もしくは敗者と同列に扱うかで、経営戦略立案に対する姿勢が違ってくるはずである。孫子の兵法は「百戦して危うからず」と教えており、引き分けを勝者の側に扱う点から、医療・介護機関の経営戦略を考えるうえで、無理なく受け入れられるものと思う。

ちなみに、一般企業の場合、経営戦略を立案して、その成果を検証できるのは早くても２～３年後である。ここで行われるのは、いわゆる中長期事業計画の検証であるから、経済環境の激変でもないかぎり、毎年のように書き直していたのでは目的にかなわない。

いうまでもないが、中長期事業計画をもとにしたアクションプラン（行動計画）はしばしば修正される。というのも、アクションプランに盛り込まれる内容は短期対応の戦術レベルであるから、たとえば病医院経営の場合には、行政の政策修正と患者動向の変化、そして競合の反応に応じてプランを見直すことは必然と考えなければならないからである。

わが国の病医院の場合、健康保険制度に基づく社会保険診療収入が９割前後を占め、その公定価格である診療報酬は２年ごとに改定される。加えて昨今では、介護保険からの収入を増やす病医院も増えており、こちらのほうは報酬体系が３年ごとに改定される。つまり、病医院が提供するサービスの価格は、内部ではなく外部によって頻繁に見直される。

このような事業環境下で報酬体系の改定に臨むことは「戦術」と考え、これらの動向に大きく左右されないように経営戦略を立案しないと、病医院の組織運営の方向を見失いかねない。そのため、わが国固有の医療・介護施設の経営環境における戦略論を理解しようとするときに、「戦術」と「戦略」の扱いを間違えないように留意する必要がある。このことは、医療・介護施設の「事業方針のレンジの長短」と言い換えてもよいかもしれない。

さらに、わが国の医療・介護事業の経営では、先のような理由からサービス価格は公定、つまり外部で決められ、その改定によって収益が大きく影響を受けることを考えると、長期事業計画を立てることは難しく、中期計画とそれに基づいた行動計画が基本になることも承知しておく必要がある。

第３節　事業規模と経営戦略

経営戦略といっても、一般的には大企業と中小企業、あるいはベンチャー企業とでは自ずとその内容が違ってくる。その理由は、「戦略立案」の基本にいう事業の差別化を果たそうとするときに、これら企業セグメントの間ではヒト・モノ・カネといった経営資源に大きな違いがあるからである。

医療・介護施設の経営の場合、この点をどのように考えるべきであろうか。たとえば、病院（ホスピタル）と語源を同じくするホテル業のような同品種多量サービスの提供とは違い、病院サービスは本質的に多品種少量サービスを提供するものである。たとえば、胆のう摘出手術や虫垂炎の患者ばかりを年間何千例と扱うならばEOS（Economy of Scale/規模の経済）も働くが、現実にはあり得ない。そして、傾向として病院の規模が大きくなればなるほど、珍しい疾患の患者が来訪する可能性も高まる。また、個々の患者の反応や医師の診断・処置などにはどうしてもバラツキがあるため、このようなサービス事業では、病床数を増やして規模を拡大しても、スケジューリングの困難やコミュニケーションの問題といったCOC（Cost of Complexity/複雑さゆえに発生するコスト）のデメリットがEOSのメリットを凌駕してしまう宿命にある。

これを図示すると、横軸に事業規模（たとえば、病床規模で測る）、縦軸に経営効率（たとえば、病床当たり医業費用で測る）を取ったときに、EOSは右下がりの曲線、COCは右上がりの曲線となると予想され、それらを合成すると底のある曲線になるはずである（図表９－１）。

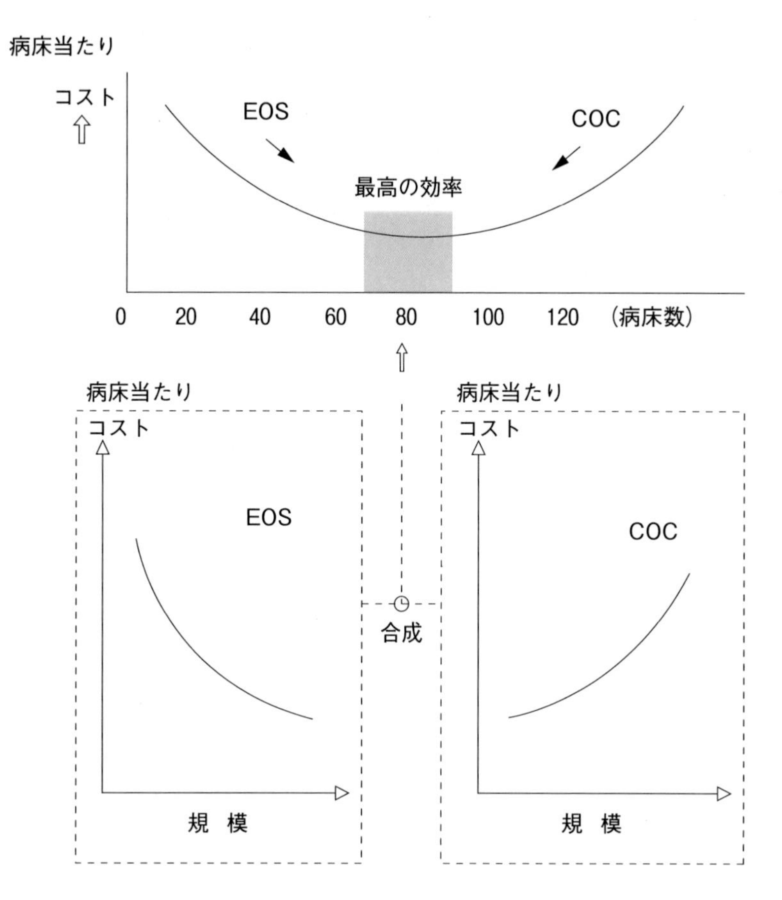

図表９－１　EOSとCOCの概念図

もちろん、これは理論上のことであり、実際には制度・政策による影響を受けるため、この図に示すようなきれいな曲線にはならないであろう。とくにわが国の場合、診療のサービス対価は公定の診療報酬体系に則っているため、単位病床当たりでコスト増となるはずの零細病院や大規模病院への配慮がなされるはずである。なお、参考までに医療経済実態調査報告のデータを使って、病院病床規模別に１床当たり年間医業費用のグラフを描いてみると、50～99床規模の病院が最も医業費用が小さくなった凹型の曲線となる傾向が見られた（図表９－２）。

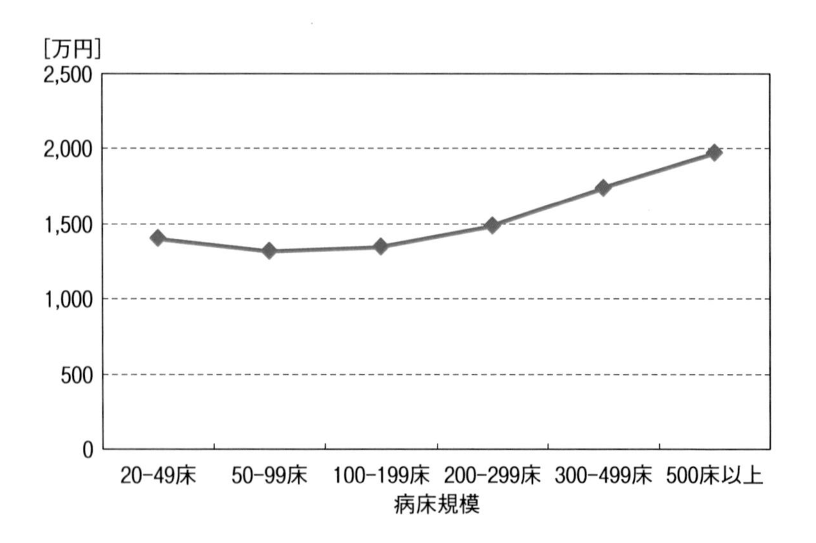

図表9－2　病床規模別ベッド当たり医業費用
※「医療経済実態調査報告（2005年）」をもとに、著者が作成

ちなみに、1990年代前半頃、診療対価が原則自由価格である米国の民間病院の経営戦略立案に携わった知り合いの経営コンサルタントから、最適な病院経営は治療が類似する入院患者を80床前後の単位で括って管理することだと見当がついたと教えられた。もっとも、その後の米国の病院を取り巻く経営環境も大きく変わったので、この見当が今も正しいとは限らない。ただ言えることは、病院事業は、EOSとCOCで合成された凹型の経営効率グラフを探れる事業だということである。

このような点からも、医療・介護施設の経営戦略立案では、収益規模に応じた体制作りが欠かせないものと考えられる。

第4節　経営理念と経営目標

経営戦略立案とは、手元資源と経営環境を調べたうえで、経営目標に基づいた事業計画を立てるものである。そのため、医療・介護施設ごとに経営戦略が異なるのは当然で、一つとして同じものはないはずである。つまり、他所の成功例をそのまま真似てもうまくいく保障はない。それゆえ、自分たちの施設の経営力を高めることが基本であり、そのうえで自らの手で経営戦略を立案することが最良の策である。

第２節で説明したように、医療・介護事業の経営戦略を考えるときには「知るべき彼」が二つあり、「知るべき己」が二つある。この複層構造のもとで事業組織が抱える医療・介護施設の経営戦略を立案する際に、明確な目標の存在が重要となる。つまり、経営の理念である。

なお、「経営理念」は具体的な目標を指すものではない。経営理念とは、自分のところの医療・介護提供はこうありたいと望む将来の姿を明示したものである。それゆえ、経営の方向性に迷いが生じたときでも、指針として頼りになるものである。

多くの病医院の場合、経営理念とは、開業するにあたって込めた医師の思い、すなわち医業の理念でもある。そして、医業の経営理念に基づいて、病医院経営をある到達点（ゴール）へと導く経営戦略を立案するために不可欠なものが「経営目標」である。それゆえ、経営目標は、到達の如何を検証する点からも具体性がなければならない。

後で詳しく説明するが、医療業の経営を近代化するためには「医療と経営の分離」という整理が必要になると思う。その理由は、経営目標が戦略立案に不可欠であることと関係する。ただし、会社における「資本と経営」のように単純に分離できないのは、やはり医療・介護事業の経営が行政の制度・政策に大きく影響されるという複層構造に原因があるためである。それゆえ、この事業においては、経営理念に基づいた経営目標の構築も複層構造とならざるを得ないだろう。

第５節　「病院経営持続性」の考え方に立った経営戦略の立案

制度経営を念頭に置いた医療・介護事業の経営理念・経営目標の構築について紹介してみたい。これは、著者が長年研究する「病院経営持続性」というコンセプトに基づく経営理念・経営目標の立て方である。

あらためていうが、持続性と訳した英語 sustainability の動詞形 sustain は「支える」という意味である。つまり、「持続性」に込めた意味は「支え得るか否か」を診るところにあり、病院事業の経営を支え得る条件を検討して事業計画に反映させるのが、病院経営持続性のスタンスに立った経営戦略立案ということになる。

前章では、病院経営の業績水準を経営優良病院、黒字病院、赤字病院、経営劣悪病院の四つに分けて整理した。要は、黒字病院の中に経営優良病院があり、赤字病院の中に経営劣悪病院があることを意味する。この四分類のうち、経営に成功しているケース、つまり経営優良病院と黒字病院との間で比較分析することは、限られたパイをめぐる競争戦略を考えることに通じる。一方、比較対象を経営不良のケース、つまり赤字病院と経営劣悪病院との間に求めれば、経営危機に陥らないための事業の維持または均衡の研究となって、いわゆる生き残り戦略を考えることになる。

病院経営戦略の研究で、病院経営者が目を向けるのは、大抵が前者の限られたパイをめぐる競争戦略に関するものであろう。しかし、その研究は病院間の競争を激化させることにつながることはいうまでもない。

他方、後者の病院生き残り戦略の研究は、見た目には明るい話題ではないが、著者には、社会に役立つとの確信がある。というのも、海外先進国との医療保険制度の比較研究を通して、わが国の国民皆保険制度が社会の安寧の維持に果たす役割はたいへん大きいと確信し、わが国国民が皆保険制度に満足する理由として医療アクセスの良さ、つまり、近隣に病医院が開業していることが大きな要因となっていることも理解したからである。ところが、病院に関しては1990年をピークに毎年減り続ける様子を見て、病院生き残り戦略の研究が急がれると考え、「病院経営持続性の研究」を開始したのが1996年のことであった。その後も、この考えに基づく研究を続けた結果、次のような整理に至った。

わが国医療機関が合理的な資源管理に努力するという経営姿勢は、国民から歓迎されるところであるが、ただ、ともすれば競争だけが先行して、自分たちの健康や生命の安全や安心を後回しにされかねないのではと危惧するであろう。そこで、まずは病院経営において、どうすれば経営合理化と安全性担保とが同時にかなえられるかを考える中で思い至るキーワードが『病院経営持続性（hospital management sustainability）』である。つまり、病院事業者は、国民のために今日明日の入院医療のアクセスを約束する責務も担うという経営理念・経営目標を全面に掲げて、その立場から自らの医療施設の持続的経営にかける熱意を訴える。そのことにより、利用者である国民・患者から支持される病院事業経営の在り方を模索する。と同時に、国民の納税と強制保険によって成立する国民皆保険制度を管理する行政府に対しては、病院事業を持続させるための制度的配慮を求め得ることを訴える。

この考え方は、国民皆保険制度の受益者である国民、つまり医療サービスの潜在的な顧客の利害に一致するものである。顧客の支持を得た事業者が勝者となるのは、経済活動の原理原則である。換言すれば、国民の身近に立地する病院の経営安定は、病気になったときに多様な受診の選択がかなうことにつながるわけで、「効率」と「安心」を両立させる「経営持続性」のコンセプトに適った経営理念・経営目標の構築は、病院の経営戦略立案に欠かせないと同時に、診療所や介護サービスの事業者にとっても経営戦略立案の基本概念として使えるものと思う。

第６節　何をもって経営戦略の成功とするか？

著者は、経済産業省の「平成17年度医療経営人材育成事業における個別教育プログラム開発」に当選した、東京大学医学部附属病院を中心とする次世代病院経営層人材育成コンソーシアム「医師を対象とした病院トップマネジメント教育プログラム開発プロジェクト」に加わって病院経営戦略論を受け持ち、医師の思いであると同時に経営者としての思いでもある病院経営のビジョンやミッションが、経営戦略にどのように影響するかを議論するためのケース教材の制作を手掛けたことがある。

このケースに描いた病院は、途中で世代交代を経験しつつ、50年以上にわたって病院経営を持続している。しかし、ケース教材ではけっして経営戦略の成功のみを語るわけではない。それよりも経営責任者である病院長が経営戦略を考えるときの基礎となる「自院の強み」や「消費者の需要動向」について常に研究していたこと、そして、そのことを院長の経営理念・経営目標として打ち出して、戦略の実施に当たってきたことに注目してほしいと考えた。

じつのところ、この病院の半世紀の歴史を振り返ると、必ずしも経営が成功だったと断じることはできない。また、もちろんのこと、只今のところも経営問題を抱えている。事業経営に就く者は、容赦なく意思決定を求められる宿命にあり、経営理念・経営目標とは日々の意思決定の方向を誤らないための拠り所でもあることを、このケース教材の講義の中で知ってもらおうと考えた。

また、このケース教材を通じて、何をもって病院の経営戦略の成功とするかについても議論してもらおうと考えた。というのも、この点にこそ経営戦略の重要な意味があるからである。すなわち、経営戦略を立案するときには必ずゴールが設定されるので、そのゴールの達成度をもって成功の如何を語ることができるからである。またこのように考えれば、ケース教材に描いた病院の経営が成功といえるか否かについて様々な意見が出たとしても、経営戦略の成否についての評価は一定の合意を得ることが可能となる。

ちなみに、ケース教材に登場する初代院長は、30年余りの経営の中で世間の脚光を浴びた数多くの方策を打ち出していた。たとえば、早くから着手していた健診事業が、後日頭打ちとなった本業の収益を補って医療法人全体としての業績を伸ばした。また、跡を継いだ現院長も健診事業が伸びなくなったときに備えて病院本業のてこ入れを図り、他方で訪問看護事業も立ち上げていた。このことは二代にわたる病院長たちが、いかに医療経営に苦心したかを示す証左でもあった（図表９－３）。

この事例で取り上げた病院の本業収益が頭打ちになるのは70年代半ばからのことである。しかし、国民医療費はそれこそ70年代半ばからの四半世紀にわたって毎年約１兆円ずつの増加を遂げるという高度成長期にあった。しかも、その間に当該病院の周辺の病院数にほとんど変化はなかった。さらにいえば、当該病院よりも１年遅れて近隣で開業した精神科専門病院の経営者は、後日、巨大な大学附属病院にまで発展させてい

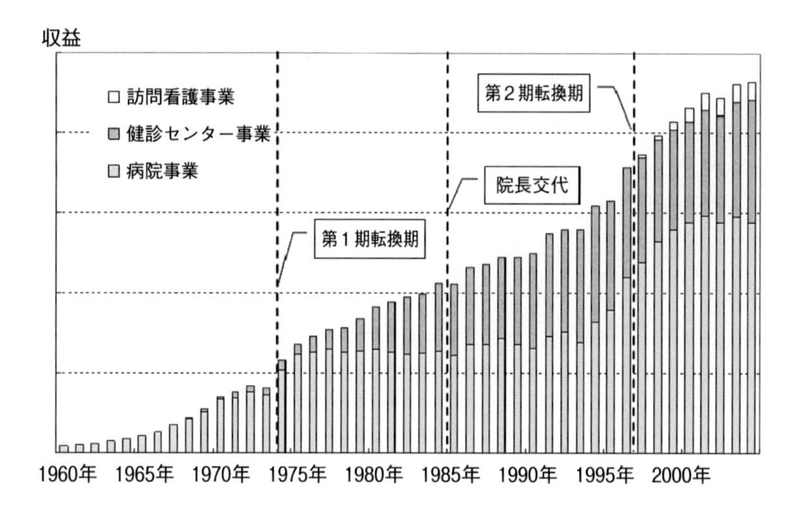

図表９－３　経営戦略論のケーススタディに取り上げた病院の収益動向
協力：瀬下律子

た。世間では、むしろ後者のほうを成功者と呼ぶであろう。しかし、じつのところ経営戦略の成否を論じるときには、そのように断じることはできない。なぜなら、経営戦略ではゴール達成の如何を議論して初めて成功か否かを判じるからである。

それゆえ、ケース教材として取り上げた病院の場合、初代、そして二代目の院長のそれぞれが、経営理念・経営目標とその実現のための具体的手立てと手順、つまり、経営戦略で立案したゴールをほぼ達成していたことから、成功といって差し支えない。

もっとも、この病院の場合、極端に高い自己資本比率のもとで総資本回転率は低いままであった。もしも、これが一般企業の経営の場合には、手元資金を有効に活用しなかったと見なされ、また、市場の高度成長期に本業を伸ばさなかったことから、経営失敗事例として扱いかねないであろう。しかし、繰り返すようだが、開業資金の全額出資者である病院長が、自身の医業への思い入れだけでなく、安定した経営にも思慮を巡らした戦略的経営が見て取れるこのケースは、病院経営の成功・不成功をゴールの設定と達成という視点で見れば、まずは成功と判定されよう。

第7節　医療・介護機関に迫られる事業再設計の心構え

わが国の医療機関や介護機関が迫られているのは、じつは事業経営の再設計、つまり、リエンジニアリング（reengineering）である。リエンジニアリングでは、マインド・セット（mind-set、敢えて訳せば「心構え」）が重要とされる。医療提供サービスの競争が当然となる時代には、過去とは違う組織形態が現れることとなる。本章では、それに戦略的に対応するための「心構え」の整理を試みた。

第4章第5節でも触れたが、リエンジニアリング着手の初段調査では、自社と他社の経営努力について、方向性とポジションを知るための三次元マッピングが使われることがある。

わが国の医療業にリエンジニアリングの三次元のポジショニングを当てはめると、これまでに指摘してきた弱みの様子が一目瞭然である（図表9-4）。わが国では長年にわたって医療技術の革新（Z軸）にばかり気を取られ、近年になって患者の満足度（Y軸）への対応が叫ばれるようになった。一方、マネジメントの卓越性（X軸）については、診療報酬改定といった、自助努力とはおおよそ関係ない外部の環境変化に長年身を委ねてきた。そのため、経営技術の重要性についての理解が遅れていた。それゆえマネジメントの卓越性による医療機関の業績格差が現れるのは、まさにこれからである。

著者が医療における経営技術の重要性を訴えたのは、米国で病院経営のコンサルティング経験を持つ友人のケイミン・ワング氏とともに著した『医療経営革命』（日経BP出版センター、1995年。現在は、薬事日報社より新書版（2002年）が発行されている。）の中であるが、今となってはずいぶんと昔のこととなった。当時では、このような指摘は早すぎたのかもしれない。

「長く続いているから評価を勝ち得ている、というのは必ずしも正しい認識ではない。じつはそれが始まった当時の決断が評価されているに過ぎない。」と、小説家の司馬遼太郎氏が何かの歴史小説の中で書いていた。

明治維新以降、長らく組織の体質が変わらなかったわが国の医療・介

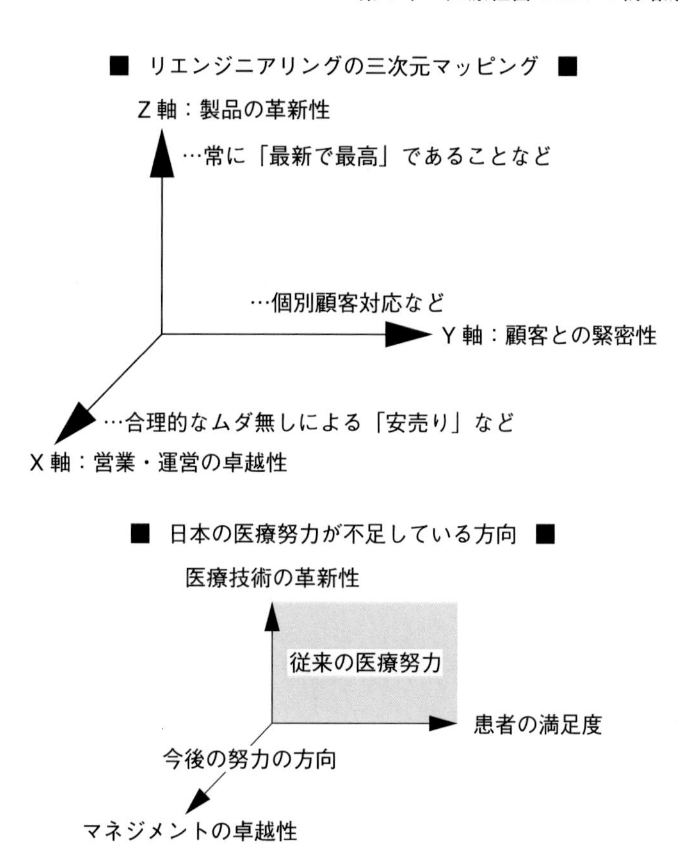

図表9－4　リエンジニアリングの三次元マッピング

護提供の事業経営にもイノベーションが迫られるときが来るのは必然であった。要するに、医療機関や介護機関が生き残るためには古い組織形態や旧来のマネジメント体制の再設計、すなわちリエンジニアリングは不可避なのである。

おわりに

経営責任者にとって意思決定は宿命である。そのため、最後の章で紹介したケース教材の病院の場合も、直面する経営課題と今後の経営戦略を考えるうえでの状況整理、そして新たな取り組みが求められ続けた。ちなみに、ケース教材として取り上げた病院の場合、経営責任者の理事長が直面する根源的な課題は、医療法人としての病院を「家業のまま続けるか否か」の決断だと、著者の目には映った。このような問題に直面している医療・介護施設は全国に数多くあるものと思う。

どちらであっても良いことは、いうまでもない。ただし、曖昧なままでは経営戦略の立案がおぼつかない。もしも、家業を否とするならば、早々に資本と経営の分離を図るべく事業組織のガバナンスを変革しなければならないであろうし、それに沿った経営戦略の立案が必要となろう。しかし、家業で行くと決心するならば、ケース教材に取り上げた病院のように、これまでどおりの高い自己資本比率の維持と、投資判断をより一層正確に行う体制作りに腐心することが必要となろう。要は、経営理念に基づいて随時に経営目標を定め、それを達成するための経営施策を検討することが「経営戦略立案」である。

あらためて整理すると、最終章第6節で「何をもって経営戦略の成功とするか？」という経営戦略立案の基本を理解してもらうために、実際に存在する病院を事例に取り上げて説明した。

じつのところ、その結論は、戦略的な医療経営には、医療・介護事業について包括的に理解し、且つまた、人事や財務や企画といった経営管理技術を持つ人材が不可欠だということでもある。しかし、2011年現在までのところ、わが国には、そのような専門家はまだ少ない。本書の「はじめに」で紹介した経済産業省のプロジェクトのように、わが国にはそのような医療経営人材を養成するシステムも最近までなかった。近年になって医療・介護経営を教える社会人向けの大学院コースも現れているが、医療機関だけでも全国に20万近くある現状に応えるには程遠い医療経営の人材養成体制である。

だからといって、外部に経営相談するにしても、無論、無償というわけにはいかない。相談先が優秀であればあるほど、高額の相談料が必要となる。著者がかつて勤めた世界的に有名な経営コンサルティング会社の場合、経営戦略立案を依頼すると、12ヶ月プロジェクトで優に数億円の費用がかかっていた。もちろん、顧客はそれだけの費用を支払える大企業に限られていた。そこまで極端でなくても、経営コンサルティングを頼むには、まとまった費用が必要となる。

医療機関の中でも経済規模が大きい病院事業でさえ、2011年時点で平均収益は20億円程度である。また、利益率も数パーセント程度であり、且つまた、税引後利益の中から建物設備投資の借入金の元本を返済しなければならない。そのことを考えると、多くの医療機関では経営コンサルティングに数千万円もの出費をすることには無理があろう。それでなくとも、保険診療で公定価格制のわが国では、経営コンサルティングを依頼する資金を捻出できる自由度は小さい。ちなみに、病院の収益は病床数にほぼ比例するが、20床から1,000床余りまでと規模が大きく異なり、全体の７割が200床未満の中小病院である。そのことからも、優れた経営相談先を持つだけの資金的余力がある病院はあまりないはずである。そこでまずは、病医院や介護施設は、収益規模に応じて経営管理体制が異なることを理解する必要があろう。と同時に、「病医院は誰のものか？」という命題について考えておかなければならない。

近年、わが国の会社組織もガバナンスのパラダイム転換期に遭遇しているが、取締役会と執行役員会の分離体制へと変革が進んでいるのは、主に規模の大きい企業である。組織の変革には多大な先行投資を伴うため、十分な資金力がある企業でなければ、ガバナンス体制の変革は容易には実行できない。小規模零細事業者の場合、経営責任者はオーナーでもあるため、敢えて資本と経営を分離する必要はないであろう。経営は、概して流行に乗せられることも多いが、変わらない原理原則も多々ある。自らの背丈に合わせた体制を考えることも、経営の原則である。

さて、命題「病院は誰のものか？」でも、病院の事業規模次第では家業として維持するほうが経営は安定する。当然のことながら、その場合には資本と経営を分離する必要はない。わが国の病院の開設者は大抵が医師であり、自らの医療理念を実践する場と考えているはずである。また、開設者である医師が、開業資金調達の全責任を負っている場合がほとんどである。すなわち、開設者の医師が資本家であり、経営者でもあることから、病医院経営では「医療と経営の分離」の整理が必要となってくる。

そこで、たとえば収益規模が大きい病院や高付加価値サービスを提供できる診療所では、経営管理の業務が複雑になってくるため、経営検討室や経営企画室を設けて、経営管理の専任者を置くとともに、理事長と院長とを分けて、理事長が経営に専念できる体制、すなわち医経分離型モデルの構築を目指すことが適切となる。いうまでもなく、このモデルでは、経営管理部門の間接固定費を賄えるだけの収益を上げられることが前提条件である。そして、この経営管理の専門部署が経営戦略の立案と管理に取り組む体制となる。

一方、収益規模がさほど大きくない中小病院や有床診療所の場合には、経営管理の専門部署こそ置かないものの、事務長には医療経営学を研鑽した者を置くとともに、理事長・院長、副院長、看護部長などの幹部も自らで医療経営学を研修し、医療事業に臨むことが望ましいはずだ。やはり医経一体型モデルには違いないが、経営幹部会議による運営モデルである。この場合も、必要に応じて外部の専門家の力を借りて、幹部のための経営研修を実施したり、経営戦略の立案に取り組むことになる。つまり、経営管理の専門部署を置く代わりに、外部リソースを使って「固定費を変動費化」するわけである。それでも、外部とはいえ、契約期間が長くなると固定費相当となることに留意が必要である。

無床の一般診療所や歯科診療所の場合は、原則として従来と同様の医経一体型モデルとなるが、第５章第１節で説明したように、無床診療所は固定費比率が最も低くなることが特徴である。その意味では、診療所という事業は固定費が増えると継続していけない事業だともいえる。このような場合に、コンサルタントのような外部の専門家を使うことは、開業や相続などの特別な場合に限られ、原則として、院長自らが医療経営学を研鑽しておく必要があるものと思う。

しかしながら、これまでのところ、医学部生のときに医療経営学を学ぶ機会はないし、また、医師国家試験でも医療経営学関連の問いはない。それだけに、医師会や企業が企画した医療経営セミナーに参加して医療政策動向の情報入手や診療報酬請求の情報更新を行うといったことが、せいぜいであった。

医療経営研究の歴史が長い米国では、医師になるために８年の勉学（４年制大学を卒業後、医師養成大学院であるメディカルスクールで４年間学ぶ。）が必要なうえに、近年では経営学修士（MBA）を取得する医師も増えている。それもこれも、医療が進歩し、医療・介護事業の経済規模が大きくなるなかで、それらの経営がどんどんと複雑化していっているからにほかならない。

このような医療業の動向をわが国の政策側が見落とすはずがなく、行政側も医療経営研究の必要性を認めるようになり、その研究成果を用いて医療経営の基礎知識を教える研修会やセミナーも以前より格段に増えている。また、大学などでは専門職大学院や社会人講座などを通じた医療経営研修の企画も現れており、医療経営を研鑽する場が今後とも拡がるものと思う。

じつのところ、医療財政に与える経済的影響が大きい病院業についての経営研究が先行していたため、診療所の経営研究は後回しになっていた。しかし、これまでのように無床診療所が増え続けていくと、いずれ都市部を中心に閉院や倒産が社会問題になるであろうし、また、超高齢社会に突入したわが国では「かかりつけ医」や「かかりつけ診療所」といった家庭医システムがクローズアップされることと思う。そうした動向からも、今後、機能の見直しが活発になると思われる無床診療所が持続的に存立するための経営研究が進むこととなろう。そして、これまでとは違う、診療所を対象とした本格的な医療経営講座が現れるであろう。それが大学院のコースによる形態となるのか、医学部・医科大学同窓会による組織的な研修となるのかはわからないが、いくつもの試みが為される時代になるものと思う。

付　録

（様式例）

損益計算書

自　平成×年×月×日　至　平成×年×月×日

科　　目	金　　額		
Ⅰ　医業収益			
1　入院診療収益		×××	
2　室料差額収益		×××	
3　外来診療収益		×××	
4　保健予防活動収益		×××	
5　受託検査・施設利用収益		×××	
6　その他の医業収益		×××	
合　　計		×××	
7　保険等査定減		×××	×××
Ⅱ　医業費用			
1　材 料 費			
(1)　医薬品費	×××		
(2)　診療材料費	×××		
(3)　医療消耗器具備品費	×××		
(4)　給食用材料費	×××	×××	
2　給 与 費			
(1)　給　　料	×××		
(2)　賞　　与	×××		
(3)　賞与引当金繰入額	×××		
(4)　退職給付費用	×××		
(5)　法定福利費	×××	×××	
3　委 託 費			
(1)　検査委託費	×××		
(2)　給食委託費	×××		
(3)　寝具委託費	×××		
(4)　医事委託費	×××		
(5)　清掃委託費	×××		
(6)　保守委託費	×××		
(7)　その他の委託費	×××	×××	
4　設備関係費			
(1)　減価償却費	×××		
(2)　器機賃貸料	×××		
(3)　地代家賃	×××		
(4)　修 繕 費	×××		
(5)　固定資産税等	×××		
(6)　器機保守料	×××		
(7)　器機設備保険料	×××		
(8)　車両関係費	×××	×××	
5　研究研修費			
(1)　研 究 費	×××		

付録 1 -(a)　2004年に改正された病院会計準則の損益計算書

資料：厚生労働省医政局（2004年）

(2) 研修費	×××	×××	
6 経　費			
(1) 福利厚生費	×××		
(2) 旅費交通費	×××		
(3) 職員被服費	×××		
(4) 通信費	×××		
(5) 広告宣伝費	×××		
(6) 消耗品費	×××		
(7) 消耗器具備品費	×××		
(8) 会議費	×××		
(9) 水道光熱費	×××		
(10) 保険料	×××		
(11) 交際費	×××		
(12) 諸会費	×××		
(13) 租税公課	×××		
(14) 医業貸倒損失	×××		
(15) 貸倒引当金繰入額	×××		
(16) 雑　費	×××	×××	
7 控除対象外消費税等負担額		×××	
8 本部費配賦額		×××	×××
医療利益（又は医業損失）			×××
Ⅲ 医業外収益			
1 受取利息及び配当金		×××	
2 有価証券売却益		×××	
3 運営費補助金収益		×××	
4 施設設備補助金収益		×××	
5 患者外給食収益		×××	
6 その他の医業外収益		×××	×××
Ⅳ 医業外費用			
1 支払利息		×××	
2 有価証券売却損		×××	
3 患者外給食用材料費		×××	
4 診療費減免額		×××	
5 医業外貸倒損失		×××	
6 貸倒引当金医業外繰入額		×××	
7 その他の医業外費用		×××	×××
経常利益（又は経常損失）			×××
Ⅴ 臨時収益			
1 固定資産税売却益		×××	
2 その他の臨時収益		×××	×××
Ⅵ 臨時費用			
1 固定資産売却損		×××	
2 固定資産除却損		×××	
3 資産に係る控除対象外消費税等負担額		×××	
4 災害損失		×××	
5 その他の臨時費用		×××	×××
税引前当期純利益（又は税引前当期純損失）			×××
法人税、住民税及び事業税負担額			×××
当期純利益（又は当期純損失）			×××

（様式例）

貸借対照表
平成×年×月×日

科　　目	金　　額	
（資産の部）		
Ⅰ　流動資産		
現金及び預金	×××	
医業未収金	×××	
未 収 金	×××	
有価証券	×××	
医 薬 品	×××	
診療材料	×××	
給食用材料	×××	
貯 蔵 品	×××	
前 渡 金	×××	
前払費用	×××	
未収収益	×××	
短期貸付金	×××	
役員従業員短期貸付金	×××	
他会計短期貸付金	×××	
その他の流動資産	×××	
貸倒引当金	△×××	
流動資産合計		×××
Ⅱ　固定資産		
1　有形固定資産		
建　　物	×××	
構 築 物	×××	
医療用器械備品	×××	
その他の器械備品	×××	
車両及び船舶	×××	
放射性同位元素	×××	
その他の有形固定資産	×××	
土　　地	×××	
建設仮勘定	×××	
減価償却累計額	△×××	
有形固定資産合計	×××	
2　無形固定資産		
借 地 権	×××	
ソフトウェア	×××	
その他の無形固定資産	×××	
無形固定資産合計	×××	
3　その他の資産		

付録1－(b)　2004年に改正された病院会計準則の貸借対照表

有価証券	×××	
長期貸付金	×××	
役員従業員長期貸付金	×××	
他会計長期貸付金	×××	
長期前払費用	×××	
その他の固定資産	×××	
貸倒引当金	△×××	
その他の資産合計	×××	
固定資産合計		×××
資産合計		×××

科　　目	金　　額	
（負債の部）		
Ⅰ　流動負債		
買 掛 金	×××	
支払手形	×××	
未 払 金	×××	
短期借入金	×××	
役員従業員短期借入金	×××	
他会計短期借入金	×××	
未払費用	×××	
前 受 金	×××	
預 り 金	×××	
従業員預り金	×××	
前受収益	×××	
賞与引当金	×××	
その他の流動負債	×××	
流動負債合計		×××
Ⅱ　固定負債		
長期借入金	×××	
役員従業員長期借入金	×××	
他会計長期借入金	×××	
長期未払金	×××	
退職給付引当金	×××	
長期前受補助金	×××	
その他の固定負債	×××	
固定負債合計		×××
負債合計		×××
（純資産の部）		
Ⅰ　純資産額		×××
（うち、当期純利益又は当期純損失）		（×××）
純資産合計		×××
負債及び純資産合計		×××

（様式例）「業務活動によるキャッシュ・フロー」を「直接法」により表示する場合

キャッシュ・フロー計算書

自　平成×年×月×日　至　平成×年×月×日

区　　分	金　　額
Ⅰ　業務活動によるキャッシュ・フロー	
医業収入	×××
医療材料等の仕入支出	△×××
給与費支出	△×××
委託費支出	△×××
設備関係費支出	△×××
運営費補助金収入	×××
………	×××
小　　計	×××
利息及び配当金の受取額	×××
利息の支払額	△×××
………	△×××
………	×××
業務活動によるキャッシュ・フロー	×××
Ⅱ　投資活動によるキャッシュ・フロー	
有価証券の取得による支出	△×××
有価証券の売却による収入	×××
有形固定資産の取得による支出	△×××
有形固定資産の売却による収入	×××
施設設備補助金の受入れによる収入	×××
貸付けによる支出	△×××
貸付金の回収による収入	×××
………	×××
投資活動によるキャッシュ・フロー	×××
Ⅲ　財務活動によるキャッシュ・フロー	
短期借入れによる収入	×××
短期借入金の返済による支出	△×××
長期借入れによる収入	×××
長期借入金の返済による支出	△×××
………	×××
財務活動によるキャッシュ・フロー	×××
Ⅳ　現金等の増加額（又は減少額）	×××
Ⅴ　現金等の期首残高	×××
Ⅵ　現金等の期末残高	×××

付録1-(c)　2004年に改正された病院会計準則のキャッシュ・フロー計算書

（様式例）「業務活動によるキャッシュ・フロー」を「間接法」により表示する場合

キャッシュ・フロー計算書

自　平成×年×月×日　至　平成×年×月×日

区　分	金　額
Ⅰ　業務活動によるキャッシュ・フロー	
税引前当期純利益	×××
減価償却費	×××
退職給付引当金の増加額	×××
貸倒引当金の増加額	×××
施設設備補助金収益	△×××
受取利息及び配当金	△×××
支払利息	×××
有価証券売却益	△×××
固定資産売却益	△×××
医業債権の増加額	△×××
たな卸資産の増加額	△×××
仕入債務の増加額	×××
………	×××
小　計	×××
利息及び配当金の受取額	×××
利息の支払額	△×××
………	△×××
………	×××
業務活動によるキャッシュ・フロー	×××
Ⅱ　投資活動によるキャッシュ・フロー	
有価証券の取得による支出	△×××
有価証券の売却による収入	×××
有形固定資産の取得による支出	△×××
有形固定資産の売却による収入	×××
施設設備補助金の受入れによる収入	×××
貸付けによる支出	△×××
貸付金の回収による収入	×××
………	×××
投資活動によるキャッシュ・フロー	×××
Ⅲ　財務活動によるキャッシュ・フロー	
短期借入れによる収入	×××
短期借入金の返済による支出	△×××
長期借入れによる収入	×××
長期借入金の返済による支出	△×××
………	×××
財務活動によるキャッシュ・フロー	×××
Ⅳ　現金等の増加額（又は減少額）	×××
Ⅴ　現金等の期首残高	×××
Ⅵ　現金等の期末残高	×××

別表　勘定科目の説明

勘定科目は、日常の会計処理において利用される会計帳簿の記録計算単位である。したがって、最終的に作成される財務諸表の表示科目と必ずしも一致するものではない。なお、経営活動において行う様々な管理目的及び租税計算目的等のために、必要に応じて同一勘定科目をさらに細分類した補助科目を設定することもできる。

資産・負債の部

区　分	勘定科目	説　明
資産の部		
流動資産		
	現金	現金、他人振出当座小切手、送金小切手、郵便振替小切手、送金為替小切手、預金手形（預金小切手)、郵便為替証書、郵便振替貯金払出証書、期限到来公社債利札、官庁支払命令書等の現金と同じ性質をもつ貨幣代用物及び小口現金など
	預金	当座貯金、普通預金、通知預金、定期預金、定期積金、郵便貯金、郵便振替貯金、外貨貯金、金銭信託その他金融機関に対する各種掛金など。ただし、契約期間が1年を超えるものは「その他の資産」に含める。
	医業未収金	医業収益に対する未収入金（手形債権を含む）
	未収金	医業収益以外の収益に対する未収入金（手形債権を含む）
	有価証券	国債、地方債、株式、社債、証券投資信託の受益証券などのうち時価の変動により利益を得ることを目的とする売買目的有価証券
	医薬品	医薬品（医業費用の医薬品費参照）のたな卸高
	診療材料	診療材料（医業費用の診療材料費参照）のたな卸高
	給食用材料	給食用材料（医業費用の給食用材料費及び医業外給食用材料費参照）のたな卸高
	貯蔵品	(ア)　医療消耗器具備品（医業費用の医療消耗器具備品費参照）のたな卸高 (イ)　その他の消耗品及び消耗器具備品（医業費用の消耗品費及び消耗器具備品費参照）のたな卸高
	前渡金	諸材料、燃料の購入代金の前渡額、修繕代金の前渡額、その他これに類する前渡額

付録1－(d)　勘定科目の説明（別表）

	前払費用	火災保険料、賃借料、支払利息など時の経過に依存する継続的な役務の享受取引に対する前払分のうち未経過分の金額（ただし、1年を超えて費用化するものは除く）
	未収益金	受取利息、賃貸料など時の経過に依存する継続的な役務提供取引において既に役務の提供は行ったが、会計期末までに法的にその対価の支払請求を行えない分の金額
	短期貸付金	金銭消費貸借契約等に基づき開設主体の外部に対する貸付取引のうち当初の契約において1年以内に受取期限の到来するもの
	役員従業員短期貸付金	役員、従業員に対する貸付金のうち当初の契約において1年以内に受取期限の到来するもの
	他会計短期貸付金	他会計、本部などに対する貸付金のうち当初の契約において1年以内に受取期限の到来するもの
	その他の流動資産	立替金、仮払金など前掲の科目に属さない債権等であって、1年以内に回収可能なもの。ただし、金額の大きいものについては独立の勘定科目を設けて処理することが望ましい。
	貸倒引当金	医業未収金、未収金、短期貸付金などの金銭債権に関する取立不能見込額の引当額
固定資産	（有形固定資産）	
	建物	(ア) 診療棟、病棟、管理棟、職員宿舎など病院に属する建物 (イ) 電気、空調、冷暖房、昇降機、給排水など建物に附属する設備
	構築物	貯水池、門、塀、舗装道路、緑化施設など建物以外の工作物及び土木設備であって土地に定着したもの
	医療用器械備品	治療、検査、看護など医療用の器械、器具、備品など（ファイナンス・リース契約によるものを含む）
	その他器械備品	その他前掲に属さない器械、器具、備品など（ファイナンス・リース契約によるものを含む）
	車両及び船舶	救急車、検診車、巡回用自動車、乗用車、船舶など（ファイナンス・リース契約によるものを含む）
	放射性同位元素	診療用の放射性同位元素
	その他の有形固定資産	立木竹など前掲の科目に属さないもの。ただし、金額の大きいものについては独立の勘定科目を設けて処理することが望ましい。

	土地	病院事業活動のために使用している土地
	建設仮勘定	有形固定資産の建設、拡張、改造などの工事が完了し稼動するまでに発生する請負前渡金、建設用材料部品の買入代金など
	減価償却累計額	土地及び建設仮勘定以外の有形固定資産について行った減価償却累計額
	（無形固定資産）	
	借地権	建物の所有を目的とする地上権及び賃借権などの借地法上の借地権で対価をもって取得したもの
	ソフトウェア	コンピュータソフトウェアに係る費用で、外部から購入した場合の取得に要した費用ないしは制作費用のうち研究開発費に該当しないもの
	その他の無形固定資産	電話加入権、給湯権、特許権など前掲の科目に属さないもの。ただし、金額の大きいものについては独立の勘定科目を設けて処理することが望ましい。
	（その他の資産）	
	有価証券	国債、地方債、株式、社債、証券投資信託の受益証券などのうち満期保有目的の債権、その他有価証券及び市場価格のない有価証券
	長期貸付金	金銭消費貸借契約等に基づき開設主体の外部に対する貸付取引のうち、当初の契約において１年を超えて受取期限の到来するもの
	役員従業員長期貸付金	役員、従業員に対する貸付金のうち当初の契約において１年を超えて受取期限の到来するもの
	他会計長期貸付金	他会計、本部などに対する貸付金のうち当初の契約において１年を超えて受取期限の到来するもの
	長期前払費用	時の経過に依存する継続的な役務の享受取引に対する前払分で１年を超えて費用化される未経過分の金額
	その他の固定資産	関係団体に対する出資金、差入保証金など前掲の科目に属さないもの。ただし、金額の大きいものについては独立の勘定科目を設けて処理することが望ましい。
	貸倒引当金	長期貸付金などの金銭債権に関する取立不能見込額の引当額
負債の部		
流動負債		
	買掛金	医薬品、診療材料、給食用材料などたな卸資産に対

		する未払債務
	支払手形	手形上の債務。ただし、金融手形は短期借入金又は長期借入金に含める。又、建物設備等の購入取引によって生じた債務は独立の勘定科目を設けて処理する。
	未払金	器械、備品などの償却資産及び医業費用等に対する未払債務
	短期借入金	公庫、事業団、金融機関などの外部からの借入金で、当初の契約において1年以内に返済期限が到来するもの
	役員従業員短期借入金	役員、従業員からの借入金のうち当初の契約において1年以内に返済期限が到来するもの
	他会計短期借入金	他会計、本部などから借入金のうち当初の契約において1年以内に返済期限が到来するもの
	未払費用	賃金、支払利息、賃借料など時の経過に依存する継続的な役務給付取引において既に役務の給付は受けたが、会計期末までに法的にその対価の支払債務が確定していない分の金額
	前受金	医業収益の前受額、その他これに類する前受額
	預り金	入院預り金など従業員以外の者からの一時的な預り金
	従業員預り金	源泉徴収税額及び社会保険料などの徴収額等、従業員に関する一時的な預り金
	前受収益	受取利息、賃貸料など時の経過に依存する継続的な役務提供取引に対する前受分のうち未経過分の金額
	賞与引当金	支給対象期間に基づき定期に支給する従業員賞与に係る引当金
	その他の流動負債	仮受金など前掲の科目に属さない債務等であって、1年以内に期限が到来するもの。ただし、金額の大きいものについては独立の勘定科目を設けて処理することが望ましい。
固定負債		
	長期借入金	公庫、事業団、金融機関などの外部からの借入金で、当初の契約において1年を超えて返済期限が到来するもの
	役員従業員長期借入金	役員、従業員からの借入金のうち当初の契約において1年を超えて返済期限が到来するもの
	他会計長期借入金	他会計、本部などからの借入金のうち当初の契約において1年を超えて返済期限が到来するもの

	長期未払金	器械、備品など償却資産に対する未払債務（リース契約による債務を含む）のうち支払期間が１年を超えるもの。
	退職給付引当金	退職給付に係る会計基準に基づき従業員が提供した労働用益に対して将来支払われる退職給付に備えて設定される引当金
	長期前受補助金	償却資産の設備の取得に対して交付された補助金であり、取得した償却資産の毎期の減価償却費に対応する部分を取崩した後の未償却残高対応額。
	その他の固定負債	前掲の科目に属さない債務等であって、期間が１年を超えるもの。ただし、金額の大きいものについては独立の勘定科目を設けて処理することが望ましい。

損益の部

区　分	勘定科目	説　明
医業収益		
	入院診療収益	入院患者の診療、療養に係る収益（医療保険、公費負担医療、公害医療、労災保険、自動車損害賠償責任保険、自費診療、介護保険等）
	室料差額収益	特定療養費の対象となる特別の療養環境の提供に係る収益
	外来診療収益	外来患者の診療、療養に係る収益（医療保険、公費負担医療、公害医療、労災保険、自動車損害賠償責任保険、自費診療等）
	保健予防活動収益	各種の健康診断、人間ドック、予防接種、妊産婦保健指導等保健予防活動に係る収益
	受託検査・施設利用収益	他の医療機関から検査の委託を受けた場合の検査収益及び医療設備器機を他の医療機関の利用に供した場合の収益
	その他の医業収益	文書料等上記に属さない医業収益（施設介護及び短期入所療養介護以外の介護報酬を含む）
	保険等査定減	社会保険診療報酬支払基金などの審査機関による審査減額
医業費用		
	（材料費）	
	医薬品費	㋐　投薬用薬品の費消額 ㋑　注射用薬品（血液、プラズマを含む）の費消額 ㋒　外用薬、検査用試薬、造影剤など前記の項目に

		属さない薬品の費消額
	診療材料費	カテーテル、縫合糸、酸素、ギブス粉、レントゲンフィルム、など１回ごとに消費する診療材料の費消額
	医療消耗器具備品費	診療、検査、看護、給食などの医療用の器械、器具及び放射性同位元素のうち、固定資産の計上基準額に満たないもの、または１年内に消費するもの
	給食用材料費	患者給食のために使用した食品の費消額
	（給与費）	
	給料	病院で直接業務に従事する役員・従業員に対する給料、手当
	賞与	病院で直接業務に従事する従業員に対する確定済賞与のうち、当該会計期間に係る部分の金額
	賞与引当金繰入額	病院で直接業務に従事する従業員に対する翌会計期間に確定する賞与の当該会計期間に係る部分の見積額
	退職給付費用	病院で直接業務に従事する従業員に対する退職一時金、退職年金等将来の退職給付のうち、当該会計期間の負担に属する金額（役員であることに起因する部分を除く）
	法定福利費	病院で直接業務に従事する役員・従業員に対する健康保険法、厚生年金保険法、雇用保険法、労働者災害補償保険法、各種の組合法などの法令に基づく事業主負担額
	（委託費）	
	検査委託費	外部に委託した検査業務の対価としての費用
	給食委託費	外部に委託した給食業務の対価としての費用
	寝具委託費	外部に委託した寝具整備業務の対価としての費用
	医事委託費	外部に委託した医事業務の対価としての費用
	清掃委託費	外部に委託した清掃業務の対価としての費用
	保守委託費	外部に委託した施設設備に係る保守業務の対価としての費用。ただし、器機保守料に該当するものは除く。
	その他の委託費	外部に委託した上記以外の業務の対価としての費用。ただし、金額の大きいものについては、独立の科目を設ける。
	（設備関係費）	
	減価償却費	固定資産の計画的・規則的な取得原価の配分額
	器械賃借料	固定資産に計上を要しない器機等のリース、レンタル料

	地代家賃	土地、建物などの賃借料
	修繕費	有形固定資産に損傷、摩滅、汚損などが生じたとき、現状回復に要した通常の修繕のための費用
	固定資産税等	固定資産税、都市計画税等の固定資産の保有に係る租税公課。ただし、車両関係費に該当するものを除く。
	器機保守費	器機の保守計画に係る費用
	器機設備保険料	施設設備に係る火災保険料等の費用。ただし、車両関係費に該当するものは除く。
	車両関係費	救急車、検診車、巡回用自動車、乗用車、船舶などの燃料、車両検査、自動車損害賠償責任保険、自動車税等の費用
	（研究研修費）	
	研究費	研究材料（動物、飼料などを含む）、研究図書等の研究活動に係る費用
	研修費	講習会参加に係る会費、旅費交通費、研修会開催のために招聘した講師に対する謝金等職員研修に係る費用
	（経費）	
	福利厚生費	福利施設負担額、厚生費など従業員の福利厚生のために要する法定外福利費 ㋐ 看護宿舎、食堂、売店など福利施設を利用する場合における事業主負担額 ㋑ 診療、健康診断などを行った場合の減免額、その他衛生、保健、慰安、修養、教育訓練などに要する費用、団体生命保険料及び慶弔に際して一定の基準により支給される金品などの現物給与。 ただし、金額の大きいものについては、独立の科目を設ける。
	旅費交通費	業務のための出張旅費。ただし、研究、研修のための旅費を除く。
	職員被服費	従業員に支給又は貸与する白衣、予防衣、診療衣、作業衣などの購入、洗濯等の費用
	通信費	電信電話料、インターネット接続料、郵便料金など通信のための費用
	広告宣伝費	機関誌、広報誌などの印刷製本費、電飾広告等の広告宣伝に係る費用
	消耗品費	カルテ、検査伝票、会計伝票などの医療用、事務用の用紙、帳簿、電球、洗剤など１年内に消費するも

		のの費消額。ただし、材料費に属するものを除く。
	消耗器具備品費	事務用その他の器械、器具のうち、固定資産の計上基準額に満たないもの、または1年内に消費するもの
	会議費	運営諸会議など院内管理のための会議の費用
	水道光熱費	電気、ガス、水道、重油などの費用。ただし、車両関係費に該当するものは除く。
	保険料	生命保険料、病院責任賠償保険料など保険契約に基づく費用。ただし、福利厚生費、器機設備保険料、車両関係費に該当するものを除く。
	交際費	接待費及び慶弔など交際に要する費用。
	諸会費	各種団体に対する会費、分担金などの費用
	租税公課	印紙税、登録免許税、事業所税などの租税及び町会費などの公共的課金としての費用。ただし、固定資産税等、車両関係費、法人税・住民税及び事業税負担額、課税仕入れに係る消費税及び地方消費税相当部分に該当するものは除く。
	医業貸倒損失	医業未収金の徴収不能額のうち、貸倒引当金で填補されない部分の金額
	貸倒引当金繰入額	当該会計期間に発生した医業未収金のうち、徴収不能と見積もられる部分の金額
	雑費	振込手数料、院内託児所費、学生に対して学費、教材費などを負担した場合の看護師養成費など経費のうち前記に属さない費用。ただし、金額の大きいものについては独立の科目を設ける。
	控除対象外消費税等負担額	病院の負担に属する控除対象外の消費税及び地方消費税。ただし、資産に係る控除対象外消費税に該当するものは除く。
	本部費配賦額	本部会計を設けた場合の、一定の配賦基準で配賦された本部の費用
医業外収益		
	受取利息及び配当金	預貯金、公社債の利息、出資金等に係る分配金
	有価証券売却益	売買目的等で所有する有価証券を売却した場合の売却益
	運営費補助金収益	運営に係る補助金、負担金
	施設設備補助金収益	施設設備に係る補助金、負担金のうち、当該会計期間に配分された金額

	患者外給食収益	従業員等患者以外に提供した食事に対する収益
	その他の医業外収益	前記の科目に属さない医業外収益。ただし、金額が大きいものについては、独立の科目を設ける。
医業外費用		
	支払利息	長期借入金、短期借入金の支払利息
	有価証券売却損	売買目的等で所有する有価証券を売却した場合の売却損
	患者外給食用材料費	従業員等患者以外に提供した食事に対する材料費。ただし、給食業務を委託している場合には、患者外給食委託費とする。
	診療費減免額	患者に無料または低額な料金で診療を行う場合の割引額など
	医業外貸倒損失	医業未収金以外の債権の回収不能額のうち、貸倒引当金で填補されない部分の金額
	貸倒引当金医業外繰入額	当該会計期間に発生した医業未収金以外の債権の発生額のうち、回収不能と見積もられる部分の金額
	その他の医業外費用	前記の科目に属さない医業外費用。ただし、金額が大きいものについては、独立の科目を設ける。
臨時収益		
	固定資産売却益	固定資産の売却価額がその帳簿価額を超える差額
	その他の臨時収益	前記以外の臨時的に発生した収益。
臨時費用		
	固定資産売却損	固定資産の売却価額がその帳簿価額に不足する差額
	固定資産除却損	固定資産を廃棄した場合の帳簿価額及び撤去費用
	資産に係る控除対象外消費税等負担額	病院の負担に属する控除対象外の消費税及び地方消費税のうち資産取得部分から発生した金額のうち多額な部分
	災害損失	火災、出水等の災害に係る廃棄損と復旧に関する支出の合計額
	その他の臨時費用	前記以外の臨時的に発生した費用
法人税、住民税及び事業税負担額		法人税、住民税及び事業税のうち、当該会計年度の病院の負担に属するものとして計算された金額

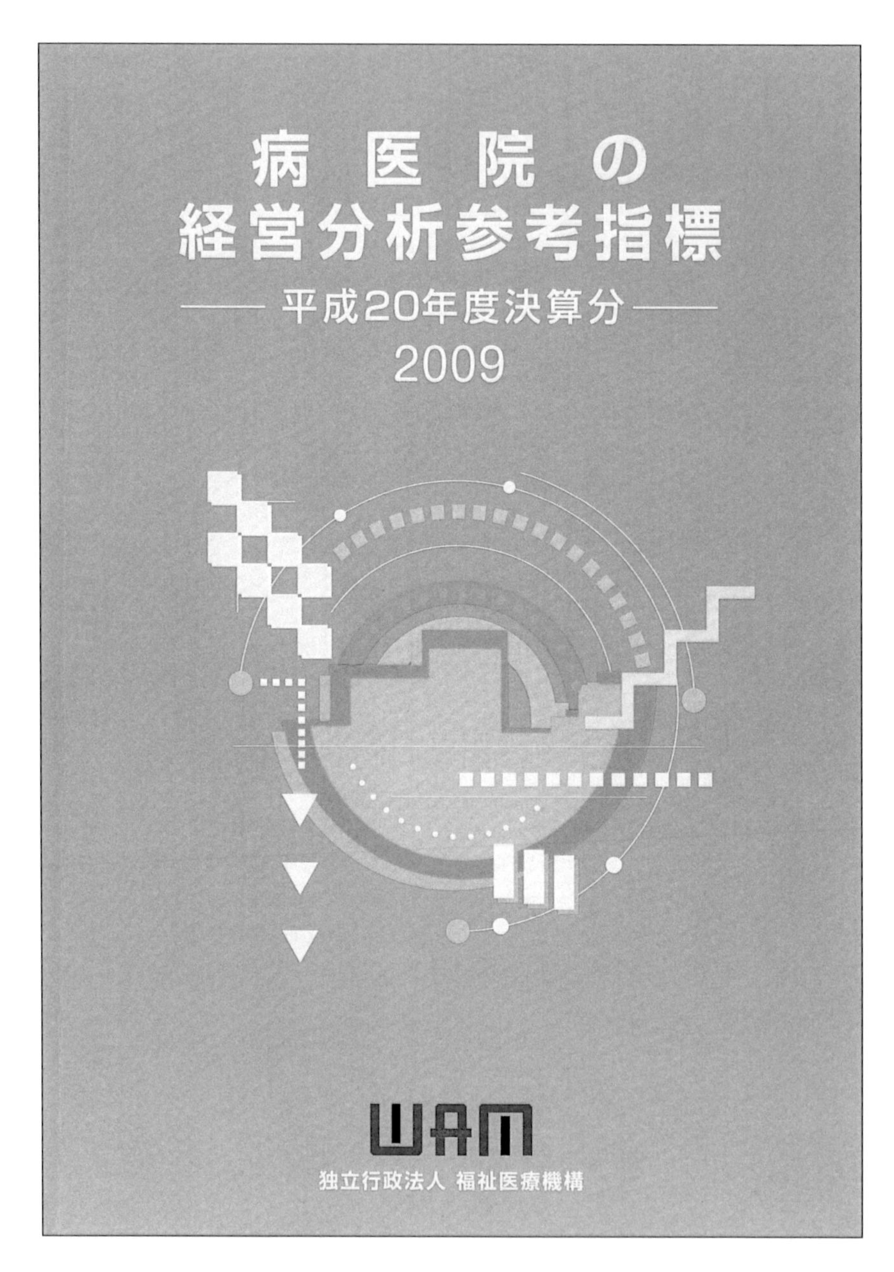

付録 2　医療・介護施設の経営指標
出典：独立行政法人福祉医療機構

もくじ

Ⅰ　病院経営分析参考指標

この参考指標は、当機構の直接貸付先である病院から提出された事業報告書をもとに、平成20年度の経営状況をとりまとめたものです。参考指標の経営比率等の意味については、53ページ以下の「病医院の経営諸比率」をご参照ください。

1. 収支の状況

(1) 一般病院・療養型病院・精神科病院－構成比等(年次別)

<機能性>

（その1）

区分			一般病院				
			平成16年度	平成17年度	平成18年度	平成19年度	平成20年度
施設数			608施設	611	598	659	726
平均病床数			181.9床	187.9	183.0	188.0	191.0
病床利用率			83.7%	83.6	81.9	81.2	80.0
平均在院日数			24.7日	23.6	23.1	23.0	22.6
入院外来比			2.04	2.06	1.97	1.95	1.93
新患率			9.9%	10.1	10.8	10.8	10.6
1日平均患者数	入院		152.1人	157.0	149.9	152.6	152.7
	外来		310.7人	323.0	294.8	297.6	295.1
病床1床当たり医業収益			14,833千円	15,536	15,039	15,662	15,746
患者1人1日当たり医業収益	入院		32,385円	34,176	34,129	36,019	36,974
		(うち室料差額)	(833円)	(960)	(954)	(1,014)	(990)
	外来		8,429円	8,771	8,843	9,290	9,460
1施設当たり従事者数	医師	常勤	17.8人	19.4	18.0	19.6	19.9
		非常勤	4.6人	4.8	4.4	4.5	4.8
	看護師・准看護師・看護補助者		125.9人	131.4	127.8	134.0	135.8
	その他		80.8人	86.9	83.4	88.8	93.4
	計		229.1人	242.5	233.6	246.8	254.0
患者規模100人当たり従事者数	医師	常勤	7.0人	7.3	7.2	7.8	7.9
		非常勤	1.8人	1.8	1.8	1.8	1.9
	看護師・准看護師・看護補助者		49.2人	49.6	51.5	53.2	54.1
	その他		33.3人	34.4	35.4	37.0	38.9
	計		91.3人	93.2	95.9	99.8	102.9

<収支の状況>

区分				平成16年度	平成17年度	平成18年度	平成19年度	平成20年度
収支の状況	収益	総収益構成比	医業収益	97.2%	96.6	97.2	97.4	97.6
			医業外収益	2.1%	2.4	2.4	2.0	1.9
			特別利益	0.7%	1.0	0.4	0.6	0.5
		医業収益構成比	入院収入	66.6%	67.1	67.8	68.3	68.5
			(うち室料差額)	(1.7%)	(1.9)	(1.9)	(1.9)	(1.8)
			外来収入	28.9%	28.8	28.0	27.6	27.3
			その他の医業収入	4.5%	4.1	4.1	4.1	4.2
	費用	医業収益100に対する医業費用の割合	人件費	49.7%	49.8	50.9	50.9	51.6
			医療材料費	22.2%	22.7	22.0	22.0	21.5
			給食材料費	2.1%	2.0	2.0	1.9	2.0
			(入院患者1人1日当たり)	(983円)	(1,014)	(996)	(985)	(1,061)
			経費	19.5%	19.9	19.8	19.9	19.7
			減価償却費	4.1%	4.4	4.5	4.8	4.7
			計	97.5%	98.8	99.2	99.5	99.4
損益分岐点比率				98.5%	100.4	101.0	101.3	101.3
経常収益対支払利息率				1.4%	1.4	1.5	1.5	1.4
医業収益対医業利益率				2.5%	1.2	0.8	0.5	0.6
経常収益対経常利益率				1.8%	0.9	0.5	0.0	0.2
収益率[1－(総費用／総収益)]×100				1.2%	0.6	0.1	−0.3	0.1
従事者1人当たり年間医業収益				11,776千円	12,036	11,782	11,928	11,841
労働生産性				6,140千円	6,141	6,096	6,131	6,180
従事者1人当たり人件費				5,850千円	5,998	6,000	6,067	6,112
労働分配率				95.3%	97.7	98.4	99.0	98.9

(注1) 全病床に占める一般病床の割合が50%を超える病院を「一般病院」とした。
(注2) 医育機関附属病院及び医師会立病院は含まれていない。
(注3) 「1施設当たり従事者数」、「患者規模100人当たり従事者数」、「従事者1人当たり年間医業収益」、「労働生産性」及び「従事者1人当たり人件費」は、常勤従事者数(非常勤従事者の常勤換算後の従事者数を含む)により算出している。
(注4) 給食材料費には、委託給食費を含む。
(注5) 数値は四捨五入のため、内訳の合計が合わない場合もある。

<機能性>

（その2）

区分			療養型病院				
			平成16年度	平成17年度	平成18年度	平成19年度	平成20年度
施設数			632施設	626	554	584	649
平均病床数			140.1床	143.9	146.4	146.0	147.7
病床利用率			94.8%	94.0	92.7	93.0	92.4
平均在院日数			116.1日	113.8	111.9	104.6	105.0
入院外来比			0.70	0.68	0.64	0.63	0.58
新患率			7.5%	7.7	7.7	7.6	7.6
1日平均患者数	入院		132.7人	135.3	135.7	135.8	136.4
	外来		93.2人	92.0	86.5	85.5	78.9
病床1床当たり医業収益			8,323千円	8,478	8,176	8,305	8,390
患者1人1日当たり医業収益	入院		18,814円	19,461	18,960	19,204	19,643
		（うち室料差額）	(356円)	(305)	(318)	(336)	(354)
	外来		6,848円	7,164	7,268	7,297	7,811
1施設当たり従事者数	医師	常勤	4.9人	5.1	5.0	5.0	5.0
		非常勤	2.5人	2.5	2.4	2.4	2.5
	看護師・准看護師・看護補助者		82.3人	85.3	84.6	84.8	85.6
	その他		39.1人	40.1	41.1	42.2	44.6
	計		128.8人	132.9	133.2	134.4	137.7
患者規模100人当たり従事者数	医師	常勤	3.0人	3.1	3.0	3.0	3.0
		非常勤	1.5人	1.5	1.5	1.5	1.5
	看護師・准看護師・看護補助者		50.2人	51.4	51.4	51.6	52.6
	その他		24.5人	24.9	25.7	26.3	28.1
	計		79.2人	80.8	81.6	82.4	85.2

<収支の状況>

区分				平成16年度	平成17年度	平成18年度	平成19年度	平成20年度
収支の状況	収益	総収益構成比	医業収益	97.6%	97.6	97.5	97.3	97.6
			医業外収益	2.0%	1.9	2.0	2.1	2.1
			特別利益	0.4%	0.5	0.5	0.6	0.3
		医業収益構成比	入院収入	78.2%	78.8	78.4	78.7	79.0
			（うち室料差額）	(1.5%)	(1.2)	(1.3)	(1.4)	(1.4)
			外来収入	15.9%	15.7	15.3	14.9	14.3
			その他の医業収入	6.0%	5.4	6.3	6.4	6.8
	費用	医業収益100に対する医業費用の割合	人件費	52.4%	52.8	54.8	54.7	55.3
			医療材料費	10.0%	10.2	10.0	10.1	9.9
			給食材料費	4.3%	4.1	4.1	4.2	4.1
			（入院患者1人1日当たり）	(1,026円)	(1,016)	(992)	(1,018)	(1,010)
			経費	21.1%	20.9	21.3	21.2	20.8
			減価償却費	4.9%	4.7	4.7	4.6	4.5
			計	92.6%	92.8	95.0	94.8	94.7
損益分岐点比率				93.1%	93.1	95.7	95.5	95.2
経常収益対支払利息率				1.6%	1.5	1.5	1.5	1.4
医業収益対医業利益率				7.4%	7.2	5.0	5.2	5.3
経常収益対経常利益率				6.7%	6.8	4.8	5.0	5.3
収益率 {1−(総費用／総収益)} ×100				5.9%	6.2	4.3	4.8	4.8
従事者1人当たり年間医業収益				9,051千円	9,176	8,988	9,022	8,999
労働生産性				5,408千円	5,511	5,382	5,411	5,461
従事者1人当たり人件費				4,743千円	4,847	4,928	4,939	4,981
労働分配率				87.7%	87.9	91.6	91.3	91.2

(注1) 全病床に占める療養病床の割合が50%を超える病院を「療養型病院」とした。
(注2) 医育機関附属病院及び医師会立病院は含まれていない。
(注3) 「1施設当たり従事者数」、「患者規模100人当たり従事者数」、「従事者1人当たり年間医業収益」、「労働生産性」及び「従事者1人当たり人件費」は、常勤従事者数(非常勤従事者の常勤換算後の従事者数を含む)により算出している。
(注4) 給食材料費には、委託給食費を含む。
(注5) 数値は四捨五入のため、内訳の合計が合わない場合もある。

＜機能性＞

（その3）

区分			精神科病院 平成16年度	平成17年度	平成18年度	平成19年度	平成20年度
施設数			270施設	288	281	297	320
平均病床数			289.3床	284.4	284.6	266.3	278.4
病床利用率			94.8%	94.3	94.3	93.5	93.5
平均在院日数			354.5日	333.6	327.6	325.2	314.8
入院外来比			0.26	0.27	0.28	0.30	0.29
新患率			2.8%	2.7	2.7	2.9	2.8
1日平均患者数	入院		274.2人	268.1	268.2	249.0	260.4
	外来		72.3人	71.9	74.6	73.6	74.4
病床1床当たり医業収益			5,395千円	5,520	5,565	5,640	5,705
患者1人1日当たり医業収益	入院		13,368円	13,780	13,901	14,124	14,295
		（うち室料差額）	(84円)	(104)	(141)	(161)	(152)
	外来		8,728円	8,904	8,753	8,683	8,874
1施設当たり従事者数	医師	常勤	6.7人	6.7	6.7	6.4	6.8
		非常勤	2.5人	2.5	2.4	2.3	2.5
	看護師・准看護師・看護補助者		124.5人	124.7	126.2	117.4	126.5
	その他		49.2人	50.4	50.2	48.0	50.4
	計		182.7人	184.3	185.5	174.1	186.1
患者規模100人当たり従事者数	医師	常勤	2.3人	2.3	2.3	2.3	2.4
		非常勤	0.8人	0.8	0.8	0.8	0.9
	看護師・准看護師・看護補助者		41.7人	42.7	43.1	42.9	44.3
	その他		16.7人	17.6	17.6	17.9	18.1
	計		61.5人	63.4	63.7	64.0	65.7

＜収支の状況＞

区分				平成16年度	平成17年度	平成18年度	平成19年度	平成20年度
収支の状況	収益	総収益構成比	医業収益	96.3%	96.5	96.3	96.7	96.7
			医業外収益	2.9%	2.7	3.1	3.0	3.0
			特別利益	0.8%	0.8	0.6	0.3	0.3
		医業収益構成比	入院収入	85.7%	85.9	86.0	85.7	85.5
			（うち室料差額）	(0.5%)	(0.7)	(0.9)	(1.0)	(0.9)
			外来収入	11.7%	11.7	11.8	12.1	11.8
			その他の医業収入	2.6%	2.4	2.3	2.2	2.6
	費用	医業収益100に対する医業費用の割合	人件費	58.9%	58.8	59.2	58.9	59.4
			医療材料費	8.1%	8.2	8.3	8.2	8.1
			給食材料費	5.1%	5.1	5.0	5.3	5.3
			（入院患者1人1日当たり）	(790円)	(819)	(808)	(868)	(888)
			経費	18.1%	18.5	18.2	18.3	18.0
			減価償却費	5.3%	5.1	5.2	5.1	5.0
			計	95.4%	95.7	95.9	95.8	95.8
損益分岐点比率				96.3%	96.7	96.9	96.8	96.7
経常収益対支払利息率				1.4%	1.4	1.4	1.4	1.4
医業収益対医業利益率				4.6%	4.3	4.1	4.2	4.2
経常収益対経常利益率				4.4%	4.2	4.4	4.1	4.3
収益率｛1－（総費用／総収益）｝×100				3.6%	3.9	3.6	3.7	3.5
従事者1人当たり年間医業収益				8,541千円	8,519	8,539	8,629	8,536
労働生産性				5,424千円	5,375	5,408	5,446	5,429
従事者1人当たり人件費				5,030千円	5,009	5,058	5,083	5,071
労働分配率				92.7%	93.2	93.5	93.3	93.4

(注1) 全病床に占める精神病床の割合が80％以上の病院を「精神科病院」とした。
(注2) 医育機関附属病院及び医師会立病院は含まれていない。
(注3)「1施設当たり従事者数」、「患者規模100人当たり従事者数」、「従事者1人当たり年間医業収益」、「労働生産性」及び「従事者1人当たり人件費」は、常勤従事者数(非常勤従事者の常勤換算後の従事者数を含む)により算出している。
(注4) 給食材料費には、委託給食費を含む。
(注5) 数値は四捨五入のため、内訳の合計が合わない場合もある。

Ⅱ　診療所経営分析参考指標

この参考指標は、中央社会保険医療協議会の「医療経済実態調査報告」、厚生労働省の「社会医療診療行為別調査」、「医療施設調査」をもとにとりまとめたものです。

注：「医療経済実態調査報告」における集計区分は下図のとおりで、一般診療所については（集計１）を、歯科診療所については（集計２）を用いています。

	介護保険事業を実施していない 医療機関等	介護保険事業を実施している 医療機関等
医療保険に 係る収支等	（集計１） 介護保険事業に係る収入のない 医療機関の集計	（集計２） 介護保険事業に係る収入のない 医療機関等及び 介護保険事業に係る収入のある 医療機関等の集計
介護保険に 係る収支等		

介護老人保健施設の経営分析参考指標

―― 平成20年度決算分 ――

2009

WAM

独立行政法人 福祉医療機構

もくじ

介護老人保健施設の経営分析参考指標

この参考指標は、当機構の貸付先である介護老人保健施設から提出された事業報告をもとに、開設後1年以上経過した施設について経営の状況をとりまとめたものです。参考指標の経営比率等の意味については、19ページ以下の「経営指標の概要」をご参照ください。

1. 収支の状況

(1)介護老人保健施設の年次推移別の概況(平成16年度～平成20年度)

区分		平成16年度	平成17年度	平成18年度	平成19年度	平成20年度
施設数		1,167施設	1,237	1,189	1,347	1,546
平均入所定員数		93.1人	93.7	95.0	95.5	96.0
平均通所定員数		37.3人	38.3	39.5	39.2	39.3
入所利用率		95.4%	94.8	94.8	95.1	95.7
通所利用率		68.0%	66.6	64.2	65.5	67.1
平均在所日数		89.9日	89.8	94.4	95.8	95.3
1日平均利用者数	入所(施設入所＋短期入所)	88.8人	88.8	90.1	90.9	91.8
	通所	25.3人	25.6	25.4	25.7	26.3
平均要介護度	入所(施設入所＋短期入所)	3.14	3.16	3.19	3.25	3.27
	通所	2.05	2.02	2.08	2.06	2.06
入所定員1人当たり年間事業収益		5,294千円	5,222	5,107	5,157	5,216
利用者1人1日当たり事業収益	入所介護料収益(施設入所＋短期入所)	11,274円	10,723	9,791	9,816	9,864
	室料差額(施設入所＋短期入所)	211円	198	211	230	220
	入所者利用料(施設入所＋短期入所)	1,079円	1,519	2,126	2,181	2,153
	通所介護料収益	9,070円	8,950	8,819	8,879	8,969
	通所者利用料	806円	904	1,140	1,133	1,118
入所定員1人当たりの建築面積		42.8㎡	43.3	43.7	43.8	43.8
1施設当たり従事者数	医師	1.3人	1.3	1.2	1.3	1.2
	看護師・准看護師・介護職員	46.8人	47.1	46.0	47.1	48.1
	支援相談員・理学療法士・作業療法士・言語聴覚士	5.2人	5.4	5.6	5.9	6.3
	その他の職員	10.1人	10.1	9.9	9.7	9.8
	計	63.3人	63.8	62.6	64.0	65.5
利用者100人当たり従事者数	医師	1.1人	1.1	1.1	1.1	1.0
	看護師・准看護師・介護職員	41.0人	41.1	39.8	40.4	40.7
	支援相談員・理学療法士・作業療法士・言語聴覚士	4.6人	4.7	4.8	5.1	5.3
	その他の職員	8.8人	8.8	8.5	8.3	8.3
	計	55.5人	55.8	54.2	54.9	55.5
収支の状況 収益 総収益構成比	事業収益	98.0%	97.4	97.9	97.9	97.8
	事業外収益	1.6%	1.7	1.6	1.7	1.6
	特別利益	0.5%	0.9	0.5	0.4	0.6
	計	100.0%	100.0	100.0	100.0	100.0
収支の状況 収益 事業収益構成比	入所介護料収益(施設入所＋短期入所)	74.1%	71.1	66.3	66.3	66.0
	室料差額(施設入所＋短期入所)	1.4%	1.3	1.5	1.6	1.5
	入所者利用料(施設入所＋短期入所)	7.0%	10.1	14.3	14.7	14.4
	通所介護料収益	14.0%	14.0	13.5	13.7	14.1
	通所者利用料	1.2%	1.4	1.7	1.7	1.8
	その他	2.1%	2.2	2.6	2.0	2.2
	計	100.0%	100.0	100.0	100.0	100.0
収支の状況 費用 事業収益に対する事業費用の割合	人件費	49.6%	50.9	52.4	52.5	53.3
	医療材料費	2.5%	2.6	2.7	2.6	2.6
	給食材料費	8.4%	8.5	8.6	8.7	8.8
	経費	19.5%	20.0	20.3	20.5	20.2
	減価償却費	7.2%	7.1	6.9	6.7	6.2
	計	87.2%	89.0	90.9	91.1	91.2
経常収益対支払利息率		2.9%	2.6	2.5	2.5	2.2
事業収益対事業利益率		12.8%	11.0	9.1	8.9	8.8
経常収益対経常利益率		10.0%	8.5	7.2	7.1	7.0
従事者1人当たり年間事業収益		7,786千円	7,667	7,752	7,699	7,640
労働生産性		4,857千円	4,740	4,765	4,731	4,745
従事者1人当たり人件費		3,863千円	3,899	4,062	4,044	4,073
労働分配率		79.5%	82.3	85.3	85.5	85.8

注1) 数値は四捨五入のため、内訳の合計が合わない場合もある。
注2) 「1施設当たり従事者数」、「利用者100人当たり従事者数」、「従事者1人当たり年間事業収益」、「労働生産性」及び「従事者1人当たり人件費」は、常勤従事者数により算出しており、非常勤従事者については常勤換算を行っている。

経営指標の概要

本章では、現在の介護老人保健施設の経営実態を考慮しながら、経営分析に必要と思われる経営比率とその概要をとりまとめました。経営状況を自己診断し、問題点や経営改善の方向を探る際にお役立てください。

区分	経営指標	算式	説明
機能性	入所利用率	$\frac{\text{1日平均入所者数}}{\text{平均入所定員数}} \times 100$	入所定員の活用効率をみる。平均在所日数との関係からも検討する必要がある。
	通所利用率	$\frac{\text{1日平均通所者数}}{\text{平均通所定員数}}$	通所定員の活用効率をみる。 （注）1日平均通所者数及び平均通所定員数は、通所リハ年間実施日数を分母として算定する。
	平均在所日数	$\frac{\text{入所者延数}}{\text{(新入所者数+退所者数)/2}}$	一般的には、これが短いほうが在宅復帰の機能が高いと考えられる。
	利用者100人当たり従事者数	$\frac{\text{年間（平均）従事者数}}{\text{1日平均入所者数+1日平均通所者数}} \times 100$	従事者数の面から施設のサービス内容を把握する。採用する介護保健施設サービス費や外部委託状況によっても異なる。 （注）従事者数は、非常勤職員の常勤換算後の職員数を含む常勤職員数により算出する。
	利用者1人1日当たり事業収益	$\frac{\text{各事業収益}}{\text{入所者延数又は通所者延数}}$	利用者1人1日当たりの収益から施設のサービス内容を把握する。採用する介護保健施設サービス費や室料差額、利用料の設定、送迎等のサービスの実施状況によっても異なる。
	入所定員1人当たり年間事業収益	$\frac{\text{事業収益}}{\text{平均入所定員数}}$	入所定員1人当たりの事業収益から施設サービスの内容を把握する。平均要介護度、入所利用率や通所事業の規模によっても異なる。
	平均要介護度	$\frac{\text{(要支援等の人数×0)+(要介護度1の人数×1)+(要介護度2の人数×2)+(要介護度3の人数×3)+(要介護度4の人数×4)+(要介護度5の人数×5)}}{\text{人数合計}}$	施設の機能を平均要介護度から把握する。要介護度は事業収入にも影響するので、要介護度分布も把握する必要がある。
費用の適正性	人件費率	$\frac{\text{人件費}}{\text{事業収益}} \times 100$	従事者数及び給与水準に留意しつつ、その適正性を検討する必要がある。 （注）役員報酬は、経費に含む。
	医療材料費率	$\frac{\text{医療材料費}}{\text{事業収益}} \times 100$	利用者1人1日当たり医療材料費に留意しつつ、その適正性を検討する必要がある。
	給食材料費率	$\frac{\text{給食材料費（委託給食費を含む）}}{\text{事業収益}} \times 100$	利用者1人1日当たり給食材料費や業務委託の範囲との関連に留意しつつ、その適正性を検討する必要がある。
	経費率	$\frac{\text{経費}}{\text{事業収益}} \times 100$	事業費用から人件費、材料費（委託給食費を含む）及び減価償却費を除いた諸経費についての適正性をみる。経費率が高い場合は、個々の経費ごとに検討する必要がある。
	減価償却費率	$\frac{\text{減価償却費}}{\text{事業収益}} \times 100$	償却資産の構成割合及びそれぞれの経過年数に留意しつつ、その適正性を検討する必要がある。
	経常収益対支払利息率	$\frac{\text{支払利息}}{\text{経常収益}} \times 100$	借入金残高、借入条件等から支払利息の適正性を検討する必要がある。

区分	経営指標	算　式	説　明
生産性	従事者1人当たり年間事業収益	$\frac{\text{事業収益}}{\text{年間平均従事者数}}$	施設の規模等によって異なるが、従事者１人当たり年間給与費との比較分析も必要である。 （注）従事者数は、非常勤職員の常勤換算後の職員数を含む常勤職員数により算出する。
	労働生産性	$\frac{\text{付加価値額}}{\text{年間平均従事者数}}$ ※付加価値額 事業収益－(材料費＋諸経費＋減価償却費)	従事者数１人がどれだけの付加価値を生み出したかをみる。労働生産性が高ければ、各々の従事者が効率よく価値を生み出し、円滑な運営管理が行われているといえる。 （注）従事者数は、非常勤職員の常勤換算後の職員数を含む常勤職員数により算出する。
	従事者1人当たり人件費	$\frac{\text{人件費}}{\text{年間平均従事者数}}$	いわゆる給与水準であり、労働意欲やサービス内容に関係する一方、生産性に対応していなければ経営の安定性を損なうことになる。したがって、従事者１人当たり年間事業収益や労働生産性との関係において検討するとともに、給与ベースの他に、平均年齢、職種別従事者数等によっても異なることに留意する必要がある。
	労働分配率	$\frac{\text{人件費}}{\text{付加価値額}}\times100$	付加価値が人件費にどれだけ分配されているかをみることで、経営の効率性を把握する。人件費を支払原資（付加価値額）のなかで収めるのは当然のことであるが、質と意欲に関係するので、低ければ良いというものではない。
収益性	事業収益対事業利益率	$\frac{\text{事業利益}}{\text{事業収益}}\times100$	本業である事業活動そのものから得られた利益を表す指標である。
	経常収益対経常利益率	$\frac{\text{経常利益}}{\text{経常収益}}\times100$	事業利益に受取利息や支払利息その他の収入支出を加えた、施設に通常発生している利益を表す指標である。施設の収益性を判断するうえで非常に重要である。
	総資本回転率	$\frac{\text{事業収益}}{\text{総資本}}$	資本の効率性を表す指標である。総資本回転率が低い場合は、一般的に過大投資（設備投資に対する事業収益額の不足）の状態を示していることになる。 また、事業利益率が平均的で回転率が高い場合は、施設設備の老朽化、陳腐化、あるいは設備法人からの賃借等を考慮して、その適正性を判断する必要がある。
	固定資産回転率	$\frac{\text{事業収益}}{\text{固定資産}}$	固定資産の利用度を表す指標である。総資本回転率に比べ、事業規模に対する設備投資額の妥当性や施設の老朽化の状況をより端的に表す。 ただし、負債額を反映した指標にはならない。

区分	経営指標	算式	説明
収益性	建物回転率	$\dfrac{\text{事業収益}}{\text{建物・附属設備}}$	固定資産には土地が含まれるため、地価の高い都市部においては固定資産回転率に大きな影響を及ぼすことになる。 この指標は、固定資産回転率の算式から土地・機械備品・無形固定資産等の影響を排除したものである。
	総資本事業利益率	$\dfrac{\text{事業利益}}{\text{総資本}} \times 100$ (注) $\dfrac{\text{事業利益}}{\text{総資本}} = \dfrac{\text{事業利益}}{\text{事業収益}} \times \dfrac{\text{事業収益}}{\text{総資本}}$ (事業収益対事業利益率) (総資本回転率)	この比率は、事業活動から生み出された利益と資本の割合を示すものであり、介護老人保健施設の経営能率を測定する重要な比率である。
安定性	自己資本比率	$\dfrac{\text{自己資本}}{\text{総資本}} \times 100$	総資本は、自己資本と他人資本で構成されている。他人資本は返済しなければならず、なかでも借入金は利息を支払わねばならないので、自己資本比率が高いほど財政上の安定性が高い。 この比率は経過年数とともに高まる傾向があり、20%以上が望まれる。
	固定長期適合率	$\dfrac{\text{固定資産}}{\text{自己資本}+\text{固定負債}} \times 100$	長期にわたって運用される固定資産は、自己資本や長期安定資金で賄うことが肝要である。 この比率は、100%以下であることが大切である。100%を超える場合は、固定資産への過大投資を示し、利益による返済が重荷となる。
	流動比率	$\dfrac{\text{流動資産}}{\text{流動負債}} \times 100$	流動負債(買掛金、短期借入金等、原則として1年以内に支払う負債)の支払能力を示す。 この比率は高いほどよいとされるが、120%あればまず安全といえる。
	借入金比率	$\dfrac{\text{長期借入金}}{\text{事業収益}} \times 100$	資金返済のもととなる事業活動の年間収益と借入金残高の関係を明らかにしたものである。 低いほど財務面は安定する。

特別養護老人ホームの
経営分析参考指標
平成20年度決算分
2009
WAM
独立行政法人 福祉医療機構

もくじ

指標についての注意点

1 この参考指標は、当機構の貸付先である特別養護老人ホームから提出された事業報告書を基に、平成 20 年度の決算状況を取りまとめたものです。特別養護老人ホームと短期入所生活介護事業の決算状況であり、通所介護（デイサービス事業）などの決算状況は含んでおりません。

2 当機構は「指定介護老人福祉施設等会計処理等取扱指導指針（以下「指導指針」といいます。）」に基づいて、決算書を取りまとめています。「社会福祉法人会計基準（以下「会計基準」といいます。）」を採用している決算書に関しては、「指導指針」に置き換えて指標を算出しています。

3 指標は以下の 3 種類の施設形態に分けて算出しています。

・従来型　介護報酬において、「従来型個室」「多床室」の適用を受けている施設群を示します。

・個室ユニット型　介護報酬において、「ユニット型個室」「ユニット型準個室」の適用を受けている施設群を示します。従いまして、単に処遇上のユニットケアを実践している施設は含んでいません。

・一部個室ユニット型　介護報酬において、「従来型個室」「多床室」の適用を受けている部分と、「ユニット型個室」「ユニット型準個室」の適用を受けている部分の両方の形態を持つ施設群を示します。

4 従事者数は、非常勤職員については「常勤換算」を行っています。「常勤換算」とは、非常勤職員がその職務に従事した 1 週間の勤務時間を、当該施設における通常の 1 週間の勤務時間で除して得られるものです。

5 「事業活動収入」は、「事業活動収入の部　収入」の「国庫補助金等特別積立金取崩額」と「事業活動支出の部　支出」の「利用者負担減免額」を除いた金額で算出しています。

6 「減価償却費率」の減価償却費は、「事業活動収支の部　収入」の「国庫補助金等特別積立金取崩額」を除いた金額で算出しています。

7 数値は四捨五入しているため、内訳の合計が合わない場合があります。表章記号は次のとおりです。

・計数がない場合又は統計項目がありえない場合　－

・計数不明又は計数を表章することが不適当な場合　…

8 平成 20 年度については、データ集計方法の違いにより連続しないものがあります。

経営指標の概要

本章では、現在の特別養護老人ホームの経営実態を考慮しながら、経営分析に必要と思われる経営比率とその概要をとりまとめました。経営状況を自己診断し、問題点や経営改善の方向を探る際にお役立てください。

主　要　な　項　目

機能性

財務等の定量的診断を行う前提として、そのために不可欠な施設の機能やサービス内容を把握します。

なお、これらは事業活動収入の基礎となるものです。

費用の適正性

費用の状況について、良質なサービス提供に必要な支出が行われているか、また、冗費が生じていないかを把握します。一般の経営分析では、売上高に対する諸費用の比率は収益性の指標として整理されています。

福祉においては、必ずしも費用が安ければよいというものではないことから、費用の適正性という項目を立てました。

生産性

事業に投入した資源に対する産出量を評価するのが生産性であり、施設の保有する人員や設備が十分に活用され、それにふさわしい収入を上げているかを把握します。

一般的に、投入要素としては労働と資本が、産出高としては売上高と付加価値などがあります。

安定性

短期の支払能力や純資産の充実度の状況等をみることによって、安定した施設の財政基盤が確立しているかどうかを把握します。

一般の経営分析では通常「安全性」と言われていますが、福祉施設においては財政基盤の安定が何よりも基本的に重要であることから、あえて「安定性」という用語を用いました。

収益性

事業に投下された資本や事業に対する収入の効率性を把握します。

一般には、小額投資でより多くの利益を確保することが最大の課題となりますが、福祉においては、公共性が高いことを踏まえた上での把握が重要となります。

経営指標の概要（特養）

経営指標		算式	説明
機能性	入所利用率 特養入所利用率 短期入所利用率	$\frac{年間延べ入所者数}{年間延べ定員数} \times 100$	施設の地域のニーズへの適合性を把握する。併せて要支援者数及び要介護者数の割合を把握しておく必要がある。入所率が低い場合は、地域のニーズ、競合施設等の把握が必要になる。 事業活動収入を決定づけるものであり、最も重要な経営指標である。特養入所利用率は、施設の開設当初から100%近い水準が望まれる。
	平均要介護度	欄外に記載。	施設の機能を平均要介護度から把握する。入居者の介護度は事業活動収入にも影響するので、要介護度分布も把握する必要がある。
	定員1人当たり事業活動収入	$\frac{事業活動収入}{入所定員}$	定員（短期入所専用床を含む）1人当たりの年間事業活動収入から、施設サービスの内容を把握する。平均要介護度、利用率や規模によっても異なる。
	入所者1人1日当たり事業活動収入	$\frac{事業活動収入}{年間延べ入所者数}$	収入単価の面から施設のサービス内容を把握する。平均要介護度の他に室料差額、利用料の設定等、サービスの実施状況によっても異なる。
	入所者10人当たり従事者数	$\frac{年間平均従事者数}{1日平均入所者数} \times 10$	従事者数の面から施設のサービス内容を把握する。入所率が低い場合は、大きくなる。 外部委託の状況によっても異なることに留意する必要がある。
	定員1人当たり有形固定資産額	$\frac{有形固定資産額（土地を除く）}{入所定員}$	施設設備等の装備の面から施設のサービス内容を把握する。 通常、経過年数とともに減少するが、著しく小さい場合は老朽化が懸念される。
費用の適正性	従事者1人当たり人件費	$\frac{人件費}{年間平均従事者数}$	いわゆる給与水準であり、労働意欲やサービス内容に関係する一方、生産性に対応していなければ経営の安定性を損なうことになる。したがって、従事者1人当たり事業活動収入や労働生産性との関係において検討するとともに、給与ベースの他に、平均年齢、職種別従事者数等によっても異なることに留意する必要がある。
	人件費率	$\frac{人件費}{事業活動収入} \times 100$	従事者数及び給与水準に留意しつつ、その適正性を検討する。併せて労働分配率にも留意する必要がある。
	給食材料費率 入所者1人1日当たり給食材料費	$\frac{給食材料費}{事業活動収入} \times 100$ （給食材料費／年間延べ入所者数）	入所者1人1日当たり給食材料費に留意しつつ、その適正性を検討する必要がある。
	経費率	$\frac{諸経費}{事業活動収入} \times 100$	事業活動支出から人件費、給食材料費及び減価償却費を除いた諸経費についての適正性を検討する。経費率が高い場合は、外部委託費等個々の経費ごとに検討する必要がある。
	減価償却費率	$\frac{減価償却費}{事業活動収入} \times 100$	償却資産の構成割合及びそれぞれの経過年数に留意しつつ、その適正性を検討する必要がある。
	支払利息率	$\frac{借入金利息}{事業活動収入} \times 100$	借入金残高、借入条件等から支払利息の適正性を検討する必要がある。

生産性	従事者１人当たり事業活動収入	$\frac{\text{事業活動収入}}{\text{年間平均従事者数}}$	従事者1人当たりどの程度の事業活動収入を得ているかによって、従事者１人当たりの能率を検討する。
	労働生産性	$\frac{\text{付加価値額}}{\text{年間平均従事者数}}$	従事者１人がどれだけの付加価値を生み出したかをみる。労働生産性が高ければ、各々の従事者が効率よく価値を生み出し、円滑な運営管理が行われているといえる。 付加価値額＝事業活動収入－（経費＋減価償却費＋徴収不能額）
	労働分配率	$\frac{\text{人件費}}{\text{付加価値額}}\times100$	付加価値が人件費にどれだけ分配されているかをみることで、経営の効率性を把握する。人件費を支払原資（付加価値額）のなかで収めるのは当然のことであるが、質と意欲に関係するので、低ければ良いというものではない。
安定性	純資産比率	$\frac{\text{純資産}}{\text{総資産}}\times100$	総資産に占める純資産の割合を表し、純資産比率が高いほど経営の安定性が高い。 この比率は公的補助があるため、企業と比べ高い数値となるが、マイナスの場合は、債務超過であり早急な改善が必要である。
	固定長期適合率	$\frac{\text{固定資産}}{\text{純資産＋固定負債}}\times100$	長期にわたって運用される固定資産は、純資産や長期借入金で賄うことが肝要である。 この比率は１００％以下であることが大切である。 １００％を超える場合は、短期資金で賄っていることになり、流動比率を悪化させる。
	流動比率	$\frac{\text{流動資産}}{\text{流動負債}}\times100$	短期の返済が必要な流動負債の返済能力を検討する。通常１２０％以上あれば安全である。
収益性	総資産回転率	$\frac{\text{事業活動収入}}{\text{総資産}}$	社会資本として施設に投下された諸資源がどの程度活用されたかを示す。福祉サービスの場合、その特性に起因して、企業の場合に比べ著しく低い。 事業活動収入が平均的で回転率が高い場合には、施設等が老朽化している可能性があることに留意する必要がある。
	事業活動収入対経常収支差額比率	$\frac{\text{経常収支差額}}{\text{事業活動収入}}\times100$	施設経営上の収支状況を端的に表す。上昇、横ばい、下降等の経時基調に留意する必要がある。 マイナスの場合は、純資産比率を低下させ、経営の安定性を損なうことになる。マイナスの場合等の要因分析は、機能性の把握及び各費用率等を検討する。
	総資産経常収支差額比率	$\frac{\text{経常収支差額}}{\text{総資産}}\times100$	社会資本として施設に投下された諸資源がどの程度の経常収支差額を生み出したかを示し、施設の経営成績を包括的に測定する指標である。

平均要介護度の算式

$$\frac{(\text{自立及び要支援の延人数}\times 0+\text{要介護1の延人数}\times 1+\text{要介護2の延人数}\times 2+\text{要介護3の延人数}\times 3+\text{要介護4の延人数}\times 4+\text{要介護5の延人数}\times 5)}{\text{年間延入所者数}}$$

（総括表）

特別養護老人ホーム の施設種類別の概況（平成20年度）

＜機能性＞

区分		従来型	ユニット型	一部ユニット型
施設数		2,364施設	725	408
平均特養入所定員数		70.5人	66.2	81.1
平均短期入所定員数		13.3人	13.8	16.4
特養入所利用率		95.7%	95.6	95.6
短期入所利用率		85.7%	76.4	87.2
1日平均入所者数	特養入所	67.5人	63.4	77.5
	短期入所	11.4人	10.5	14.3
平均要介護度	特養入所	3.85	3.64	3.75
	短期入所	3.16	3.09	3.15
定員1人当たり事業活動収入		3,728千円	4,253	3,855
入所者1人1日当たり事業活動収入		10,850円	12,594	11,216

＜従事者の状況＞

区分		従来型	ユニット型	一部ユニット型
1施設当たり従事者数	介護職員	30.4人	37.7	40.8
	看護職員	4.1人	4.1	4.8
	その他の職員	12.6人	11.1	14.0
	計	47.2人	52.8	59.5
入所者10人当たり従事者数	介護職員	3.86人	5.15	4.45
	看護職員	0.53人	0.56	0.52
	その他の職員	1.60人	1.52	1.52
	計	5.99人	7.22	6.49

＜収支の状況＞

区分				従来型	ユニット型	一部ユニット型
収支の状況	収入	総収入構成比	事業活動収入	92.8%	89.1	92.6
			事業活動外収入	1.5%	1.3	1.3
			特別収入	5.7%	9.6	6.1
		事業活動収入構成比	介護保険関係収入（介護福祉施設介護料収入等）	83.9%	75.0	81.5
			利用者等利用料収入	15.1%	24.3	17.9
			その他の事業収入	1.1%	0.7	0.6
	支出	事業活動収入に対する事業活動支出の割合	人件費	60.3%	56.0	59.5
			経費	29.4%	27.7	27.7
			（直接介護費）	(17.5%)	(16.0)	(16.8)
			（うち給食材料費：再掲）	(7.1%)	(6.3)	(6.8)
			（一般管理費）	(11.9%)	(11.6)	(10.9)
			減価償却費	3.5%	8.0	5.4
			その他	0.9%	0.7	0.7
			計	94.1%	92.4	93.3
支払利息率				0.7%	2.7	1.2
事業活動収入対経常収支差額比率				6.4%	6.0	6.5
従事者1人当たり事業活動収入				6,610千円	6,366	6,306
労働生産性				4,435千円	4,094	4,223
従事者1人当たり人件費				3,987千円	3,567	3,752
労働分配率				89.9%	87.1	88.9

ケアハウスの
経営分析参考指標
平成20年度決算分
2009
WAM
独立行政法人 福祉医療機構

もくじ

経営指標の概要

本章では、現在のケアハウスの経営実態を考慮しながら、経営分析に必要と思われる経営比率とその概要をとりまとめました。経営状況を自己診断し、問題点や経営改善の方向を探る際にお役立てください。

経営指標の概要（ケアハウス）

経営指標		算式	説明
機能性	入所利用率	$\frac{年間延べ入所者数}{年間延べ定員数} \times 100$	施設の地域のニーズへの適合性を把握する。併せて要支援者数及び要介護者数の割合を把握しておく必要がある。入所率が低い場合は、地域のニーズ、競合施設等の把握が必要になる。 事業活動収入を決定づけるものであり、最も重要な経営指標である。施設の開設当初から100%近い水準が望まれる。
	定員1人当たり事業活動収入	$\frac{事業活動収入}{入所定員}$	定員1人当たりの年間事業活動収入から、施設サービスの内容を把握する。管理費収入、利用率や規模によっても異なる。
	入所者1人1日当たり事業活動収入	$\frac{事業活動収入}{年間延べ入所者数}$	収入単価の面から施設のサービス内容を把握する。平均要介護度の他に室料差額、利用料の設定等、サービスの実施状況によっても異なる。
	入所者10人当たり従事者数	$\frac{年間平均従事者数}{1日平均入所者数} \times 10$	従事者数の面から施設のサービス内容を把握する。入所率が低い場合は、大きくなる。 外部委託の状況によっても異なることに留意する必要がある。
	定員1人当たり有形固定資産額	$\frac{有形固定資産額（土地を除く）}{入所定員}$	施設設備等の装備の面から施設のサービス内容を把握する。 通常、経過年数とともに減少するが、著しく小さい場合は老朽化が懸念される。
費用の適正性	従事者1人当たり人件費	$\frac{人件費}{年間平均従事者数}$	いわゆる給与水準であり、労働意欲やサービス内容に関係する一方、生産性に対応していなければ経営の安定性を損なうことになる。したがって、従事者1人当たり事業活動収入や労働生産性との関係において検討するとともに、給与ベースの他に、平均年齢、職種別従事者数等によっても異なることに留意する必要がある。
	人件費率	$\frac{人件費}{事業活動収入} \times 100$	従事者数及び給与水準に留意しつつ、その適正性を検討する。併せて労働分配率にも留意する必要がある。
	給食材料費率 （入所者1人1日当たり給食材料費）	$\frac{給食材料費}{事業活動収入} \times 100$ （給食材料費／年間延べ入所者数）	入所者1人1日当たり給食材料費に留意しつつ、その適正性を検討する必要がある。
	経費率	$\frac{諸経費}{事業活動収入} \times 100$	事業活動支出から人件費、給食材料費及び減価償却費を除いた諸経費についての適正性を検討する。経費率が高い場合は、外部委託費等個々の経費ごとに検討する必要がある。
	減価償却費率	$\frac{減価償却費}{事業活動収入} \times 100$	償却資産の構成割合及びそれぞれの経過年数に留意しつつ、その適正性を検討する必要がある。
	支払利息率	$\frac{借入金利息}{事業活動収入} \times 100$	借入金残高、借入条件等から支払利息の適正性を検討する必要がある。

生産性	従事者１人当たり事業活動収入	$\frac{\text{事業活動収入}}{\text{年間平均従事者数}}$	従事者1人当りどの程度の事業活動収入を得ているかによって、従事者1人当たりの能率を検討する。
	労働生産性	$\frac{\text{付加価値額}}{\text{年間平均従事者数}}$	従事者1人がどれだけの付加価値を生み出したかをみる。労働生産性が高ければ、各々の従事者が効率よく価値を生み出し、円滑な運営管理が行われているといえる。 付加価値額=事業活動収入－（経費＋減価償却費+徴収不能額）
	労働分配率	$\frac{\text{人件費}}{\text{付加価値額}}\times100$	付加価値が人件費にどれだけ分配されているかをみることで、経営の効率性を把握する。人件費を支払原資（付加価値額）のなかで収めるのは当然のことであるが、質と意欲に関係するので、低ければ良いというものではない。
安定性	純資産比率	$\frac{\text{純資産}}{\text{総資産}}\times100$	総資産に占める純資産の割合を表し、純資産比率が高いほど経営の安定性が高い。 この比率は通常、公的補助があるため、６０%を超える。マイナスの場合は、債務超過であり早急な改善が必要である。
	固定長期適合率	$\frac{\text{固定資産}}{\text{純資産＋固定負債}}\times100$	長期にわたって運用される固定資産は、純資産や長期借入金で賄うことが肝要である。 この比率は１００%以下であることが大切である。 １００%を超える場合は、短期資金で賄っていることになり、流動比率を悪化させる。
	流動比率	$\frac{\text{流動資産}}{\text{流動負債}}\times100$	短期の返済が必要な流動負債の返済能力を検討する。通常１２０%以上あれば安全である。
収益性	総資産回転率	$\frac{\text{事業活動収入}}{\text{総資産}}$	社会資本として施設に投下された諸資源がどの程度活用されたかを示す。福祉サービスの場合、その特性に起因して、企業の場合に比べ著しく低い。 事業活動収入が平均的で回転率が高い場合には、施設等が老朽化している可能性があることに留意する必要がある。
	事業活動収入対経常収支差額比率	$\frac{\text{経常収支差額}}{\text{事業活動収入}}\times100$	施設経営上の収支状況を端的に表す。上昇、横ばい、下降等の経時基調に留意する必要がある。 マイナスの場合は、純資産比率を低下させ、経営の安定性を損なうことになる。マイナスの場合等の要因分析は、機能性の把握及び各費用率等を検討する。
	総資産経常収支差額比率	$\frac{\text{経常収支差額}}{\text{総資産}}\times100$	社会資本として施設に投下された諸資源がどの程度の経常収支差額を生み出したかを示し、施設の経営成績を包括的に測定する指標である。

（総括表）
ケアハウスの施設種類別の概況（平成２０年度）

<機能性>

区　　　分	一般型	特定施設の指定あり
施設数	929施設	187
平均入所定員数	39.8人	49.4
入所利用率	95.4%	94.2
1日平均入所者数	38.0人	46.5
定員1人当たり事業活動収入	1,622千円	2,679
入所者1人1日当たり事業活動収入	4,659円	7,794

<従事者の状況>

		一般型	特定施設の指定あり
1施設当たり従事者数	生活相談員	1.0人	1.1
	介護職員	2.0人	11.8
	その他の職員	3.1人	6.1
	計	6.2人	19.0
入所者10人当たり従事者数	生活相談員	0.27人	0.23
	介護職員	0.54人	2.54
	その他の職員	0.82人	1.31
	計	1.63人	4.08

<収支の状況>

				一般型	特定施設の指定あり
収支の状況	収入	総収入構成比	事業活動収入	86.5%	86.4
			事業活動外収入	3.1%	1.8
			特別収入	10.3%	11.9
		事業活動収入構成比	介護保険関係収入	－%	46.9
			利用者等利用料収入	62.6%	40.3
			その他の事業収入	37.4%	12.7
	支出	事業活動収入に対する事業活動支出の割合	人件費	36.9%	48.2
			経費	49.4%	33.2
			（直接介護費）	(29.6%)	(19.7)
			（うち給食材料費：再掲）	(15.1%)	(9.8)
			（一般管理費）	(19.8%)	(13.6)
			減価償却費	10.1%	8.4
			その他	0.4%	0.5
			計	96.8%	90.2
支払利息率				3.0%	2.7
事業活動収入対経常収支差額比率				3.5%	8.7
従事者1人当たり事業活動収入				10,404千円	6,976
労働生産性				4,216千円	4,074
従事者1人当たり人件費				3,843千円	3,362
労働分配率				91.2%	82.5

［お問い合せ先］　独立行政法人福祉医療機構
http://www.wam.go.jp/wam/　経営支援部　経営企画課

あとがき

本書は、2001年秋に刊行した『医療・福祉の経営学』を改訂することを目指したものの、この10年間、ほぼ毎年のように医療・介護の改革があってこれらの制度が変わり、また一方で、新たに手掛ける病院事業の分析範疇も広がって行ったため、実質的に内容の大半を書き直し、編集し直すこととなった。その意味では、前著の改訂ではなく新しい著作と思っていただいてよい。

ただし、日本の医療経営学（Health Policy and Management）の体系化を試みるという方針は全く変わらない。そのため、内容は広範にわたり、編集するのに何年もかかった。そして、いよいよゲラ校正の段になったときには音を上げそうになった。しかし、かつて赴任した東京や岡山、そして現在の赴任地である静岡の大学院で研究指導した社会人院生のOBたちや現役生たちが集って手伝ってくれた。おかげで、この山を越えることができた。振り返ると、前著を書くまでの20年近くも多くの方々のご縁とご支援をいただいたが、本書刊行に至るまでの10年間については、さらに多くの方たちにお助けいただいたものと思う。

じつのところ、ゲラ校正の前、電子媒体上での最終校了をしたばかりの頃に、東日本の大震災に遭った。こちら静岡でもかなり大きく揺れたものの、近辺の被害は比較的小さかった。ところが、すぐ後からの報道で震源地方面では地揺れのみならず予想外の大津波によって宮城、岩手、福島をはじめ多くのところで多数の人命が失われたことを知り、計り知れない自然の猛威に人がいかに無力かを思い知らされた。加えて、大津波によって福島県にある原子力発電施設が壊されたことで災害が広がり、震災からの復興を難しくしている現実に向き合うこととなった。かつて工学系に学んだものとして、多少とも日本の技術力に誇りを持っていただけに、気持ちが落ち込んで悄然とした。

しかしながら思い返してみると、人類の長い歴史の中でわずか100年余り前に現れた医療保険の仕組みによって、それまで病気になっても限られた裕福な人しか受けられなかった医療が、今では多くの人が受けられるようになっている。とくに日本の場合は、半世紀前に実現した国民皆保険制度によって、全国民を対象とした医療保険システムが運営されている。これは傷病という災厄から国民の生活破たんを防ぐための知恵を高度に組み立てるものであり、これを現実のものとするためには優れたマネジメントが欠かせないわけである。人の知恵は限られているが、たゆまぬ努力によって、災厄への防備を高められることを、著者は信じて疑わない。

わが国の医療経営学の研究はまだ緒についたばかりであるが、やがて研究成果が積まれ、人々への公平で盤石な医療提供体制の設計に役立つようになれば、国を超えて貢献する知恵の体系になるものと思う。著者は、その目標に向っての一助にと考え、本書を編んだ。本書刊行に至るまでの30年余り、たいへん多くの方々がご支援くださった。そのお一人ずつのお名前をあげて謝することはかなわない。そこで、これらの皆さまに報じたいとの思いから本書の印税をすべて東日本大震災復興のための義援金として寄付する所存である。

なお、著者が2003年から志しを同じくする人たちと共に毎年開催している社会福祉・医療事業の経営研究セミナーの事務局を現代社会福祉経営研究会と称しており、現在の研究室には「現代社会福祉経営研究 Contemporary Management of Health and Welfare」の銘を掲げている。ここのホームページ http://cmhw.u-shizuoka-ken.ac.jp/ には、著者が関わる医療経営の研究を随時載せているので、関心のある方にはアクセスしていただければ幸いである。

最後になったが、本文中の図表については資料や出典を記してあるが、特に書いてないものは、前著『医療・福祉の経営学』刊行以降に発表した後に記す著作や論文等から収録している。なお、10年前に刊行した前著には、その時点までの制度経営論を整理するのに参考にした文献の一覧を載せているので、ここでは再掲しない。ただし、その中の一つだけ、ここに紹介しておきたい。それは、元新聞記者であった有岡二郎氏の労作『戦後医療の五十年（医療保険制度の舞台裏）』（日本医事新報社、1997）で、これは単に戦後のわが国医療保険制度の歴史的記録の整理に留まらず、わが国医療機関の経営の歴史を省みる上でもたいへん参考になる資料であった。本書の第１、２章に取りまとめた著者の制度経営論の整理にご関心を持たれた方には、是非一読をお勧めしたい。

2011年５月　熱海伊豆山にて

西田　在賢

[本書構成に用いた著作一覧] 下記で特に断らないものは著者の単著である。

(2001年10月) 『医療・福祉の経営学』薬事日報社
(2002年10月) 『新書版：医療経営革命』(西田在賢、ケイミン・ワング) 薬事日報社
(2003年6月) 「米国HMOの考察で整理したときの医療の質と医療経営」日本病院会雑誌 Vol. 50, No. 6
(2004年4月) 『新時代に生きる医療保険制度…持続への改革論』(西田在賢、橋本英樹、福田敬、住吉英樹、泉田信行) 薬事日報社
(2004年9月) 「医療の経営学とは/Introductory Health Policy and Management」岡山医学会雑誌 Vol. 116, No. 2
(2005年1月) 「医療の制度経営論/持続可能性の観点から診る医療保険制度改革」岡山医学会雑誌 Vol. 116, No. 3
(2005年5月) 「医療の事業経営論/医療業の経営持続性を考える」岡山医学会雑誌 Vol. 117, No. 1
(2005年5月) 「医療業では『経営品質』に注目するのが妥当か」月刊マーク Vol. 16, No. 6
(2005年8月) 『医業参謀』薬事日報社
(2006年1月～6月) 連載「中小病院の中期経営戦略考①～⑥」独立行政法人福祉医療機構　月刊 WAM No. 493～No. 498
(2006年3月) 「病院におけるサービスプロダクト・ポートフォーリオ戦略」(西田在賢、田極春美、橋本英樹)「医師を対象とした病院トップマネジメント教育プログラム開発プロジェクト」報告書 (次世代病院経営層人材育成コンソーシアム 代表団体 東京大学)
(2006年12月) 「医療制度改革と薬局」公衆衛生 Vol. 70, No. 12
(2007年9月) 「病院経営持続性を診るベンチマークの提案」日本病院会雑誌 Vol. 54, No. 9
(2007年9月) 「わが国適正医師数の考察」(西田在賢、秋山祐治) 社会保険旬報 No. 2326
(2007年10月) 「医経分離あるいは一体型組織を構築して最強の病医院となる」『医療経営白書 (2007年度版)』日本医療企画
(2008年7月～2009年3月) 連載「これからの医療保険制度を考える」しずおかの国保、No. 344～346
(2009年5月) 「近年における病院業の見方」病院、Vol. 68, No. 5

（2010年３月） 「地方の時代の医療経営論（上・下）」社会保険旬報 No. 2416, No. 2417

（2010年３月） 「随想：ソーシャル・イノベーションとヘルスリフォーム」静岡県立大学経営情報学部紀要経営と情報 Vol. 22, No. 2

（2011年１月） 「地方の時代の医療改革」社会保険旬報 No. 2446

以上

索　引

あ行

か行

さ行

た行

な行

は行

ま行

や行

ら行

英字

【著者紹介】
西田　在賢（にしだ　ざいけん）

県立広島大学特任教授、HBMS 地域医療経営プロジェクト研究センター長。

医学博士（日本医科大学大学院医療管理学）、情報工学修士（東京大学大学院工学系研究科情報工学）

1954年生まれ。1979年マッキンゼー・アンド・カンパニー勤務、1982年電子カルテ開発のベンチャービジネス起業、1989年日仏合弁会社の経営再建社長に就く。1995年医療経済研究機構研究部長兼研究主幹、1996年東北大学医学部病院管理学教室助教授、1997年ハーバード大学公衆衛生大学院リサーチフェロー、1999年川崎医療福祉大学大学院医療福祉学研究科教授。2001年４月より2009年３月まで岡山大学大学院医歯薬学総合研究科医療経済学担当客員教授。2002年吉村記念厚生政策研究助成基金から吉村賞受賞。2003年武蔵野大学現代社会学部教授、同大大学院福祉マネジメント専攻長を経て、2006年４月静岡県立大学経営情報学部、同大大学院経営情報イノベーション研究科教授。地域経営研究センター並びに医療経営研究センター長を歴任。2016年静岡県立大学学長表彰。2019年同大名誉教授。

新装版

ソーシャルビジネスとしての　医療経営学

～Health Policy and Management～

2019年11月１日　第１刷発行

著　者　西田　在賢

発　行　株式会社　薬事日報社

〒101-8648　東京都千代田区神田和泉町１番地

電話　03-3862-2141（代表）

URL　http://www.yakuji.co.jp.

印刷・製本　　昭和情報プロセス株式会社

表紙デザイン　ファントムグラフィックス